令和4年改訂

成功する事業承継
Q&A150

遺言書・遺留分の民法改正から自社株対策、
法人・個人の納税猶予まで徹底解説

税理士　坪多晶子　著
Tsubota Akiko

清文社

はじめに

　厳しい国際競争の時流の中で、会社をどう発展させるか、どう承継させるかということは、中小企業の経営者にとっては重要なことです。殊に会社をゼロからスタートさせ成長軌道に乗せた創業経営者や、中興の祖として会社を大きく成長させた経営者にとって、会社の将来はもちろんのこと、家族の相続問題にも関わる事業承継は、人生の仕上げとして真剣に取り組まなければならない最大の課題です。

　中小企業の非上場株式は、上場株式や不動産・預貯金とは異なり、換金性が乏しいにもかかわらず会社を承継させるためにはどうしても引き継がせなければならないものです。もちろん相続財産においても大きな割合を占めるわけですから、相続が発生すれば財産をどのように分割するのか、相続税はどれくらいかかり、どのようにそれを支払ったらよいのかといった難問も待ち受けています。

　これらの中小企業の事業承継問題の解決の一助として、中小企業経営承継円滑化法による「遺留分に関する民法特例」や、相続税法上の「非上場株式等についての特例納税猶予制度」や「個人の事業用資産についての納税猶予制度」が設けられています。これらは、一定の後継者に贈与された非上場株式等につき民法特例による遺留分に関する除外合意ができ、また非上場株式等や事業用資産の贈与や相続について評価額をゼロとする納税猶予の適用を受けることができる制度です。なお、親族や会社内部に後継者がいない場合には、M＆Aという事業承継も考えざるを得ません。

　また、長年改正のなかった民法が判決や現在の実情に併せて大きく改正され、自筆証書遺言の財産目録の緩和措置、遺留分制度に関する見直し、配偶者居住権等が施行され、法務局における自筆遺言証書の保管制度も始まっています。さらに、相続・住所変更登記の申請義務化、土地利用の円滑化に関する民法改正、相続土地国庫帰属法が施行される予定です。これらの改正をきちんと理解し活用することにより、事業承継や相続の悩みについての解決が期待できるのです。

しかし、これらの制度により中小企業の事業承継に関わる問題がすべて解消できるわけではありません。だからこそ、経営者は自社株式評価をしっかりと理解し、事業承継にどう取り組むかを判断しなくてはなりません。

　さらに、経営権の確保という問題を解決するためには、会社法を賢く活用するとよいでしょう。例えば、種類株式や信託及び一般社団法人の活用や会社分割などの組織再編手法により、相続時に予想されるもめごとに事前に手を打つことができるからです。また、事業再編や組織再編に踏み切る過程で、効果的に合併や分割等を実行することによって自社株式の相続税評価額が大きく下がることもあります。なお、会社法や税制の支援により、相続株式については発行会社による買取りが有効に機能します。これらの手法を選ぶも選ばぬも、そして活かすも失敗するも、経営者やその信頼を受ける専門家の判断一つにかかっているのです。

　しかも、少子高齢化の進行による財政収支の悪化を防ぐために、経営者や資産家への課税強化が着目されています。財産債務調書の提出義務者の拡大や金融資産へのマイナンバー利用の促進、所有不動産記録証明制度の創設等により資産や所得はますます透明化され、近い将来にはすべての財産を国が把握できるようになる可能性が高く、相続税と贈与税の一体化も継続して検討され、贈与による節税効果にも赤信号が点滅しています。

　このような民法と税法の最新改正を踏まえ、本改訂版は相続と相続税における注意点を整理して勘違いを防ぎ、それらの賢い活用法と自社株式評価をきちんと理解したうえで、税法・会社法・民法等の様々な手法をいち早く取り入れて、どんな対策を取るべきかを考えていただくために、Ｑ＆Ａ形式150問の形で皆様のお役に立つようまとめました。

　明るく夢のある事業承継に成功していただき、会社が繁栄を続けるとともに、皆様ご自身やご家族も含めた、より多くの方々が幸せな未来を築かれる上で、本書が少しでもお役に立てれば幸いです。

　令和4年8月

　　　　　　　　　　　　　　　　　　　　　　　坪多晶子

目次

I 事業承継のための相続と相続税の基本と対策

§1 法定相続分の仕組みと対策

1 事業承継の基本である民法における相続 ……………………………… 2

2 後継者の事業に対する貢献度と寄与分（特別寄与料）制度 …… 6

3 後継者に対する生前贈与と特別受益 ………………………………… 8

4 相続開始時における遺産の権利状態 ………………………………… 10

5 遺言制度を利用した事業承継 ………………………………………… 12

6 相続法改正による自筆証書遺言をより有効に活用する ………… 14

7 遺留分のあらましと仕組み …………………………………………… 18

8 相続法改正による遺産分割への影響 ………………………………… 20

§2 相続税の仕組みと対策

9 相続税はこうして計算する …………………………………………… 24

10 相続税は両親の合計額で考える ……………………………………… 28

11 未成年者控除及び障害者控除等のさまざまな相続税額控除 …… 30

12 相続財産はこのように評価する ……………………………………… 34

13 配偶者居住権の評価と活用法 ………………………………………… 38

14 特別寄与料が認められた時の課税関係 ……………………………… 42

(1)

15 小規模宅地等の課税価格の計算特例は最高の減税措置 ……… 44

16 特定居住用宅地等の減額対象は適用範囲が広い ………… 46

17 事業承継や同居に対する支援措置である特例を活用 ………… 50

18 「小規模宅地等の特例」のベストな選択 ………… 54

19 国外財産に係る相続税や贈与税課税は厳しくなっている ……… 58

20 利子税や延滞税の負担は軽減されている ………… 62

Ⅱ 事業承継のための贈与と贈与税の基本と対策

§1 通常の贈与税の仕組みと対策

21 贈与を成立させ、確実にする方法 ………… 68

22 贈与が成立し、課税されるとき ………… 72

23 暦年課税の贈与税はこうして計算する ………… 74

24 生活費や教育費への援助には贈与税はかからない ………… 76

25 教育資金の一括贈与に係る贈与税の非課税特例 ………… 78

26 直系尊属からの結婚・子育て資金の贈与税の非課税特例 ……… 82

27 直系尊属からの住宅取得等資金の贈与税の非課税特例 ……… 86

§2 精算課税制度の仕組みと対策

28 相続時精算課税制度の仕組み ………… 90

29 孫が精算課税制度を選択する場合は慎重な判断が必要 ……… 94

30 精算課税と暦年課税の関係 ………… 96

31 精算課税を活用した住宅取得等資金贈与 ………… 98

32 精算課税を選択した子が親よりも先に亡くなった場合 ……… 102

33 精算課税と暦年課税の選択のポイント ………… 106

34 精算課税を選択した方が有利なケース ………… 110

35 精算課税と暦年課税の上手な組み合わせ ………… 112

Ⅲ 取引相場のない株式の基本的な評価と特例評価

36	株式は3つに分類して評価する	118
37	株主の態様により自社株評価は異なる	120
38	株主の判定は非常に複雑である	122
39	評価する同族会社は3つに区分できる	126
40	会社規模判定の3要素の基準	128
41	会社の区分により、こうして評価する	130
42	類似業種比準方式はこう計算する	132
43	類似業種の業種判定は取引金額による	134
44	類似業種比準価額の要素のポイント	138
45	中会社（併用方式）はこう計算する	142
46	純資産価額方式はこう計算する	144
47	3年以内に取得した不動産は通常の取引価額により評価	146
48	取引相場のない株式や現物出資株式等がある場合の評価	148
49	配当還元価額の計算方法とそれにより評価できる株主	150
50	株式や土地が一定割合を占めると特定の評価になる	152
51	開業後3年未満や配当・利益のない会社の評価	156
52	種類株式の相続税評価額の計算方法	160

Ⅳ 上手な自社株式対策を考えて実行しよう

53	株式対策はまず、贈与することから	168
54	「配当還元価額」で贈与する方法	172
55	株式を売買するのも事業承継の効果的な方法	174
56	課税問題が発生しない税務上の売買価額	178

57	親子間で自社株式を売買するときのポイント	180
58	従業員等や関連会社への自社株式売買のポイント	182
59	会社の規模により株価は変動する	184
60	会社の規模の変更による上手な自社株式の贈与	186
61	類似業種比準価額を上手に引き下げる方法	188
62	配当・純資産価額を下げて類似業種比準価額を引下げ	190
63	純資産価額を上手に引き下げる方法	192
64	返済予定のない貸付金は増資に振り替える	196
65	同族関係者以外の人に増資を引き受けてもらう	200
66	土地・株式保有割合等を下げて特定会社等にならない	202
67	従業員持株会の賢い活用方法	204
68	従業員持株会はこのように運営する	208

Ⅴ 遺留分に関する民法特例（非上場株式等及び個人の事業用資産）

69	経営の円滑な承継のための4つの支援策	212
70	遺留分に関する民法特例で「争族」を回避	214
71	会社の事業承継の民法特例適用要件	216
72	個人事業主の民法特例適用要件	218
73	後継者が贈与された株式等を遺留分対象外とする方法	222
74	贈与株式の評価額を合意時の価額に固定する方法	224
75	合意時の評価額を算定する際の「相当な価額」とは	226
76	中小企業庁が公表した非上場株式等の各種評価方法とは	230
77	合意すれば後継者以外の相続人にも財産分けができる	234
78	合意には経済産業大臣の確認と家庭裁判所の許可がいる	238

非上場株式等の特例納税猶予制度

79 従来からの事業承継税制（一般納税猶予）の全体像はこうなっている ………………………………………………………………………… 244
80 事業承継の円滑化を図るための特例納税猶予の概要 ………… 246
81 特例納税猶予制度は後継者にとって非常に有利 ……………… 248
82 特例納税猶予の適用を受けるためには承継計画の提出が必要 ………………………………………………………………………… 252
83 特例納税猶予の対象となる先代経営者と後継者の要件 ……… 254
84 複数株主から3人までの後継者への贈与等も特例対象 ……… 258
85 都道府県知事の会社についての認定要件 ……………………… 262
86 資産保有型会社に該当すれば適用対象とならない …………… 266
87 資産運用型会社に該当すれば適用対象とならない …………… 270
88 従業員数などの実態要件を満たすと適用対象 ………………… 272
89 非上場株式等についての贈与税の特例納税猶予制度と手続き ………………………………………………………………………… 276
90 贈与税の特例納税猶予と相続時精算課税の賢い併用 ………… 278
91 贈与者の相続時に免除、相続税の特例納税猶予へ …………… 280
92 一般納税猶予から再贈与による特例納税猶予へ ……………… 284
93 非上場株式等についての相続税の特例納税猶予制度と手続き ………………………………………………………………………… 288
94 非上場株式等の相続税の特例納税猶予額の計算方法 ………… 290
95 親族外承継による贈与税・相続税の特例適用のリスク ……… 296
96 租税回避を防ぐための措置と救済措置 ………………………… 298
97 経営承継期間（申告期限後5年間）内に納税猶予期限が確定する要件 ………………………………………………………………… 300

(5)

98 経営承継期間（申告期限後5年間）経過後の猶予期限確定と利子税 ……………………………………………………… 306

99 猶予適用後に納税猶予額が免除される場合 ……………… 308

Ⅶ 個人の事業用資産についての納税猶予制度

100 個人版事業承継税制のあらまし ……………………… 316

101 贈与税の納税猶予の概要 ……………………………… 320

102 贈与税の納税猶予の期限確定、免除、死亡時の取扱い ……… 322

103 個人の事業用資産についての相続税の納税猶予の概要 ……… 326

104 相続税の納税猶予の期限確定や免除の要件と取扱い ……… 328

105 事業用債務の取扱い・租税回避防止措置・法人成りの継続適用等 ……………………………………………………… 330

Ⅷ 会社法の賢い活用によるいろいろな対策

106 中小企業のための会社制度 ……………………………… 334

107 機関設計は自社にとって最適な組み合わせを選択する ……… 338

108 取締役会を置くかどうかは株主総会決議に影響がある ……… 340

109 株主総会の決議要件と定款変更 ……………………… 344

110 分散した少数株主の権利にも要注意 ………………… 346

111 所在がわからない株主の株式 ………………………… 348

112 株式の譲渡制限の活用により紛争を防止する ………… 354

113 株式の譲渡制限にかかる手続は迅速に ………………… 356

114 譲渡承認をしなかった場合の対処方法 ………………… 358

115 自己株式の売買価格は原則協議により決定 …………… 360

116	期限が過ぎると譲渡承認したとみなされる	362
117	自己株式を取得する場合の注意点	364
118	他の株主は自己を売り主に追加請求できる	366
119	相続株式の買取りについては追加請求できない	368
120	発行会社への売却は配当課税、相続株式は譲渡課税	370
121	申告期限後3年以内の自社株は譲渡課税と取得費加算	372
122	相続人等に対する自己株式の売渡請求	376
123	事業再編手法と事業再編税制	378
124	会社を分離して収入の多い部門を承継する	382
125	含み損のある資産の分割により自社株式評価が下がる	384
126	上手に持株会社を活用すれば株価も下がる	388
127	合併を使った上手な自社株式対策	390

Ⅸ 種類株式・信託・一般社団法人を活用した対策

128	種類株式は9種類あり、さまざまに活用できる	394
129	剰余金の配当や残余財産の分配が異なる種類株式	396
130	議決権制限株式の活用	400
131	取得請求権付株式・取得条項付株式の活用	404
132	自己所有株式の一部を議決権制限株式に変更する	406
133	拒否権付種類株式の活用	408
134	株主ごとの異なる取扱いの活用	410
135	信託を活用した事業承継	412
136	次の後継者も指名できる受益者連続型信託の活用	416
137	組織再編を活用した納税資金の確保対策	420
138	一般社団法人の相続対策への活用	422
139	相続が発生した場合の一般社団法人等の課税関係	426

X 事業承継の成功は M&A を含め総合的に判断

140	役員退職金を 2 回活用する方法	434
141	従業員退職金としての債務を実現化する	436
142	退職金や年金を上手に受け取る方法	438
143	資産の含み損の実現による相続税と法人税のダブル効果	440
144	遺言と贈与で「争族」を防ぐ	442
145	会社とオーナーの貸し借りはきっちりとする	444
146	会社とオーナーの不動産の賃貸関係は要注意	448
147	賢い交換により土地の評価は大きく下がる	452
148	M&A を活用した事業承継	454
149	M&A における売却価格を算定するためのポイント	456
150	被買収企業と売却株主の税務が M&A の重要点	458

※本書の内容は、令和 4 年 7 月 1 日現在の法令・通達等によっています。

装丁：東　雅之　　イラスト：佐々木みほ

(8)

I

事業承継のための相続と
相続税の基本と対策

§1　法定相続分の仕組みと対策
§2　相続税の仕組みと対策

1 事業承継の基本である民法における相続

Question

事業承継に成功するには事業用財産を相続しなければなりませんが、法定相続ではどう決められており、どういうことに気を付ければよいのでしょうか。

POINT

① 事業承継の成功は自社株式と事業用財産を相続等することである

② 法定相続分は配偶者が2分の1、子は2分の1を均等割り

③ 法定相続どおりの場合は事業承継がうまくいかないことが多い

Answer

1 代表取締役社長の地位は相続性がない！

ある世代から次の世代に引き継がれる事業承継とは、何が承継されるのでしょうか。事業承継とは、わかりやすくいえば代表者の交代ということになるのですが、代表者の地位は相続することができません。

なぜなら、会社と取締役との関係は民法の委任に関する規定（会社法330条）に従うものであり、会社を委任者、取締役を受任者とする法律関係にあるからです。民法の委任の規定は、受任者（取締役）が死亡すると委任契約は終了すると定めており相続することはできません。

それでは、事業承継という場合、後継者は一体何を引き継ぐのでしょうか。それは会社の支配権を意味する会社の株式と、会社経営に必要不可欠な財産（不動産等の資産）ということになります。

2 事業承継における具体的な承継の方法

相続による財産の承継の最も基本的な方法は「法定相続」です。相続による財産の承継には「相続人」と「相続分」という2つの要素が決まらなければなりません。

法定相続の場合には、民法の定める相続人が、民法の定める相続分に従って財産を承継するのですが、問題は民法の定める相続の内容は必ずしも事業承継に適するとは限らないということです。非上場会社の事業承継においては、民法の定める法定相続の内容を理解することと、民法の法定相続ではどこが事業承継に適しないのかを理解することが必要です。

3　民法の定める「相続人」

　民法では、人が亡くなった場合、相続人は被相続人の配偶者と被相続人の一定範囲の血族とされており、配偶者と血族相続人とを同順位として相続人が決定されることになっています。亡くなった人のことを被相続人といい、被相続人の配偶者を配偶者相続人といい、被相続人の一定範囲の血族を血族相続人といいます。

　配偶者は常に相続人となりますが、血族相続人の相続については順番が決められており、第1順位は子等、第2順位は直系尊属、第3順位は兄弟姉妹等とされています。事業承継の成功には、経営者が亡くなった場合に、誰と誰が経営者の遺産を相続するのかを確認しておくことが必要です。

4　民法の定める「相続分」

　民法では、人が死亡した場合に、各相続人がどれくらいの割合で財産を相続するかという「相続分」についても定めています。民法の定める相続分を「法定相続分」といいます。

　この法定相続分ですが、例えば配偶者の相続分は全体遺産の何分の1というように固定して定められておらず、血族相続人との組合せによって変化するのです。例えば、配偶者と第1順位の血族相続人（子等）との組合せによる相続の場合は、配偶者の法定相続分は全体遺産の2分の1、子等の法定相続分は全員で全体遺産の2分の1です。

　配偶者と第2順位の血族相続人（直系尊属）との組合せの場合には、配偶者の法定相続分は全体遺産の3分の2、直系尊属の法定相続分は全体遺産の3分の1になります。

　配偶者と第3順位の血族相続人（兄弟姉妹等）との組合せの場合には、

配偶者の法定相続分は全体遺産の4分の3、兄弟姉妹等の法定相続分は全体遺産の4分の1になります。

　これでは、法定相続分の確認は複雑でむずかしいと思われるかもしれませんが、組合せは5通りしかありません。どんなご家族であっても、必ず5通りの組合せの中に入りますので、誰が、どの程度の割合で相続をするのかは簡単に確認することができるのです。

①配偶者と子が相続人の場合（第1順位）　配偶者＝1/2、子＝1/2

②配偶者と直系尊属が相続人の場合（第2順位）　配偶者＝2/3、直系尊属＝1/3

③配偶者と兄弟姉妹が相続人の場合（第3順位）　配偶者＝3/4、兄弟姉妹＝1/4

④配偶者しか相続人がいないとき　⇒　配偶者が全遺産を単独で相続

⑤配偶者がいないとき　⇒　子、直系尊属、または兄弟姉妹のみが相続

5　共同相続における均分相続

　民法は、同じ順位の相続人同士の相続割合は原則として同じである「均分相続」としています。例えば、第1順位の血族相続人である子が相続人である場合、子の相続分は原則として同じです。

　このことは経営者が死亡した場合に、配偶者がなく3人の子があり、そのうちの1人を後継者とする場合でも、後継者の相続分は他の2人の子と全く同じで各自3分の1の相続分ということになってしまいます。

　経営者の遺産の大半が会社の株式である場合、事業承継をスムーズに進めるためには、後継者が会社の株式を全部相続することが望ましいわけですが、3人の子は各自が後継者の遺産の3分の1の権利を持っているということになり、後継者が会社経営の安定化を図れるだけの株式を取得することがむずかしくなってしまいます。

　これが、民法の相続法の規定が必ずしも事業承継には適していないといわれる理由の1つなのです。ですから、事業承継の計画を立てる際には、まず具体的な承継計画に沿って、民法の法定相続の内容を実質的に修正することを考える必要があります。

4

6　遺言による相続を通じた事業承継

　民法による相続の不都合を解消する方法として、遺言による相続の方法を選択することができます。遺言は極めて有効な手法なのですが、わが国の遺言制度には、「遺留分」という限界がありますので、この点を理解することが必要になります。

　なお、民法相続編（以下「相続法」といいます。）の改正により自筆証書遺言書の作成等が簡便になり、法務局保管制度を利用すると安全性も高まります（Ｑ6参照）。

7　生前贈与による事業承継

　経営者が死亡する前に、会社経営に必要な株式等の財産を後継者に生前贈与する方法により承継を行うことも可能です。しかし、原則として生前贈与は後継者以外の相続人から遺留分侵害額請求があると、遺留分計算の基礎財産に含めなければならなくなるため、やはり問題があることを理解しておくことが必要です。

　なお、相続法の改正により、遺留分計算の基礎となる財産に算入される相続人への贈与等は遺留分を侵害することを知ってしたものを除き、原則として相続開始前の10年間のものに限定されましたので、後継者にとってはリスクが軽減しました（Ｑ7参照）。

8　相続人がいない場合の処理

　相続人がいることが明らかでない場合は、相続財産は相続財産法人とされ（民法951条）、家庭裁判所が利害関係人または検察官の請求により「相続財産管理人」を選任し、相続債権者らに弁済し、被相続人と生計を同じくしていた者や被相続人の療養看護に努めた者など被相続人と特別の縁故があった者（これを「特別縁故者」といいます。）に相続財産の全部または一部を与えた後、処分されなかった相続財産は相続財産管理人がこれを国庫に引き継ぐことにより国庫に帰属することになります（民法959条）。

　相続人がいない場合に事業承継に成功するためには、必ず生前にその対策をしておく必要があるのです。

2 後継者の事業に対する貢献度と寄与分（特別寄与料）制度

Question

後継者として親の会社経営に協力してきたのだから、寄与分として相続の時考慮されると思っていたのですが、認められることは少ないと聞きました。寄与分とはどのような制度なのでしょうか。

POINT

① 寄与分とは被相続人の財産の維持増加に寄与した場合に考慮される

② 寄与分は相続人間の協議で決定されるため認められるのは困難

③ 相続人以外の者の寄与にも特別寄与料が認められる

Answer

1 寄与分とは何か

寄与分とは、昭和55年の民法改正により創設された制度で、被相続人の財産の維持または増加に寄与した相続人がある場合に、その者に対し、寄与に応じた法定または指定相続分を超える額の財産を取得させることにより、相続人間の実質的衡平を図るための制度です。

相続財産から、相続人の寄与分を控除し、その残額を相続財産とみなして各相続人の相続分を計算し、寄与分を有する相続人には寄与分の額を加えて相続財産を取得させます。また、「寄与分」は相続人に対してしか認められていませんでしたが、相続法の改正により、相続人以外の親族から

〈例：子３人のみが相続人の場合に子Ａが寄与分を有する場合〉

（相続開始時に存する財産の範囲）		
Aの寄与分		
	相続財産とみなして分割される財産の範囲	
子Aの相続分	子Bの相続分	子Cの相続分
Aの実際の取得分	Bの取得分	Cの取得分

であっても「特別寄与料」の請求が可能になりました。

2　寄与分（特別寄与料）を活用する場合の留意点

　寄与分等（特別寄与料を含む。以下同じ）制度は、相続人等の寄与分等がどの程度であるのかが決定されない限り機能することができませんが、寄与分等は原則として相続人の協議等により決定されます。ということは、貢献していない他の相続人等が、寄与した相続人等がより多く相続財産を取得することを認めない限り、寄与分等は相続人間の話合いでは決まりません。この場合には、家庭裁判所による審判により、家庭裁判所に寄与分の割合、あるいは特別寄与料の額の決定を求めることになります。

3　寄与分等が認められる要件

　寄与分等は単に被相続人の面倒を見たから認められるものではなく、「被相続人の事業に関する労務の提供または財産上の給付、被相続人の療養看護その他の方法により被相続人の財産の維持または増加について特別の寄与をした者があるとき」と要件が規定されています。

　つまり、寄与分等が認められるためには、寄与行為は主として無償若しくはこれに準ずるものであることが必要とされています。なぜなら、寄与行為の対価として相続人等が相当の報酬を得ていれば、既に寄与行為に対しては決済済みであり、実質的に相続分等を修正する必要はないからです。

　単に夫婦や親族間の協力扶助義務などの範囲内での行為については、既に相続分等の基礎に組み込まれているとされ、寄与分等は認められません。したがって、他の子が親の面倒を見ないのに対して、特定の子が長年にわたり親と同居して面倒を見たとしても、それだけで寄与分が認められるわけではないことに注意する必要があります。

4　事業承継における後継者の寄与分

　寄与分等が認められるためには主として無償行為であることが必要ですので、後継者が会社経営に参画して会社財産を増加させ、被相続人の遺産となる株式の価値を高めたとしても、後継者が正当な報酬を受けている場合には、後継者の行為は無償行為とはいえないのではないか、寄与分等は認められないのではないかという点が問題となりますので注意が必要です。

3 後継者に対する生前贈与と特別受益

Question

後継者に経営権を承継させるため生前に自社株式を贈与しても、特別受益として相続財産に持ち戻されるため効果がないといわれましたが、どのような制度で何に気を付けなければならないのでしょうか。

POINT

① 遺贈や生計の資本の贈与については特別受益として加算される
② 持戻し免除の意思表示は遺留分計算上は考慮されない
③ 特別受益となる受贈財産の評価時期は相続開始時の価格

Answer

1 特別受益の持戻しとは？

民法では、共同相続人の中に、①被相続人から遺贈を受け、②婚姻、養子縁組あるいは生計の資本として贈与を受けた者があるときには、被相続人が相続開始のときに有していた財産の価格にその贈与の価格を加えたものを相続財産とみなして、各相続人の相続分を計算することとしています。

上記の遺贈や贈与を受けた相続人は、上記の計算方法により算出された相続分から遺贈または贈与の価格を差し引いた残額しか、相続分として受

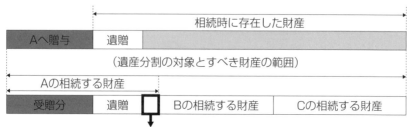

（例：子のA・B・Cのみが相続人の場合）

け取ることができません。これを「特別受益の持戻し」といいます。

　簡単にいうと、特別受益の持戻しとは生前贈与も相続時にはこれを相続財産の一部とみなして、遺産分割の際に精算する制度だということです。

2　特別受益の持戻しで留意すべき点

　生計の資本としての贈与とは、広く生計の基礎として役立つような財産上の給付を指すものとされ、子が独立の際に住居としての宅地・建物を贈与する場合や、農地の贈与などがこれに該当するとされています。

　また従来から、生命保険金の受取人が特定の相続人とされていた場合に特別受益に該当するか否かが争われてきましたが、最高裁は養老保険契約に基づく死亡保険金につき、「原則として特別受益に該当しないが、保険金受取人である相続人と他の相続人との不公平が到底是認できないほどに著しい場合には特別受益に準じて持戻しの対象となる」と判示しています。

3　持戻し免除の意思表示

　特別受益に該当する場合でも、被相続人は持戻しを免除する意思表示をすることができます。ただし、遺留分の規定に反することができません（民法903条第3項）。これは、遺留分に関する規定に反する持戻し免除の意思表示を無効にするわけではなく、他の相続人に遺留分侵害額請求権が認められるに過ぎないものとされています。

　なお、相続法改正により婚姻期間が20年以上の配偶者に対する居住用不動産の令和元年7月1日以後の贈与等については、別途「持戻免除（遺産分割ではもらったことを考慮しないこと）」の推定が行われることになります。

4　特別受益となる受贈財産の評価時期

　実際の相続において、生前贈与の価格は贈与時、相続開始時、遺産分割時によって異なることが少なくありません。このような場合に、特別受益となる財産の価格の評価をいつの時点を基準に行うのかについては、最近の審判例ではほとんどが相続開始時とする考え方を採用しています。

　また、贈与の目的物の滅失とは、破壊による滅失、焼失等の物理的な滅失のほか、売買等による経済的滅失を含むとされていますが、いずれも相続開始の時点において、なお原状のままであるものとみなして特別受益の計算をすることとされています。

4 相続開始時における遺産の権利状態

Question

相続は死亡と同時に開始し、遺産は相続人に承継されると聞きましたが、相続開始時の遺産の権利状態はどのように取り扱われ、事業承継ではどのような点に注意しなければならないのでしょうか。

POINT

① 相続開始時の遺産の権利状態は相続人が法定相続分で承継
② 不動産等は原則法定共有、預貯金も遺産分割の対象になった
③ 会社株式は準共有、共有者の過半数で1株の議決権行使が可

Answer

1 相続開始時の遺産の権利状態

相続が開始すると、被相続人が生前所有していた財産は相続人に承継されます。相続人が1人の場合は簡単ですが、複数の場合は、各相続人が相続財産に対してどのような状態で権利を取得するのかが問題になります。

例えば、X社長に相続が開始し、相続人が妻Yと2人の子A、Bであった場合で、①会社に賃貸している不動産、②預貯金、③会社株式等の財産を有し、④会社の金融機関に対する債務の個人保証もしていた事例では、どのように取り扱われるのでしょうか。

⑴ 相続開始時の不動産の権利状態

被相続人が所有していた不動産は、相続開始後は遺産分割協議によって取得者が決まるまでは、相続人全員による各自の法定相続分の割合による共有状態となります。共有状態ですから、相続した不動産の売却や、担保の提供には全員一致が必要です。ただし、共有不動産の保存に関する事項は共有者1人の単独で、管理に関する事項は共有者の持分の過半数で決定することになります。

10

I 事業承継のための相続と相続税の基本と対策（法定相続分）

(2) 預貯金

相続財産としての預貯金とは、法律的には預貯金払戻請求権という債権です。従来は預貯金債権は可分債権といわれ、相続人が各自の法定相続分に従い当然に取得するため、遺産分割協議は不要であるとされていました。

平成28年12月19日の最高裁決定により、普通預金債権、通常貯金債権等は、いずれも、相続開始と同時に当然に相続分に応じて分割されず、遺産分割の対象になると判例が変更されました。そこで、相続法の改正により令和元年7月1日以後、預貯金は共有状態と同様に取り扱われ、単独での法定相続分の払戻しはできないことが明文化されました。なお、その不便を解消するため、相続人単独での預貯金の一部の仮払制度（1金融機関で150万円が限度）も設けられました。

(3) 会社株式

会社株式も、最高裁の判例では株式は相続人各自の相続分に応じた準共有状態となるものとされています。つまり、被相続人Xの所有株式については、妻のYが2分の1の株数、2人の子A、Bは各自4分の1の株数を相続するのではありません。被相続人の所有株式1株ずつのすべてが、共同所有状態である準共有とされるのです。

株式が相続人全員の準共有状態になると、共有者は株主としての権利行使者1人を定めて会社に通知しなければならず、この通知をしない限り、共有者は株式の権利行使ができません。よって、先代経営者に相続が発生し、相続人が過半数の議決権により、誰か1人を権利行使者にすることに合意できなければ、株主としての権利行使ができなくなります。被相続人が会社の3分の2以上の株式を保有していた場合には、役員選任議案に必要な定足数を満たすことができず役員を選任することすらできなくなります。

(4) 個人保証債務

経営者が会社の金融機関債務等につき個人保証をしていた場合ですが、債務は通常の金銭債権と同様に遺産分割の対象ではなく、相続人各自の相続分に応じて当然に分割されます。したがって、被相続人Xの連帯保証債務については、妻Yが2分の1、2人の子A、Bは4分の1ずつの割合で連帯保証債務を負担することになりますので、ご注意ください。

11

5 遺言制度を利用した事業承継

Question

急に社長に相続が発生した場合に自社株式が準共有状態になると、会社運営ができなくなるといわれ、遺言書を書いて事業承継で困らないようにしておきたいのですが、どのような制度なのでしょうか。

POINT

① 生前に何の対策もしていないと、遺産分割する必要がある

② 遺産分割は原則法定相続、事業承継のためには遺言が望ましい

③ 遺言は民法の方式に従っていないと効力がないので要注意

Answer

1 民法の法定相続分による相続と事業承継

事業承継の基本は後継者への経営権の集中ですが、民法の定める相続分は均分相続の考えに従い、同じ順位の相続人の相続分は原則として同じとされています。このため、事業承継において、経営者の複数の相続人のうち後継者と定めた相続人に対してのみ会社株式を相続させようとしても、他の相続人へも株式を含めた相続財産を分配しなければならないという事態が起こり得ることになります。

先代経営者が何の対策も講ずることなく死亡すれば、先代経営者の財産の相続は民法の定める相続人により、民法の定める法定相続分に従って行われます。法定相続分を前提とした遺産分割では、事業承継の成功は極めて困難と思われます。

2 事業承継のために法定相続分を変更

後継者の有する法定相続分が、会社経営に必要な株式その他の事業用資産を取得するには決定的に不足している場合には、後継者の相続分を増やすことを考える必要があります。

法定相続分を変更できる唯一の人が被相続人であり、その方法が「遺言」なのです。被相続人だけが遺言により、推定相続人の相続分を民法と異なる内容に指定できるのです。このように遺言で指定された相続分を「指定相続分」といいます。経営者は、遺言による「指定相続分」を活用して、後継者が会社経営に必要な株式その他の資産を取得できるだけの相続分を与えることができます。これが事業承継対策の第一歩です。

3　遺言の要式行為性

経営者が後継者の相続分を指定するために「遺言」を作成する場合、気を付けなければならないことが2つあります。

1つ目は、相続分の指定は被相続人しか行うことができない、つまり、この点に関する事業承継の対策は被相続人しか行うことができないのですから、生前にしか行うことができない対策ということです。

2つ目は、遺言は民法の定めた方式に従って行わないと効力が認められないことです。民法で通常用いられる遺言の方式としては「自筆証書遺言」「公正証書遺言」「秘密証書遺言」の3つの方式が定められています。

今までは、遺言書の無効等で争う可能性が低く、検認の必要もないなどの安心のためには公正証書遺言が優れているとされていました。

相続法等の改正により、平成31年1月13日から自筆証書遺言の作成が簡便になっており、令和2年7月10日から法務局において本人を確認した上で、自筆証書遺言を保管してくれる制度が実施されています（Q6参照）。ぜひ、専門家に相談するなどしてベストな形できちんと作成しておきたいものです。

6 相続法改正による自筆証書遺言を より有効に活用する

Question

今回の相続法改正により、自筆証書遺言が使いやすくなったそうですが、具体的にどのように変わったのでしょうか。

POINT

① 自筆証書遺言において本文のみ自筆、目録は印字で作成可能に
② 法務局における自筆証書遺言の保管制度が施行
③ 法務局保管の遺言の場合、検認手続も不要になる

Answer

1 自筆証書遺言の要件緩和

改正前における自筆証書遺言は、遺言全文、署名、日付のすべてを自分で手書きする必要があり、目録等に至るまで自分の手で書かなければ無効となってしまいました。意思判断能力はあるのに手書きする力が減退している遺言者にとっては、この自筆証書遺言の作成方法が過度の負担となっている状況を改善するため、令和元年7月1日以後に作成される遺言について改正が行われました。

現在では、自筆証書遺言の内容である本文自体は手書きする必要がありますが目録の形式については特段の定めがありません。したがって、書式は自由で、本人がパソコン等で作成することも、他の人が作成することもできます。また、例えば土地等については登記事項証明書を、預貯金については通帳の写しを添付することもできます。いずれの場合であっても、目録等の紙面の1枚ずつに署名・押印をする必要がありますので、ご注意ください。

目録等を簡単に作成できれば、高齢者にとっての自筆証書遺言作成のハードルが大幅に下がりますから、これから遺言の普及が進んでいくことが期待されます。

Ⅰ 事業承継のための相続と相続税の基本と対策(法定相続分)

●制度導入のメリット

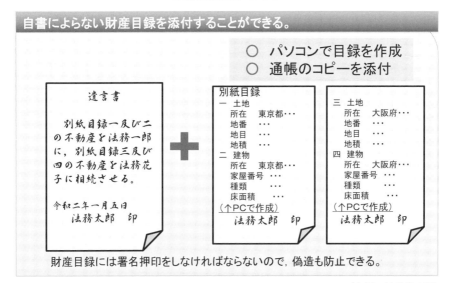

(出所:法務省HP)

目録1

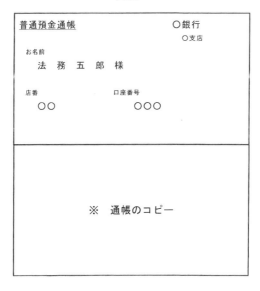

(出所:法務省HP)

15

目録2

様式例・1

| 表 題 部　(土地の表示) | | 調製 | 余白 | 不動産番号 | 0000000000000 |

| 地図番号 | 余白 | | 筆界特定 | 余白 | |

| 所　在 | 特別区南都町一丁目 | 余白 |

①　地　番	②地目	③　地　積　㎡	原因及びその日付〔登記の日付〕
101番	宅地	300：00	不詳〔平成20年10月14日〕

| 所 有 者　特別区南都町一丁目1番1号　甲 野 太 郎 |

権 利 部 (甲区)　(所有権に関する事項)			
順位番号	登 記 の 目 的	受付年月日・受付番号	権 利 者 そ の 他 の 事 項
1	所有権保存	平成20年10月15日第637号	所有者　特別区南都町一丁目1番1号　甲 野 太 郎
2	所有権移転	平成20年10月27日第718号	原因　平成20年10月26日売買　所有者　特別区南都町一丁目5番5号　法 務 五 郎

権 利 部 (乙区)　(所有権以外の権利に関する事項)			
順位番号	登 記 の 目 的	受付年月日・受付番号	権 利 者 そ の 他 の 事 項
1	抵当権設定	平成20年11月12日第807号	原因　平成20年11月4日金銭消費貸借同日設定　債権額　金4,000万円　利息　年2・60％(年365日日割計算)　損害金　年14・5％(年365日日割計算)　債務者　特別区南都町一丁目5番5号　法 務 五 郎　抵当権者　特別区北都町三丁目3番3号　株 式 会 社 南 北 銀 行　(取扱店　南都支店)　共同担保　目録(あ)第2340号

共 同 担 保 目 録				
記号及び番号	(あ)第2340号		調製	平成20年11月12日
番　号	担保の目的である権利の表示	順位番号	予　備	
1	特別区南都町一丁目　101番の土地	1	余白	
2	特別区南都町一丁目　101番地　家屋番号101番の建物	1	余白	

これは登記記録に記録されている事項の全部を証明した書面である。

平成21年3月27日
関東法務局特別出張所　　　　　　　　登記官　　　　　　法 務 八 郎　　㊞

＊　下線のあるものは抹消事項であることを示す。　　　整理番号　D23992　(1／1)　1／1

(出所：法務省HP)

2 法務局における自筆証書遺言の保管制度の創設

　自筆要件の厳しさ等から無効になるリスクが存在するだけでなく、従来の自筆証書遺言では原本の保管に関する問題もありました。自筆証書遺言は原本1通のみが存在する遺言であるにもかかわらず、公正証書遺言のような保管についての規定が一切ないため、誤って破棄されたり、発見されないままになってしまい、結果としてせっかく作成した遺言の内容が実現できないという問題があったのです。

　このリスクに対し、相続法等の改正により、封をしていない自筆証書遺言を法務局で保管する制度が令和2年7月10日から実施されています。自筆証書遺言の作成後、法務局にこれを持参し、本人確認の後、法務局でこれを保管するという制度で、遺言者本人はいつでもこの遺言の内容を確認でき、相続人や受遺者は遺言者の死亡後に保管している遺言事項を証明する書面の交付を請求できます。本人確認後の保管ですから、この制度を利用することによって、その自筆証書遺言がそもそも全くの偽造であるという紛争は避けられます。また、遺言書自体の紛失等にも対応できるため、非常に便利な制度といえるでしょう。

　また、法務局に保管された遺言については、家庭裁判所での検認手続が不要とされる（法務局における遺言書の保管等に関する法律11条）ため、この制度を用いた自筆証書遺言についてはかなり公正証書遺言に近づいたといえるでしょう。

　国は相続紛争をなるべく避けるため、自筆証書遺言の作成を奨励しているようです。経営者は、自筆証書遺言を作成し、法務局保管制度を活用して事業承継に成功していただきたいものです。

7 遺留分のあらましと仕組み

Question

遺言や生前贈与で自社株式を後継者に承継させても遺留分制度があり、自社株式を他の相続人に引き渡さなければならないこともあると聞きました。それを防ぐ改正があったそうですが、どうなったのでしょうか。

POINT

① **兄弟姉妹以外の法定相続人は遺留分を請求する権利がある**

② **遺留分侵害額請求を受ければ遺留分を金銭等で弁償する**

③ **遺留分算定基礎財産の持戻しは相続開始前10年間**

Answer

1 遺留分算定の基礎となる財産とは

日本では兄弟姉妹以外の法定相続人には、被相続人の意思によっても奪うことのできない相続分が認められており、これを「遺留分」といいます。遺留分を計算するためには、まず算定の基礎となる財産を被相続人の積極財産、消極財産や生前にした贈与等から計算し、これに対して相続人ごとに法律で定められた遺留分の割合をかけて求めます。

（相続開始時の積極財産＋贈与財産の価額－債務の全額）×遺留分割合

相続開始時の積極財産には、相続開始時に存在した不動産や預貯金等のプラス財産のほかに遺贈や死因贈与契約によって処分が決まっている財産が含まれます。また、贈与財産には次の財産が含まれます。

① 相続人に対する贈与（令和元年7月1日以後の相続からは遺留分侵害の意図がなければ相続開始前10年分の特別受益に限る）

② 相続開始前1年間にした贈与及び当事者双方が遺留分権利者を害することを知ってした贈与（相続人であるかを問わない。期間の制限はない）

遺留分額の計算は、遺言に書かれた内容だけでなく、被相続人が生前に行った贈与によっても影響を受けることとなります。特に相続人に対する

18

贈与は、生計の資本等に該当するとされて特別受益とされる場合もあり、相続法改正前は年数の制限なく主張されることになっていました。令和元年7月1日以後の相続からはこの遺留分算定基礎財産の持戻しは、遺留分侵害の意図がなければ相続開始前10年間と期間が定められました。

なお、被相続人による特別受益の持戻免除の意思表示も、遺留分の基礎財産を算出するに当たっては適用されませんのでご注意ください。

2 遺留分割合とは

兄弟姉妹以外の法定相続人には遺留分の割合については法律で決まっており、下の表のとおりになります。兄弟姉妹には遺留分が存在しません。

相続人	相続人全体の遺留分	相続人	相続人全体の遺留分
配偶者と子	2分の1 ※兄弟姉妹には遺留分なし	配偶者のみ・子のみ	2分の1
配偶者と直系尊属		直系尊属のみ	3分の1
配偶者と兄弟姉妹		兄弟姉妹のみ	遺留分なし

※相続人が複数いる場合は、その者の法定相続分を乗じた割合となる。

3 遺留分侵害額請求における価額弁償

遺留分侵害額請求は、遺留分権利者が、相続が開始したことと遺留分を侵害する贈与や遺贈があったことを知ったときから1年以内に行わなければ時効によって消滅します。また、相続開始から10年が経過すれば、事情の如何を問わず遺留分侵害額請求権を行使することができません。

改正前の遺留分減殺請求は原則として現物への権利でしたが、遺留分の額について合意ができ、または裁判所の判断がされる場合には、贈与等を受けた者は、遺留分権利者に対し、その贈与等の対象物を遺産に戻すのではなく、現金による価額で弁償することを選択することもできました。

しかし、令和元年7月1日以後の相続から、遺留分の減殺方法について、「遺留分侵害額請求」と名称が変わり、原則が価額賠償、例外が現物によるものとなりました。自社株式や事業用財産等、承継に必要な財産を贈与や遺贈により取得したが、他の相続人から遺留分侵害額請求された場合には、遺留分侵害額を支払えるよう事前に資金手当てをしておく必要があります。

8 相続法改正による遺産分割への影響

Question

平成30年7月の相続法改正により、配偶者が優遇されるようになるなど遺産分割等が大きく変化したそうですが、どのように変化したのでしょうか。

POINT

① 配偶者居住権や居住用不動産贈与時の取扱いで配偶者を保護

② 預貯金の遺産分割についての規定を整備し、一部分割も可能に

③ 相続人の遺留分算定基礎財産への持戻しは原則10年に

Answer

1 配偶者居住権の創設

遺言等もなく相続が発生した場合、遺産分割の完了までは不動産等の相続財産は相続人の共有に属することになっています。これまでの制度では各相続人の主張等によっては、遺産分割完了までに特定の相続人のみが相続財産を使用していた場合、その間の使用利益を共有者であった他の相続人に支払うべきであるとの考え方もありました。また、相続財産の大半を居住用不動産が占めている場合に、配偶者が遺産分割でその不動産を取得すると、他の相続人との相続分との関係で、他の金融資産を受け取ることができなかったり、反対に他の相続人に代償金を支払うことも考えられ、生存配偶者の生活に支障が出るケースも想定されたのです。このため配偶者保護を重視する改正が行われ、令和2年4月1日以後の相続から配偶者の短期居住権及び配偶者居住権（長期）という制度が施行されています。

短期居住権とは、被相続人の所有していた建物に無償で居住していた配偶者に対し、遺産分割完了までの間、引き続きその建物を無償で使用でき、遺産分割の際にこの利益を考慮しないものとする権利です。この制度により、分割完了までの居住利益を遺産分割時に精算しなくてよくなります。

一方、配偶者居住権とは、配偶者以外の相続人が配偶者の居住していた

建物を取得した場合に、配偶者に終身または一定期間の建物の使用を認めることができる権利です。居住用不動産を所有権と居住権に分けることにより、所有権一本のみの場合に比べてそれぞれの権利の価値は低くなります。この配偶者居住権を遺産分割等の際に配偶者が取得した相続財産とすると、配偶者は自分の受け取った遺産の価値を低くしたうえで居住を継続することができます。この配偶者居住権の存在を法で認めることにより、配偶者の取得する自宅が相続財産に占める割合を抑えることができるため、代償金の支払の可能性を低下させ、居住用不動産以外の預貯金等の財産を受け取ることのできる可能性を上げるための制度といえます。

2　居住用不動産の夫婦間贈与・遺贈に関する持戻し免除の推定

　税法では、婚姻期間が20年以上の夫婦の間で、居住用不動産または居住用不動産を取得するための金銭の贈与が行われた場合、基礎控除110万円のほかに最高2,000万円まで控除（配偶者控除）できるという特例が存在します。実際にこの特例を用いて配偶者間で居住用不動産の贈与を行う例が多くみられるのですが、改正前の民法ではこの贈与によって遺産分割時の配偶者の取得分を増やすという結果にはつながりませんでした。

　配偶者への居住用不動産の贈与等は改正前では特別受益となり、法的には相続の際には配偶者がその贈与分を減らして遺産分割を行うこととされていました。この点につき配偶者保護の観点から改正が行われ、税法の「婚姻期間20年以上の配偶者への居住用不動産の贈与に係る贈与税の配偶者控除制度」の趣旨を民法にも採り入れたのです。

　婚姻期間20年以上の夫婦間の令和元年7月1日以後の居住用不動産の贈与については、その居住用不動産について「持戻しの免除の意思表示」があったものと推定するとされました。これにより、現在は被相続人の別段の意思表示がなくても、令和元年7月1日以後の贈与により取得した居住用不動産分を遺産分割の際に考慮しなくてよくなりました。なお、この場合も遺留分算定の際には持ち戻して算定されますのでご注意ください。

3　預貯金の遺産分割についての法改正

　長年裁判所においては、預貯金等の金銭債権は可分債権として当然に各

相続人に分割して相続されるという最高裁判例があったため、遺産分割審判等では預貯金を相続財産として取得者を調整する遺産分割はできませんでした。もっとも実務では、被相続人の流動資産のほとんどが当然分割とされては不動産等での価格調整に大きな支障をきたすため、全相続人の合意をとって預貯金等を特別に遺産分割の対象とする運用が広く行われていました。さらに、平成28年12月にはこれまでの判例が変更され、預貯金を遺産分割の対象にするとした最高裁決定も出されました。

相続法の改正により、令和元年7月1日以後は、預貯金等が遺産分割の対象であるとされ、その代わりに、各金融機関ごとに、150万円又は「預金額の3分の1×その者の法定相続分」のうち少ない方の金額を上限として、預貯金の一部について単独の相続人が仮払を受けることができます。

また、相続開始後に共同相続人の一人が勝手に預貯金を解約する等、遺産の全部または一部を処分した場合に、計算上生ずる不公平を是正するために、その処分にかかわらなかった相続人全員の同意の上で、処分された財産も含めて遺産分割することができるようになっています。

4　遺留分制度の見直し

従来の遺留分制度では、遺留分減殺請求権を行使されれば当然に各遺贈等の対象財産に遺留分割合に応じた権利が生じ、例えばいくつもの不動産に遺留分権利者からの一方的な「遺留分登記」もできたのです。例外として遺留分減殺請求を受けた者（受遺者等）が現物ではなく金銭で遺留分減殺請求に応じることを希望した場合のみ、現物に対する権利ではなく金銭の請求権として扱われるものになっていました。

遺留分権利者等からの不必要な遺留分登記がされるといった問題も生じていたため、相続法の改正により、令和元年7月1日以後の相続からこれまでの原則と例外を逆転させ、「遺留分侵害額請求権」に変更となり、原則として遺留分侵害額請求権として金銭による代償請求権とし、受遺者等と遺留分権利者で別段の合意があった場合のみ現物財産への権利を生じさせるものとされました。

なお、現物で遺留分侵害額を払うと、その現物を侵害額相当額で譲渡したものとみなされ、譲渡所得税がかかることにご注意ください。

また、相続法改正前の相続人への生前贈与等は、特別受益に該当すれば年数の制限なく遺留分の算定基礎財産に持ち戻されることになっていました。何年も前の贈与にさかのぼって相続財産に加算され、これに遺留分割合を掛け算することになるうえ、相続時の時価で遺留分の基礎財産に加算されるため、評価の低いときに贈与しても相続人間の遺留分紛争の対策にはならなかったのです。

　そこで、令和元年7月1日以後の相続から遺留分算定の基礎となる相続人への贈与は原則として、相続開始前10年以内のものに限るとする改正が行われ、これにより何十年も前の贈与の遺留分計算の持戻しが要求されなくなり、相続紛争の早期解決が図りやすくなりました。ただし、遺留分を侵害すると知って行った贈与は10年以上前であっても遺留分侵害額請求の対象となることや、遺言がないため遺留分ではなく遺産分割協議になる場合は、通常どおり年数の制限なく特別受益として持ち戻されます。

5　相続人以外の親族の寄与を評価できる特別寄与者の請求権の創設

　寄与分制度は、「共同相続人中に、……被相続人の療養看護その他の方法により被相続人の財産の維持又は増加について特別の寄与をした」場合にのみ認められています。つまり、相続人の配偶者(いわゆる嫁や婿)は、養子縁組をしていない限り相続人ではないため、いくら介護等をしても寄与分として相続財産を手にすることはできないのです。

　これに対しては、実際に介護等の主体になっているのは相続人の配偶者であることも多く不公平であるという問題が提起され、このため相続法の改正により、相続人以外の親族の寄与を評価できる制度(特別寄与料制度)が令和元年7月1日から実施されています。

　特別寄与料制度では、相続人以外の被相続人の親族(相続人の配偶者等)が被相続人の介護や事業への労務提供等を行った場合に、その者から相続人に対する寄与に応じた額の支払請求権を認めるものです。ただし、この特別寄与について相続人と特別寄与者とで協議が調わないときは、相続開始及び相続人を知ったときから6か月以内(または相続開始1年以内)に家庭裁判所へ申立を行わないとなりませんので、期間には注意が必要です。

9 相続税はこうして計算する

Question

事業承継するには事業用財産を相続して相続税を支払う必要がありますが、簡単に相続税の仕組みを教えてください。

POINT

① 相続税は死亡した人の財産を取得したときにかかる税金

② 全財産は時価（財産評価基本通達に定められている）評価する

③ 債務や葬式費用を控除して法定相続分により税額計算する

④ 相続税の総額を各人が実際の取得財産の割合に応じて負担する

Answer

1 基礎控除額を超えると相続税がかかる

相続税は、正味の遺産額が遺産に係る基礎控除額を超える場合に課税されます。

正味の遺産額

| 遺産総額 | － | 債務・相続費用 非課税財産 | ＞ | 遺産に係る 基礎控除額 |

遺産に係る基礎控除額は、次のように計算します。

3,000万円＋ 600万円×法定相続人の数＝基礎控除額

相続税の課税件数の割合は約8％となっていますが、オーナー経営者と都心の地主、高額所得者が大半を占めているのではないでしょうか。

たとえば、相続人が配偶者と子2人の場合、法定相続人は3人となりますから、3,000万円＋ 600万円×3人＝4,800万円

が遺産に係る基礎控除額となります。この場合、正味の遺産額が4,800万円以下ならば、相続税は課税されません。

24

I 事業承継のための相続と相続税の基本と対策（相続税）

2 相続税のかかる財産、かからない財産

　相続税のかかる財産には、被相続人の死亡の日に所有していた現金・銀行預金・郵便貯金・株式・公社債・貸付信託・土地・建物・事業用財産・家庭用財産・ゴルフ会員権など一切の財産が含まれます。これらの土地、建物、有価証券、預貯金などのすべての財産は時価（財産評価基本通達などにより、その財産の種類ごとに評価の方式が定められています。）で評価します。

　なお、相続開始前3年以内に相続または遺贈等により財産を取得した者が被相続人から贈与された財産は、贈与税の110万円の基礎控除額の範囲のものを含め、原則として相続財産に加算します。また、相続時精算課税制度の適用を受けて贈与により取得した財産は、すべて相続財産に加算されます。ただし、加算した贈与財産につき、すでに支払った贈与税があれば相続税額から差し引かれ、精算課税制度を選択した場合に限り、控除しきれない額は還付されます（Q28参照）。

　被相続人の死亡に伴って支払われる退職金や生命保険金も、相続財産とみなされ相続税の課税対象となります。ただし、次のような財産には、相続税はかかりません。

　○お墓・仏壇・祭具など

　○相続人が受け取った生命保険金及び退職金のうち、法定相続人1人につき500万円を乗じた金額

3 債務を控除して相続税は計算する

　相続が開始したときに、現に存在していた借入金などの債務のほか、未払いの公租公課、生前の入院費用などの未払金、通夜や葬式にかかった費用は、相続財産から控除することができます。基礎控除額を差し引いた課税遺産総額を法定相続分で分割したものとして、相続税の速算表（次ページ表）の税率と控除額を用いて各人ごとの税額を計算し、その合計が相続税の総額になります。

　相続税の総額に、実際に各人が相続した財産が課税遺産総額のうちに占める割合を乗じて計算した金額が、各人ごとの相続税額になります。

実際の相続税の計算には、累進税率を簡単に使うことができるように次の速算表を使うことになります。

〈相続税速算表〉

法定相続分に応ずる取得価格		税率及び控除額
	1,000万円以下	10%
1,000万円超	3,000万円以下	15％－50万円
3,000万円超	5,000万円以下	20％－200万円
5,000万円超	1億円以下	30％－700万円
1億円超	2億円以下	40％－1,700万円
2億円超	3億円以下	45％－2,700万円
3億円超	6億円以下	50％－4,200万円
	6億円超	55％－7,200万円

配偶者には、配偶者の税額軽減という相続税の特典があり、配偶者の法定相続分と1億6,000万円のうち、いずれか大きい方の金額までについては税額が軽減されます。配偶者が取得した財産が1億6,000万円か法定相続分以下である場合は、配偶者には相続税はかかりません。

ただし、遺産分割協議が調っていることが要件ですから、注意が必要です。このほか、税額控除できる未成年者控除、障害者控除制度や1親等の血族以外の者等に対する2割加算制度などがあります。

〈相続税の税額計算の仕組み〉

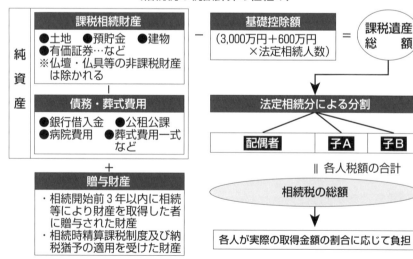

I 事業承継のための相続と相続税の基本と対策（相続税）

〈葬式費用としての債務控除の可否〉

可	不 可
・葬式（仮葬式も含む）、通夜の費用 ・お寺さんへの戒名代、お布施（当日のもの） ・お通夜の食事代その他葬式前後の費用で通常必要なもの ・死体の捜索または死体もしくは遺骨の運搬費用	・香典返戻費用 ・初七日以後の法会費用 ・墓碑及び墓地の購入費 ・医学上、裁判上の特別処置費用

4　相続税申告までのタイムスケジュール

次の図のように、相続税申告には10か月以内という期限がありますので、しっかりタイムスケジュールを組んで、きちんと手続を進めていかないと、後々問題が起きることになりますのでご注意ください。

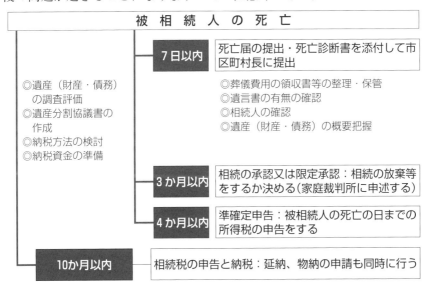

10 相続税は両親の合計額で考える

Question

　事業承継するために財産を相続するときには、父と母の２回分の相続税を払わなければなりませんが、どのように考えればよいのでしょうか。

POINT

① 配偶者は法定相続分または１億6,000万円まで相続しても無税

② 二次相続時のことも考えておかないと納税資金に困ることもある

Answer

1　「一次相続＋二次相続」の合計額で考える

　相続税の計算に関しては、配偶者が法定相続分または１億6,000万円まで相続しても税額軽減される措置があります。したがって、配偶者の法定相続分が１億6,000万円以下であっても、配偶者が１億6,000万円までを相続すれば相続税はかからないとして、「基礎控除額が下がったことにより相続税がかかることになった、あるいは相続税額が増えた」として、配偶者が法定相続分を超え１億6,000万円まで相続するケースが増えることが予想されます。

　しかし、結果として配偶者が法定相続分を超える相続をした場合の方が、原則として、子にとって両親の相続に関し支払うべき２回分の相続税額の合計額が増大すると思われます。第一次相続のときに支払う相続税額だけ考えて遺産分割しないように熟考してください。

2　具体例での相続税額

　なお、次の表は配偶者と子２人が法定相続分どおり相続したものと仮定して作成した相続税額の比較表です。

　相続税の納税資金を考える際には、一次相続時の負担だけを考えるのではなく、必ず二次相続時のことも考慮して事前に準備しておく必要があり

ます。さらに、先に配偶者が亡くなっている場合には、納税額が増えることにも留意しておかねばなりません。そのうえで、どのようにして納税するかしっかり考えてみましょう。

		一次相続の相続税の総額[※1]	二次相続の相続税の総額[※2]	相続税の総額の合計額[※3]
相続税の課税価格	1億円	315万円	80万円	395万円
	3億円	2,860万円	1,840万円	4,700万円
	5億円	6,555万円	4,920万円	1億1,475万円
	10億円	1億7,810万円	1億5,210万円	3億3,020万円
	20億円	4億3,440万円	3億9,500万円	8億2,940万円

※1　相続人は配偶者と子2人であり、法定相続分により相続したものとして、相続税額を計算
※2　配偶者の相続した一次相続分がそのまま二次相続されると仮定した場合の相続税の総額
※3　一次相続・二次相続を通じての相続税の総額

3　遺産分割も二次相続のことを考えて行う

遺された配偶者の方が財産を多く持っている場合には、配偶者は財産を相続しない方がよいでしょう。二次相続時にはかえって累進の高い税率がかかることになり、子にとって相続税額の合計額が増えるからです。

また、小規模宅地等の特例の適用を受ける財産、将来値上がりが予想されるもの、今後も収益を生み続けるものも配偶者が相続しない方がよいでしょう。二次相続時の課税財産を増やすことにもなりかねないからです。

よって、評価の下がる可能性の高い財産を配偶者が相続するというのが、理想的な財産分割です。例えば社長の死亡により退職金を支払うことの決定している自社の株式は、まさにうってつけの財産といえます。評価の下がる前の自社株式を配偶者が相続し、死亡退職金を支払った翌期に評価の下がった自社株式を子が贈与を受け精算課税制度を選択すれば、今後自社株式の評価が上昇すると見込まれるときでも安心です。まさに事業承継者にとってベストプランといえるでしょう。

29

11 未成年者控除及び障害者控除等の さまざまな相続税額控除

Question

　各人の納付すべき相続税額を計算する際に、一定要件の下、各種の税額控除をすることができ、未成年者や障害者に対する支援措置としての相続税額控除もあるそうですが、どのような制度でしょうか。

POINT

① 未成年者に対し18歳まで１年に10万円の相続税額が控除
② 障害者に対し85歳まで１年に10万円または20万円の相続税額が控除
③ 他にも贈与税額控除、配偶者の税額軽減、相次相続控除等がある

Answer

1　税額控除のあらまし

　相続税の計算では、相続税の総額を各人の課税価格の割合であん分した金額から各種の税額控除の額を差し引いて、各人の納付すべき相続税額を計算します。税額控除には以下のものがあり、その控除は次に説明する順序に従って行います。

2　暦年課税分の贈与税額控除

　相続、遺贈や相続時精算課税に係る贈与によって財産を取得した人に、相続開始前３年以内の贈与財産について課せられた贈与税がある場合には、その人の相続税額からその贈与税額（贈与税の外国税額控除前の税額）を控除します。

3　配偶者の税額軽減

　相続や遺贈によって財産を取得した人が被相続人の配偶者である場合には、その配偶者の相続税額から、法定相続分または１億6,000万円までの財産に係る相続税額を控除します。なお、配偶者の税額軽減を受けること

によって納付すべき相続税額がなくなる人であっても、相続税の申告書の提出が必要です。

4 未成年者控除額及び障害者控除額

(1) 未成年者控除額は10万円

相続または遺贈により財産を取得した者（制限納税義務者を除きます）が、被相続人の法定相続人（相続の放棄がなかったとした場合の相続人）に該当し、かつ、18歳未満の者である場合において、その者については、「10万円×18歳に達するまでの年数（1年未満の端数切上げ）」により算出した金額を相続税額から控除することができます。

なお、令和4年3月31日までの相続等については、20歳未満とされています。

(2) 障害者控除額は10万円または20万円

相続または遺贈により財産を取得した者（非居住無制限納税義務者または制限納税義務者を除きます）が、被相続人の法定相続人（相続の放棄がなかったとした場合の相続人）に該当し、かつ、障害者である場合において、その者については、「10万円×85歳に達するまでの年数（1年未満の端数切上げ）」、その者が特別障害者である場合には「20万円×85歳に達するまでの年数（1年未満の端数切上げ）」により算出した金額を相続税額から控除することができます。

(3) 成年被後見人は相続税法上も特別障害者の対象に

家庭裁判所から「精神上の障害により事理を弁識する能力を欠く常況にある者」として後見開始の審判を受けたいわゆる成年被後見者は、所得税法と同様に、相続税法上においても障害者控除の対象となる特別障害者に該当する文章回答（H24. 8. 31）が、国税庁から明らかにされています。

申告に際しては、障害者の認定を受けていないからといって、有利なこの特別障害者控除の適用を受けるのを忘れないようにしてください。

(4) 未成年者控除額及び障害者控除額を賢く活用する

これらの税額控除は、未成年者や障害者については一般の人より生活費などが多くかかることなどに配慮した特例であるため、本人の相続税額か

ら控除できない金額については、扶養義務者の相続税額から控除すること
が認められています。扶養義務者とは、配偶者、直系血族、兄弟姉妹等を
いい、納税義務者全員が同意すれば不足分は誰から控除してもよいのです
から、賢く活用したいものです。

　例えば、配偶者は配偶者の相続税額軽減の特例により、一般的には相続
税がかかりませんが、障害者控除の適用を受ければ、不足分は他の相続人
から引けます。お母さんが成年被後見人に該当するような場合には、必ず
特別障害者控除の適用を受けるのを忘れないようにしてください。

　障害者や未成年者の方にとっては、この障害者控除の適用を受けること
は相続税法上、非常に有利な措置となっておりますので、きっちりと要件
を満たしておくようにしておきたいものです。まず法定相続人であること
が要件ですから、未成年者や障害者である親族等に財産を残したい場合に
は、養子縁組等を行い、相続時に法定相続人に該当すればこれらの控除の
適用を受けることができます。一度、検討されてはいかがでしょうか。

　なお、未成年者や障害者本人が相続または遺贈により財産を取得しない
場合には、これらの控除の適用はなく、他の相続人が税額控除を受けるこ
とはできませんので、遺産分割の際にはご注意ください。

5　相次相続控除

　相続開始前10年以内に被相続人が相続、遺贈や相続時精算課税に係る贈
与によって財産を取得し相続税が課せられていた場合には、その被相続人
から相続、遺贈や相続時精算課税に係る贈与によって財産を取得した人（相
続人に限る）の相続税額から一定の金額を控除します。

6　外国税額控除

　相続または遺贈や相続時精算課税に係る贈与によって外国にある財産を
取得したため、その財産について外国で相続税に相当する税金が課された
場合には、その人の相続税額から一定の金額を控除します。

7　相続時精算課税分の贈与税額控除

　相続が発生したときに、相続時精算課税適用者が被相続人から取得した相続時精算課税適用財産の価額は、相続税の課税価格に加算されて、相続税額が計算されます。そこで、相続税と贈与税の二重課税とならぬように、相続時精算課税適用者に相続時精算課税適用財産について課せられた贈与税がある場合には、その人の相続税額からその贈与税額（贈与税の外国税額控除前の税額）に相当する金額を控除します。

　この場合に、なお控除しきれない金額があるときは、その控除し切れない金額に相当する税額の還付を受けることができます。ただし、相続時精算課税適用財産に係る贈与税について外国税額控除の適用を受けた場合には、その控除し切れない金額からその外国税額控除額を控除した残額しか還付を受けることはできません。

　また、この税額の還付を受けるためには、納付すべき相続税額がない場合であっても、相続税の申告書を提出しなければなりません。

12 相続財産はこのように評価する

Question

相続税の計算をするときには、全ての遺産につき時価で評価しなければならないといわれました。でも、時価などよくわからないものが多いのですが、申告のときにはどのように評価すればよいのでしょうか。

POINT

① **相続財産の価額は原則として相続開始時の時価**
② **時価評価については国税庁が財産評価基本通達等を定めている**
③ **土地や非上場株式等、申告時の評価は複雑である**

Answer

1 相続財産の評価のあらまし

相続財産の価額は、原則として相続開始の時の時価で評価します。しかし、一般的にはすべての財産の時価を算出することは困難であるため、財産評価基本通達などにより、その財産の種類ごとに評価の方式が定められています。主な財産の評価のあらましは次のとおりです。

2 不動産の評価

①宅地

宅地の評価方法には、路線価方式と倍率方式という2つの方法があります。路線価方式とは路線価が定められている地域の評価方法です。路線価とは、路線（道路）に面する標準的な宅地の1㎡当たりの価額のことです。

宅地の価額は、原則として、路線価をその宅地の形状等に応じた各種補正率（奥行価格補正率、側方路線影響加算率など）で補正した後、その宅地の面積を掛けて計算します。

34

I 事業承継のための相続と相続税の基本と対策（相続税）

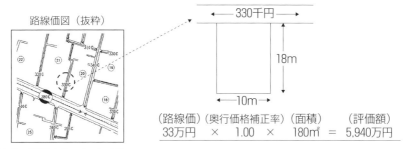

（出典：国税庁ホームページ）

　倍率方式とは、路線価が定められていない地域の評価方法です。宅地の価額は、原則として、その宅地の固定資産税評価額に一定の倍率（倍率は「評価倍率表」で確認することができる）を掛けて計算します。

評価倍率表（抜粋）

固定資産税評価額に乗ずる倍率等						
宅地	田	畑	山林	原野	牧場	池沼
倍率 路線	倍率 比準	倍率 比準	倍率 比準	倍率 比準	倍	倍
1.1	純13	純22				
1.1	純11	純16	純19	純20		

　　　　（固定資産税評価額）（倍率）　　（評価額）
　　　　　1,000万円　　×　　1.1　＝　1,100万円

(注)評価倍率表の「固定資産税評価額に乗ずる倍率等」の「宅地」欄に「路線」と表示されている地域については、路線価方式により評価を行います。

②借地権等

借地権	原則として、路線価方式または倍率方式により評価した価額に借地権割合を掛けて計算します。
定期借地権	原則として、相続開始の時において借地権者に帰属する経済的利益及びその存続期間を基として計算します。
貸宅地	原則として、路線価方式または倍率方式により評価した価額から、借地権、定期借地権等の価額を差し引いて計算します。
貸家建付地	原則として、路線価方式または倍率方式により評価した価額から、借家人の有する敷地に対する権利の価額を差し引いて計算します。

③田畑または山林

　原則として、固定資産税評価額に一定の倍率を掛けて計算します。ただし、市街地にある田畑または山林については、原則として付近の宅地の価

35

額に比準して計算します。

④家屋

　原則として、固定資産税評価額(取得価額のおおむね40〜70%くらいで、各市町村が定めています)により評価します。さらに家屋が賃貸用であれば、借家権割合30%が控除できます。

⑤賃貸建物の敷地である土地

　借地権や借家権が考慮された貸家建付地として評価されます。

3　事業用の機械、器具、農機具等

　原則として、類似品の売買価額や専門家の意見などを参考にして評価します。

4　上場株式の評価

　原則として、次の①から④までの価額のうち、最も低い価額によります。

①相続の開始があった日の終値

②相続の開始があった月の終値の月平均額

③相続の開始があった月の前月の終値の月平均額

④相続の開始があった月の前々月の終値の月平均額

5　取引相場のない株式・出資の評価

　原則として、その会社の規模の大小、株主の態様、資産の構成割合などに応じ、次のような方式により評価します。具体的には「取引相場のない株式(出資)の評価明細書」を用いて評価します。

①類似業種比準方式（原則として大会社）

②純資産価額方式（原則として小会社）

③①と②の併用方式（原則として中会社）

④配当還元方式（原則として同族以外の株主）

6　預貯金の評価

　原則として、相続開始の日現在の預入残高と相続開始の日現在において

解約するとした場合に支払を受けることができる既経過利子の額（源泉徴収されるべき税額に相当する額を差し引いた金額）との合計額により評価します。被相続人の財産を原資としており、かつ被相続人が管理運用していた場合には実質の所有者は被相続人であるため、名義を問わず相続財産として課税対象となります。

7　家庭用財産・自動車、書画・骨とう等の評価

　原則として、類似品の売買価額や専門家の意見などを参考として評価します。

8　電話加入権の評価

　原則として、相続開始の日の取引価額または標準価額により評価します。令和元年分では1,500円となっています。

9　保険契約に関する権利の評価

　原則として、相続開始の日現在において解約した場合の返戻金相当額により評価します。被相続人が保険料負担者である場合には、預貯金と同様、契約者のいかんを問わず、みなし相続財産として相続税の課税対象となります。

13 配偶者居住権の評価と活用法

Question

令和2年4月1日以後の相続から配偶者居住権を設定することができますが、相続時にはどのように相続税評価されるのでしょうか。また、所有者の相続税評価や配偶者が亡くなった時の取扱いはどのようになるのでしょうか。

POINT

① 所有権の評価は残存年数、平均余命、複利現価率等により評価する

② 配偶者居住権は相続税評価額から所有権を控除して評価する

③ 小規模宅地の特例は要件充足により配偶者居住権も所有権も適用可

Answer

1　配偶者短期居住権の相続税評価

配偶者が死亡した場合、もう一方の配偶者は相続人となりますが、令和2年4月1日以後の相続から配偶者短期居住権を設定できることになりました。ただし、その期間は、遺産の分割により居住建物の帰属が確定した日か、相続開始の時から6か月を経過する日のいずれか遅い日までの間とされています（Q8参照）。よって、遺産分割終了と同時に消滅する財産ですから、相続税の課税財産にはなりません。

2　配偶者居住権の相続税評価額の計算方法

(1)　配偶者居住権の建物の相続税評価額の計算方法

令和2年4月1日以後の相続から配偶者居住権を設定できますが、被相続人の財産であった居住用建物に配偶者居住権が設定された場合における建物の計算方法が相続税法で規定されています。

相続等により取得した建物の相続税評価額は固定資産税評価額とされて

おり、配偶者居住権が設定された建物所有権や配偶者居住権の評価額は、それを基に評価します。まず、建物所有権は残存耐用年数を基準に評価し、配偶者居住権の評価は自用価額から建物所有権を控除します。

　なお、複利現価率を計算する場合の法定利率は、令和2年4月1日以降は3％とされていますので、それに基づき評価します。

①配偶者居住権が設定された建物所有権の評価方法

$$
建物の相続税評価額 \times \frac{(耐用年数 \times 1.5)^{※1} - 経過年数^{※1} - 居住権の存続年数^{※1※2}}{(耐用年数 \times 1.5)^{※1} - 経過年数^{※1}} \times \begin{array}{l} 配偶者居住権の存続年数 \\ に応じた民法の法定利率 \\ による複利現価率 \end{array}
$$

※1　6か月以上の端数は1年とし、6か月に満たない場合は切捨て。
※2　居住権の存続年数は、遺産分割協議等に定められた居住権の存続年数で、配偶者の完全生命表による平均余命（6か月未満切捨て）を上限とする。

②建物の配偶者居住権の評価方法

> 建物の相続税評価額 － 上記①の評価額

(2)　配偶者居住権の土地に係る相続税評価額の計算方法

　相続等により取得した土地等の相続税評価額は路線価等により評価しますが、配偶者居住権が設定された土地所有権や配偶者居住権の評価額は、それを基に評価します。まず、配偶者居住権が設定された建物の敷地所有権は相続税評価額に存続年数に応じた複利現価率を乗じて評価し、土地に対する配偶者居住権は相続税評価額から土地所有権を控除して評価します。

①配偶者居住権が設定された土地所有権の評価方法

> 土地の相続税評価額 × 配偶者居住権の存続年数に応じた民法の法定利率による複利現価率

②敷地利用権の評価方法

> 土地の相続税評価額 － 上記①の評価額

3 設例（前提条件）

①妻が85歳の時に夫死亡

②自宅建物の相続税評価額　1,000万円

（金属造　骨格材の肉厚3.2mm：耐用年数27年、経過年数15年）

③自宅土地の相続税評価額　3,000万円

④妻は配偶者居住権を取得、子は自宅の建物・土地を取得

(1) 配偶者居住権が設定された建物所有権の評価額（子の相続分）

$$1,000万円 \times \frac{(27年 \times 1.5)^{※1} - 15年^{※1} - 9年^{※1※2} = 17年}{27年 \times 1.5 - 15年 = 26年} \times 0.766^{※3}$$

＝5,008,461円

(※1)　6か月以上は1年に切上げ、6か月未満は切捨て

(※2)　居住権の存続年数　85歳女性の完全生命表による平均余命（6か月以上は1年に切上げ、6か月未満は切捨て）…8.73⇒9年

(※3)　複利現価率　年利率3％のときの9年の場合…0.766

(2) 建物の配偶者居住権の評価額（妻の相続分）

10,000,000円　－　5,008,461円　＝　4,991,539円

(3) 配偶者居住権が設定された建物の敷地所有権の評価額（子の相続分）

30,000,000円　×　0.766＝　22,980,000円

(4) 建物の敷地に対する配偶者居住権の評価額（妻の相続分）

30,000,000円　－　22,980,000円　＝　7,020,000円

(5) 配偶者居住権の評価額（(2)＋(4)、妻の相続分の合計）

4,991,539円　＋　7,020,000円　＝　12,011,539円

(6) 配偶者居住権が設定された建物とその敷地の所有権の評価額（(1)＋(3)、子の相続分の合計）

5,008,461円　＋　22,980,000円　＝　27,988,461円

4 配偶者居住権の消滅時の課税関係

　被相続人から配偶者居住権を取得した配偶者とその配偶者居住権の目的となっている建物の所有者との間の合意や配偶者による配偶者居住権の放棄により、配偶者居住権が消滅した場合等において、建物又は敷地等の所

有者が対価を支払わなかったとき、又は著しく低い価額の対価を支払ったときは、原則として、建物等所有者が、その消滅直前に、配偶者が有していた建物及び土地等の配偶者居住権の価額（対価の支払があった場合にはその価額を控除した金額）を、配偶者から贈与によって取得したものとされます。なお、配偶者居住権が期間満了及び配偶者の死亡により消滅した場合には課税されませんので、ご安心ください。

5 小規模宅地等の特例との関係

なお、建物の敷地に対する配偶者居住権及び敷地所有権は、要件を満たしていればどちらも小規模宅地等の特例の対象となります。

例えば、配偶者と子が同居しており、配偶者が配偶者居住権を、子が所有権を取得した場合、どちらも小規模宅地等の特例の適用を受けることができます。ただし、対象面積は、敷地面積に、それぞれ敷地の用に供される宅地の価額又は権利の価額がこれらの価額の合計額のうちに占める割合（価額按分）を乗じて得た面積であるものとみなして、特例が適用されますので、適用面積が増えるわけではありません。

6 配偶者居住権の物納及び登録免許税

配偶者居住権が設定された不動産（建物・土地）を物納するにあたっては、物納劣後財産とされます。

配偶者居住権の設定の登記の登録免許税の税率は0.2％となります。

7 配偶者居住権の活用方法

配偶者居住権と設定された不動産所有権の評価額を合計すると本来の相続税評価額になりますので、相続税の額は増加することも減少することもありません。ところが、配偶者が死亡した場合には配偶者居住権は消滅するにもかかわらず、死亡による消滅に限り相続税が課税されることがありません。相続税の節税効果はあると言えるのではないでしょうか。

14 特別寄与料が認められた時の課税関係

Question

令和元年7月1日以後の相続より、相続人でないにもかかわらず、特別寄与料として財産をもらうことができるようになったそうですが、もらった人や支払った相続人等の課税関係はどうなるのでしょうか？

POINT

① 特別寄与料は遺贈とみなして相続税が課税されることに

② 特別寄与料を支払った者は課税価格からその額を債務控除できる

③ 相続税の申告期限後に確定した場合には更正の請求をする

Answer

1 相続人以外の貢献を評価できる制度

改正前は相続人にしか認められなかった寄与分ですが、実際に介護等の主体になっているのは相続人に限らないことも多く、これを解決するために相続法の改正により、令和元年7月1日以後の相続から相続人以外の親族の貢献や寄与を評価できる特別寄与料の制度が認められています（Q8参照）。

この特別寄与について相続人と特別寄与者とで協議が調わないときは、相続開始及び相続人を知ったときから6か月以内（又は相続開始1年以内）に家庭裁判所への申立てを行わなければなりません。短期間となっていますので、期限が渡過せぬように注意する必要があります。

この特別寄与料の税法上の取扱いは相続税法4条（遺贈により取得した者とみなす場合）及び13条（債務控除）によって決められています。

2 特別寄与料請求者への相続税課税（相続税法4条）

被相続人の療養看護等を行った相続人以外の被相続人の親族が、相続人に対して金銭（特別寄与料）の支払請求をした場合において支払を受ける

べき特別寄与料の額が確定した場合には、その請求をした者（特別寄与者）が、特別寄与料の額に相当する金額を、特別の寄与を受けた被相続人から遺贈により取得したものとみなして相続税が課税されます。

3　特別寄与料を支払った者の相続税の取扱い（相続税法13条）

特別寄与者が支払を受けるべき特別寄与料の額が、特別寄与者の課税価格に算入される場合においては、特別寄与料を支払うべき相続人が相続又は遺贈により取得した財産について、その相続人に係る課税価格に算入すべき価額は、その財産の価額からその特別寄与料の額のうちその者の負担すべき部分の金額を債務として控除することになります。なお、通常の債務控除と異なり、特別寄与料は相続時精算課税制度により加算された財産からも控除することができます。

4　相続税の申告義務及び修正申告・更正の請求

なお、特別寄与料が確定し遺贈により取得したとみなされ、新たに相続税の申告書を提出すべき要件に該当することとなった者は、その事由が生じたことを知った日の翌日から10か月以内に相続税の申告書を提出しなければなりません。

また、特別寄与料の支払を受けたことにより、遺贈等により既に確定した相続税額に不足が生じた場合には、その事由が生じたことを知った日の翌日から10か月以内に相続税の修正申告書を提出しなければなりません。

なお、家庭裁判所への申立て等があった場合には、まず期限内に特別寄与料が確定することはまれでしょう。その場合には、特別寄与料はなかったものとして相続税の申告をすることになります。

そこで、相続税の申告期限後に特別寄与料の支払が確定したことにより、相続税額が過大となった時は、特別寄与料の額の確定を知った日の翌日から4か月以内に限り、更正の請求をすることができます。

15 小規模宅地等の課税価格の計算特例は最高の減税措置

Question

自宅についての小規模宅地等の特例の対象面積は330m²となっており、事業用宅地等と完全併用すれば効果が大きい節税となるそうですが、どう活用すればよいのでしょうか。

POINT

① 特定居住用宅地等として特例が適用できれば330m²まで80%減額

② 特定事業用宅地等として特例が適用できれば400m²まで80%減額

③ 特定居住用と特定事業用の特例を完全併用できれば最大730m²

Answer

1　小規模宅地等の課税価格の計算の特例のあらまし

被相続人の居住用宅地や事業用宅地等につき、配偶者や後継者が承継するときに一定の要件で相続税を軽減しようという目的で設けられたのが「小規模宅地等の相続税の課税価格の計算の特例」です。

被相続人等が相続発生まで居住の用に供していた宅地等で、配偶者または居住を継続する親族が取得した場合等には、特定居住用宅地等として330m²まで評価額が80%減額されます。同様に、被相続人や生計一親族、及び同族会社の事業の用に供されていた宅地等で、これらの事業を継続する親族が取得した場合等には、特定事業用等宅地等として400m²まで80%減額されます。ただし、貸付事業用宅地等については200m²まで50%減額とされています。

適用面積や減額割合をまとめますと次の図表のようになっており、相続のときしか適用されず、贈与のときには適用されません。

Ⅰ 事業承継のための相続と相続税の基本と対策（相続税）

〈小規模宅地等の特例〉

利用区分		限度面積	減額割合
事業用	特定事業用宅地等	400m²	▲80%
	特定同族会社事業用宅地等	400m²	▲80%
	貸付事業用宅地等	200m²	▲50%
居住用	特定居住用宅地等	330m²	▲80%

2　適用を受けることのできる面積要件

　さらに、特定居住用宅地等と特定事業用等宅地等または特定同族会社事業用宅地等について、特例対象として選択する宅地等のすべてがこれらの宅地等である場合には、それぞれの適用対象限度面積まで完全併用することができます。完全併用すれば、特定居住用宅地等につき330m²、特定事業用等宅地等または特定同族会社事業用宅地等につき400m²の合計面積730m²まで80％評価減の対象となるのですから、土地所有者にとっては最高の相続税評価減対策となります。

3　貸付事業用宅地等の併用には調整計算がある

　ただし、貸付事業用宅地等と併用する場合には、適用対象面積計算については次の計算式による調整を行い200m²が限度とされています。併用するかどうかは、シミュレーションを行い、土地の単価、減額割合、適用対象面積等を考慮して、減額が最大になるように慎重に検討してください。

　なお、適用対象地の選択に当たっては、適用対象地の取得者全員の同意が必要です。小規模宅地等の課税価格の計算の特例を最大限に活用して適用を受けるためには、相続人が仲良く、円満に遺産分割できるようにしておくことが一番のポイントなのです。

16 特定居住用宅地等の減額対象は適用範囲が広い

Question

二世帯住宅や老人ホーム入所後の自宅についても様々な要件を満たしさえすれば、特定居住用宅地等として小規模宅地等の特例の適用を受けることができるそうですが、どのような要件なのでしょうか？

POINT

① 構造上区分されていても区分所有でなければ敷地全体が対象に

② 区分所有による二世帯住宅の敷地は被相続人の居住部分のみ対象

③ 平成30年度税制改正で自宅非所有者の要件が厳しくなった

④ 有料老人ホームへの入居後も一定要件のもと特定居住用宅地に該当

Answer

1 特定居住用宅地等の適用要件

相続開始の直前において被相続人等の居住の用に供されていた宅地等につき、その宅地等を取得した人が下記のいずれかに該当している場合には、その宅地等が特定居住用宅地等に該当するため、相続税評価額が80％減額されます。

①	配偶者が取得した場合
②	被相続人と同居していた親族が取得し、申告書の提出期限まで引き続き居住し、かつ所有している場合
③	配偶者及び同居法定相続人がいない場合で、一定の要件（**2**参照）を満たした者が取得し、かつ申告書の提出期限まで引き続き所有している場合等
④	被相続人と生計を一にしていた親族が相続開始まで自己の居住の用に供し、申告書の提出期限まで引き続き居住し、かつ所有している場合

このように、特定居住用宅地等については誰が取得するのか、その後どう利用するのかなど、この表の要件を充足しているかどうかで適用の可否が異なります。「家族が仲良く生活している」ことこそがこの特例の適用

46

の要です。

2 非同居で持ち家を持たない者の適用要件

表の③の適用要件は、平成30年3月31日までの相続等においては「被相続人に配偶者又は相続開始の直前において同居している法定相続人がいない場合で、相続等によりその宅地等を取得した者が相続開始前3年以内にその者又はその配偶者の所有する家屋に居住したことがなく、かつ、相続税の申告期限まで引き続きその宅地等を有している場合」となっていました。ところが、この特例の適用を受けるために、自らまたは配偶者名義になっている家屋を子や孫に贈与する、同族会社や一般社団法人等に売却をする事例がよく見受けられています。

そこでそのような租税回避行為を規制するため、平成30年4月1日以後の相続等から、被相続人に配偶者または相続開始の直前において同居している法定相続人がいない場合で、持ち家に居住していない親族が特定居住用宅地等の特例の適用を受けるには、次に掲げる要件のすべてを満たさなければならないとされています。

① 相続開始前3年以内に、その者、その配偶者、その3親等内の親族等または親族等が過半数の議決権を有する法人、その関連法人、親族等が理事等となっている持分の定めのない法人等が所有する国内にある家屋に居住したことがないこと。

② 被相続人の相続開始時にその者が居住している家屋を相続開始前のいずれのときにおいても所有していたことがないこと。

3 二世帯住宅が適用対象となる場合

被相続人とその親族が一の家屋に同居していたかどうかを判定する場合、その家屋が共同住宅のように構造上区分され、各独立部分をそれぞれ住居等に供することができる区分建物であるときは、その各独立部分を単位として判定するのが原則です。よって、各独立部分に被相続人とその親族が別々に居住していた場合には、同居に当たらず被相続人以外の者が居住している部分については特定居住用宅地等に該当しません。

47

ただし、一棟の共同住宅（その全部を被相続人または被相続人の親族が所有するものに限る）において、相続開始の直前において被相続人が居住の用に供していた独立部分以外の部分に居住していた者がいる場合（その被相続人の配偶者、または同居していた法定相続人もいない場合に限る）において、その親族が被相続人の居住用家屋に同居していたとして申告があったときは、その申告を認めるものとして取り扱われます。

　よって、生計を一にしていない完全分離型であっても、区分所有されていない二世帯住宅の敷地はすべてこの特例の適用対象となりますが、区分所有の場合には、被相続人の居住部分に対応する宅地等のみがこの特例の適用対象となります。完全に独立している建物であっても区分所有登記されていない場合には、二世帯住宅の敷地全体が特定居住用宅地等の適用対象となり大きな減税措置が適用されますから、二世帯住宅を取得する際には、どのように表示登記や保存登記するか、十分気をつけたいものです。

　また、同居とみなされた場合には、父の一次相続と母の二次相続と2回適用を受ければ合計660m²も80％減額の対象となるのですから、しっかりとこのことも考慮して遺産分割を行ってください。

〈二世帯同居で特定居住用宅地等は最大660m²適用できる〉

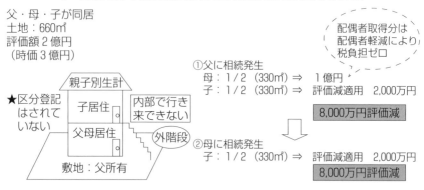

I 事業承継のための相続と相続税の基本と対策（相続税）

3 老人ホーム等に入居した場合の要件

　被相続人が終身利用型の老人ホーム等に入所したため、相続開始の直前においてそれまで居住していた建物に住んでいなかった場合においては、原則として被相続人の居住の用に供していたとはされず、小規模宅地等の特例の適用を受けることができません。

　しかし、老人ホーム等に入所したことにより被相続人の居住の用に供されなくなった家屋の敷地の用に供されていた宅地等についても、被相続人が次のような施設等に入居している場合には、相続の開始の直前において被相続人の居住の用に供されていたとして、この特例が適用できます。

①	要介護認定または要支援認定を受けていた被相続人が一定の住居または施設（認知症対応型老人共同住居、養護老人ホーム、軽費老人ホームまたは有料老人ホームや介護老人保健施設、サービス付き高齢者向け住宅、介護療養院等）に入居または入所していたこと
②	障害支援区分の認定を受けていた被相続人が障害支援施設などに入所または入居していたこと

　ただし、被相続人が老人ホーム等に入居後に、その建物を事業の用または被相続人の生計一親族以外の者の居住の用に供した場合には、適用の対象とはなりません。つまり、親が老人ホームに入居後に空き家に引っ越した生計別親族の場合は、原則としてこの特例適用を受けることができません。いっそのこと、ホームに入居される前に親と同居を始めて生計を一にし、親が自宅での生活が困難になってからホームに入居してもらえば、結果として相続時には、被相続人は老人ホーム、相続人は親の自宅で暮らしていたにもかかわらず、この特例の適用を受けることができます。

　この特例は、地価の高い都心に自宅を有する親がやむを得ず老人ホームに入所している親族にとっては大歓迎すべき特例です。一緒に生活するといった、まさに親子間の相互扶助が「小規模宅地等の特例」を最大限に活用する方法です。

49

17 事業承継や同居に対する支援措置である特例を活用

Question

　子が親の事業を承継したり、親の土地で事業を営んでいる子が親と同居している場合に有利になる特例があるそうですが、どのような特例で、どのように活用すれば一番有利なのでしょうか。

POINT

① 事業承継や同居の子の事業支援をすると、大きな評価減となる

② 相続開始前3年以内の事業供用宅地等は特例の適用対象外

③ 宅地等の上の事業用資産が宅地等価額の15%以上の場合は適用可

④ 個人事業承継税制との適用関係をきちんと理解して選択する

Answer

1　事業承継か同居の子の事業用宅地は適用対象

　被相続人の事業の用に供されていた宅地等で、その宅地を取得した相続人等が被相続人の事業を引き継いでいく場合には、特定事業用宅地として400㎡まで評価が80%減額されます（Q15参照）。被相続人と生計を一にしている家族が事業をするために利用している宅地についても同様です。後継者が事業承継する場合の最高の応援策といえます。

〈特定事業用宅地等とは〉

区分	特例の要件
被相続人の事業の用に供されていた宅地等	被相続人が営んでいた事業を申告期限までに引き継ぎ、かつ、その申告期限までその事業を営んでいること
被相続人と生計を一にしていた親族の事業の用に供されていた宅地等	相続開始の直前から申告期限まで、その宅地等の上で事業を営んでいること

〈特定同族会社事業用宅地等とは〉

区分	特例の要件
特定同族会社の事業の用に供されていた宅地等	相続税の申告期限においてその法人の役員であること

2 相続開始前3年以内に事業の用に供された宅地等は除外

特定事業用宅地等について小規模宅地等の特例を適用するには、被相続人の事業の用に供されていた宅地等と、被相続人と生計を一にしていた被相続人の親族の事業の用に供していた宅地等にそれぞれ事業承継・継続要件と保有継続要件があります。

平成30年4月1日以後の相続等から、3年規制が導入された特定居住用宅地等及び貸付事業用宅地等と同様に、平成31年4月1日以後の相続又は遺贈にかかる相続税から、相続開始前3年以内に事業の用に供された宅地等は特定事業用宅地等から除外され、この特例が適用できなくなりました。

ただし、その宅地等の上で事業の用に供されている建物・附属設備・機械等の減価償却資産のうち、被相続人が有しているものの相続開始の時における価額の合計額が、その新たに事業の用に供された宅地等の相続開始の時における価額の15％以上である場合には、小規模宅地等の特例を適用することができます。

なお、平成31年3月31日以前から事業の用に供されている特定事業用宅地等については、従来どおり小規模宅地等の特例が適用されます。

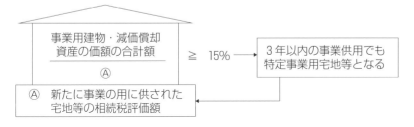

3 完全併用の賢い活用法

なお、特定居住用宅地等と特定事業用等宅地等は完全併用することができますので、より大きな評価減となります。完全併用できれば合計面積730㎡までの宅地が80％評価減の対象となりますから、これをいかに適用するかが効果的な相続税対策となります。完全併用のポイントは自分の事業用か生計一親族の事業用の宅地等であることです。現在別居していても、相続時に生計が一であれば適用できるのですから、じっくりと考慮して、事前に適用を受けることができるように準備しておいてください。

下記の事例のように、自宅を有している子が親の所有地でクリニックを経営している場合、現況では小規模宅地等の特例を適用することはできません。親が二世帯住宅を建てて子と同居を始めた場合、完全分離しておらず生計一となれば、自宅の敷地もクリニックの敷地も小規模宅地等の特例対象となり、一気に相続税評価額が大きく下がることになります。

　なお、特定居住用宅地等の適用要件は一棟の建物であれば完全分離型の二世帯住宅でも適用可能ですが、特定事業用宅地等の場合は生計一親族の事業用が条件ですので、事例のようなケースで完全併用するには必ず生計一とみなされなければならないので、十分ご注意ください。このように、今まで別々に暮らしていた親子が一緒に暮らし始めるのも「小規模宅地等の特例」を上手に活用することになるのです。

(1)　生計一でない場合

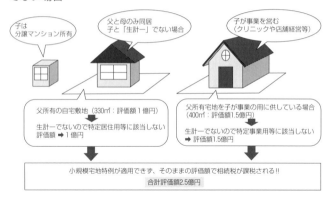

(2)　生計一の場合

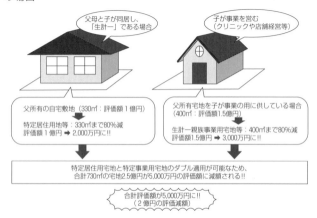

I 事業承継のための相続と相続税の基本と対策（相続税）

4　個人事業承継税制との関連

　被相続人（先代事業者）に係る相続等により取得した宅地等について、特定事業用宅地等について小規模宅地等の特例の適用を受ける者がある場合には、個人の事業用財産についての納税猶予を受けることはできません。また、特定同族会社事業用宅地等と貸付事業用宅地等について小規模宅地等の特例の適用を受ける者がある場合には、適用を受ける小規模宅地等の区分に応じ、個人の事業用財産についての納税猶予の適用が次のとおり、制限されます。

　なお、被相続人に係る相続等により取得した宅地等について、特定居住用宅地等の適用を受ける者がある場合には、個人の事業用財産についての納税猶予の適用を受ける者を含め、適用の制限はなく完全併用できます。

　これらをきちんと理解し、相続人全員でしっかり話し合い、全員が納得できる選択をしてください。

	適用を受ける小規模宅地等の区分	個人版事業承継税制の適用
イ	特定事業用宅地等	適用を受けることはできません。
ロ	特定同族会社事業用宅地等	「400m²－特定同族会社事業用宅地等の面積」が適用対象となる宅地等の限度面積となります[※1]。
ハ	貸付事業用宅地等	「$400m^2 - 2 \times \left(A \times \dfrac{200}{330} + B \times \dfrac{200}{400} + C \right)$」が適用対象となる宅地等の限度面積となります[※2]。
ニ	特定居住用宅地等	適用制限はありません[※1]。

※1　他に貸付事業用宅地等について小規模宅地等の特例の適用を受ける場合には、ハによります。

※2　Aは特定居住用宅地等の面積、Bは特定同族会社事業用宅地等の面積、Cは貸付事業用宅地等の面積です。

18 「小規模宅地等の特例」の ベストな選択

Question

相続に際し、「小規模宅地等の特例」を賢く適用するためには、貸付事業用地の選択や財産分割について十分検討しておかねばならないと聞きましたが、どのように考えたらよいのでしょうか。

POINT

① 2回受けるためには配偶者が特例を選択しない

② 貸付事業用地をどう選択すべきか考慮する

③ 逆贈与等を実行して、適用を受けられるように事前対策をする

Answer

1　一次相続、二次相続を2回受けるためのポイント

　両親の最初の相続のとき（「一次相続」といいます。）、一番有利な宅地でこの特例の適用を受ける場合、誰で適用を受けるのか、ということも大きなポイントです。配偶者の法定相続分までの財産の取得については相続税の軽減措置があり、配偶者は相続税を払わなくてもよいのですから、この特例の適用を受けても税金上のメリットは少ないといえるでしょう。

　なぜなら、子は一次相続、二次相続と2回も相続税を払うにもかかわらず、今度その配偶者が亡くなったとき（「二次相続」といいます。）にしか、この特例の適用を受けられないからです。

　したがって、後継者が一次相続でも二次相続でも、1番有利な宅地でこの特例の適用を受けることができるような遺産分割を考えておきます。特定居住用宅地等の場合には330m²、特定事業用等宅地等又は特定同族会社事業用宅地等の場合には400m²、貸付事業用宅地等については200m²のいずれか2回分を確保したうえで、宅地等の財産分割や生前贈与に取り組んでください。

54

また、貸付事業用宅地等と他の宅地を併用適用する場合には、面積調整が行われ特定居住用宅地等や特定事業用等宅地等の限度面積が小さくなるので、選択するかどうかは十分ご注意ください（Q15参照）。

なお、相続税の申告期限までに分割されていない場合や、特例宅地等を取得した相続人全員の同意が得られない場合にはこの特例は適用されませんので、財産分けでもめないようにしておくのも大事なポイントです。

2　貸付事業用宅地等の適用要件の見直し

貸付事業用宅地等の特例を利用して、相続開始前に都心の地価の高い賃貸不動産を購入して一時的に現金を不動産に転換し、借入金により資産を圧縮して相続税負担を軽減した上で、相続税申告後すぐに売却する例が多く見受けられました。

そこで特定居住用宅地と同様、平成30年4月1日以後の相続等から、特例適用対象となる貸付事業用宅地等の範囲から、相続開始前3年以内に新たに貸付事業の用に供された宅地等は除外されます。ただし、相続開始の日まで、3年を超えて特定貸付事業（事業規模等の準事業以外のものをいいます。）を行っていた被相続人が貸付事業の用に供しているものは除かれます。

また、令和3年3月31日までの間に相続等により取得する宅地等に係る小規模宅地等の特例の適用に限り、平成30年3月31日までの間に新たに貸付を開始した場合の宅地等については、従来どおり特例の適用を受けることができます。よって、既に特定貸付事業を行っている方は該当しません。

3　賃貸併用住宅の場合の評価減を活用

せっかく一緒に暮らすのですから、家を建て直すというケースもあるでしょう。その際、便利な場所でしたら賃貸住宅併用居宅を建てると、相続税対策の効果が高くなることもあります。建物の総床面積のうち賃貸部分の床面積によりあん分した賃貸部分の宅地面積は貸家建付地、建物は貸家となり評価が下がるからです。

また、居住用部分の床面積によりあん分した宅地面積については特定居

住用宅地として80％減額を適用し、建物の貸付部分に対応する床面積によりあん分した宅地面積については、貸付事業用宅地等として50％減額を適用することになります。

元々330m²をすべて適用できない通常の大きさの宅地等の場合、居宅を建て替えて子と同居する際の必要資金のことを考えると、賃貸住宅の収益を自宅の建替え返済資金にすることができるうえ相続税対策の効果が大きいのですから、まさに一石二鳥の方法といえるでしょう。

また、相続開始の直前において、ビルの一部が被相続人と生計を一にしていた親族の事業用に供されていた場合で、引き続き親族が事業の用に供する場合には、特定事業用宅地等として400m²まで評価が80％減額され、特定の居住用宅地等の評価減と完全併用できますので、さらに効果が大きくなっています。親の事業を承継するわけでもないのに、親と一緒に仲良く暮らすだけで自分の事業用の宅地等の評価が大きく下がるのですから、親孝行に対する贈り物といえるでしょう。

特定居住用の場合と同様、建物の一部分が特定事業用に該当する場合は、その該当する部分に対応する敷地のみが評価減の対象となります。よって、特定居住用宅地等と特定事業用等宅地等及び貸付事業用宅地等との併用である場合は複雑な考え方になりますので、判定のための下図とQ15を参照して、きちんと計算してください。

〈特定居住用宅地等の判定〉

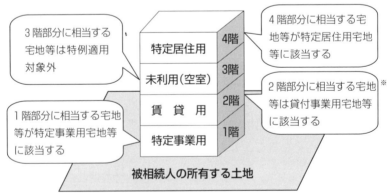

※事業として行っていない場合は貸付事業の用に供してから3年経過しないとこの特例は適用できない。ただし、経過規定有。

Ⅰ 事業承継のための相続と相続税の基本と対策（相続税）

4 最適地は相続で取得することがポイント

Q15で説明した「小規模宅地等の特例」は相続税の評価の特例ですので、宅地等を贈与するときの評価の際には適用できません。相続のときに必ず一番有利な選択をできるよう、事前に準備しておくのが重要です。

どの土地で選択するかは、相続人等の自由ですので、専門家によく相談して、相続の時にはどの宅地でこの特例の適用を受けるのが有利か検討しておいてください。そして贈与をする場合には必ず、小規模宅地等の特例の最適対象となる土地を外すようにしてください。

5 土地所有者への逆贈与による事前対策

次のような形で利用しているためにこの特例が受けられない場合には、生前に贈与してもらうか、または所有者から買い取ることによって特例の適用を受けられるようにしておきます。

(1) 土地の所有者以外が賃貸経営している場合

自分が所有している土地で、生計を一にしていない親族が賃貸経営をしている場合には、土地は使用貸借となり事業用には該当しません。その親族から賃貸建物を贈与してもらうか、または購入しておきましょう。そうすれば、貸付事業用宅地等として200m²まで50％の減額が受けられるようになります。

(2) 出資割合が50％以下の同族会社が利用している場合

所有している土地が、親族が役員となっている会社の事業用として使用している場合で、自分と同族関係者が所有しているその会社への出資割合が50％以下である場合には、50％超になるように株式等を贈与してもらうか、または購入しておきましょう。そうすれば、特定同族会社事業用宅地等として400m²まで80％の減額が受けられるようになります。

57

19 国外財産に係る相続税や贈与税課税は厳しくなっている

Question

国外に居住して日本の相続税や贈与税を逃れようとする租税回避行為を防止する規制や国外財産の調書の提出義務など国外財産に係る相続税や贈与税などはどのようになっているのでしょうか。

POINT

① 国外居住期間が10年以内の場合、全世界財産に相続税等が課税
② 相続人のみならず被相続人にも10年超居住要件がある
③ 国外財産が5,000万円超の場合、国外財産調書の提出が義務

Answer

1 数度の税制改正により国外財産に対する課税が強化

　相続人等や受贈者等が相続等により財産を取得したときの住所が日本国内にある居住者である場合、取得した国内財産及び国外財産のすべてに相続税や贈与税が課税されます。また、相続人等が非居住者であっても、被相続人等が日本国内の居住者である場合には、相続人等の日本国籍の有無にかかわらず、全世界のすべてに相続税・贈与税が課税されます。

　国外には相続税や贈与税のない国があり、富裕層が日本の高額な相続税や贈与税を回避するため、贈与者（被相続人等）と受贈者（相続人等）の双方がこれらの国に居住し、国外に移転した有価証券等を、日本の課税を受けずに譲り渡す手法がよく用いられました。

　この租税回避行為を制限するために、10年以内に国内に住所を有しない相続人等に係る相続税の納税義務について、国外財産が相続税の課税対象外とされる要件が、被相続人等および相続人等の双方が相続開始前10年以内のいずれの時においても国内に住所を有したことがないことになっています。

　この規定は、相続人等の国籍の有無にかかわらず適用され、贈与税にお

I 事業承継のための相続と相続税の基本と対策（相続税）

いても同様の課税関係とされています。子や孫の国籍の有無にかかわらず、国外に居住し国外財産を移転して日本の税金を逃れる手法は、双方10年超という移住の覚悟がなければできなくなっています。

2 国外財産は税務当局に注目されている

にもかかわらず、節税狙いのみならず、金融や不動産等資金運用の国際化に伴い、日本人でも国外に財産を保有する人が増えています。国外にある財産を日本の税務当局は把握していないと思い込んでいる方もいるようです。しかしいまや、国際条約等により世界中の税務当局が手を組み情報交換が行われ、脱税の摘発がされる時流となっています。国外資産に関する相続税等の税務調査は、次のような点を重視して行われます。
①国外に財産を所有、②相続人等、被相続人等のいずれかが国外に居住、③国外財産に関する資料がある、④国外の金融機関と取引がある

3 国外財産調書の提出の概要と国外財産の判定

これらの課税漏れを防ぐため、前年12月31日現在で合計5,000万円を超える国外財産を有する居住者は、財産の種類・数量・価額等を記載した「国外財産調書」を翌年3月15日（令和5年分以後は翌年6月30日）までに提出しなければなりません。記載金額は原則として「時価」によるものとされますが、「見積価額」とすることもできます。

財産が「国内財産」になるのか「国外財産」のいずれになるのかは、財産の所在によります。具体的には、不動産はその所在地、預貯金はその預入れをした営業所等となっており容易に判断できます。相続税法では、国債や社債等の有価証券はその発行法人の本店所在地、投資信託等は信託の引受けをした営業所となっていますが、調書制度では国内で購入・保管している場合には、「外国法人の株式」「外国投信」「外国債券・国債」等についても、「国内財産」とされていますので安心です。

4 過少申告加算税等の特例及び罰則規定等

この国外財産調書の提出をした納税者の場合、国外財産に係る相続税に

ついての申告漏れ等があっても、過少申告加算税（10％ or 15％）または無申告加算税（15％ or 20％）が5％減額されます。また、情状免除規定はありますが、国外財産調書の不提出・虚偽記載があった場合には、法定刑として1年以下の懲役または50万円以下の罰金と非常に厳しい罰則が規定されていますので、ご注意ください。

　今や日本人の場合、調書の提出義務があり、国外財産にもしっかり課税されるのですから、資産家で相続税が多額にかかる方は要注意です。国外の相続手続きが複雑で財産を容易に日本円に転換できず、相続税を払うこともできないことが考えられるからです。今からどう対処すべきか熟慮しておく必要があるでしょう。

〈国外財産調書制度のイメージ〉

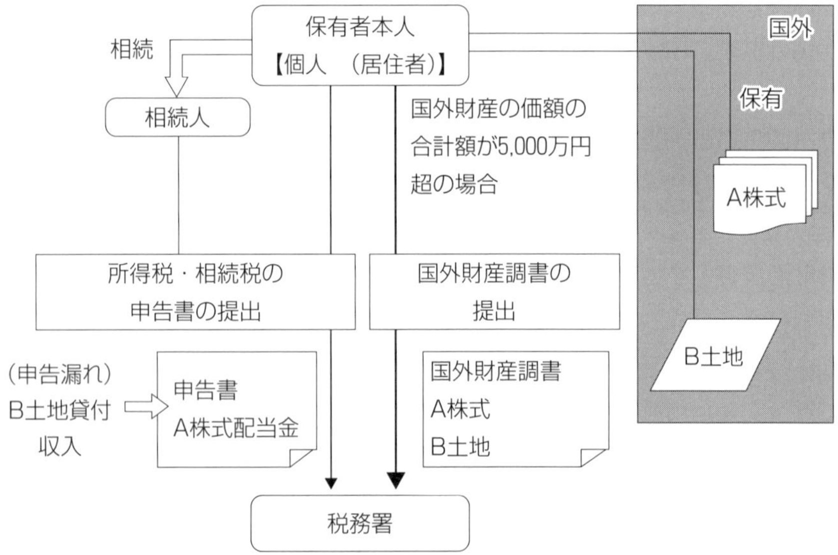

相続

保有者本人
【個人　（居住者）】

相続人

国外財産の価額の
合計額が5,000万円
超の場合

国外
保有

A株式

所得税・相続税の
申告書の提出

国外財産調書の
提出

B土地

（申告漏れ）
B土地貸付
収入

申告書
A株式配当金

国外財産調書
A株式
B土地

税務署

（参考：政府税制調査会資料）

Ⅰ 事業承継のための相続と相続税の基本と対策（相続税）

FA5102

整理番号 ☐☐☐☐☐☐☐

平成☐☐年12月31日分　　国外財産調書

提出用

平成二十八年十二月三十一日分以降用

国外財産を有する者	住　　所 （又は事業所、事務所、居所など）				
	氏　　名				
	個人番号 ☐☐☐☐☐☐☐☐☐☐☐☐			電話番号（自宅・勤務先・携帯）　　－　　　－	

国外財産の区分	種　　類	用途	所　　　在 国名	数　量	価　　額 （上段は有価証券等の取得価額）	備　考
					円 円	
	合　　　計　　　額				合計表㉕へ	

（摘要）

（　　）枚のうち（　　）枚目

通信日付印
（年月日）（　・　・　）

20 利子税や延滞税の負担は軽減されている

Question

相続税や贈与税の延滞税や利子税が下がっており、銀行からお金を借りて納税するより、延納を選んだ方が有利な場合もあると聞きました。いったいどのくらいの金利になっているのでしょうか。

POINT

① 利子税率等は低金利のため、特例により毎年変動する

② 特例基準割合とは、短期貸出平均金利に1％を加算した割合である

③ 利子税や延滞税は特例基準割合を基に区分に応じて決まる

Answer

1 延滞税の負担が軽減されている

低金利の状況が長く続いていることから、延滞税や延納利子税等の税率については、特例により本則より引き下げられています。「特例基準割合」を毎年定め、これを基準に延滞税や利子税の割合が各年分ごとに定められています。

⑴ 特例基準割合

「特例基準割合」とは、各年の前々年の10月から前年の9月までの各月における銀行の新規の短期貸出約定平均金利（貸出金利）の合計を12で除して得た割合として各年の前年の12月15日までに財務大臣が告示する割合に、年1％の割合を加算した割合となっています。

⑵ 延滞税の割合

延滞税等について、当分の間、各年の特例基準割合が年7.3％に満たない場合には、その年中においては、次に掲げる延滞税の区分に応じ、それぞれ次に定める割合となっています。

62

I 事業承継のための相続と相続税の基本と対策（相続税）

区分	割合
①年14.6％の割合の延滞税	当該特例基準割合に年7.3％を加算した割合
②年7.3％の割合の延滞税	当該特例基準割合に年１％を加算した割合（当該加算した割合が年7.3％を超える場合には、年7.3％の割合）

　また、納税猶予等の適用を受けた場合（延滞税の全額が免除される場合を除く）の延滞税については、その納税猶予等を受けた期間に対応する延滞税の額のうち、特例基準割合を超える部分の金額は免除されます。

　納税猶予を選択した後取り消されたとしても、高額な延滞税に悩まされることがなくなったので安心です。

2　利子税や還付加算金の割合も下がっている

　各年の特例基準割合（相続税および贈与税の延納に係る利子税については、各分納期間の開始の日の属する年の特例基準割合）が年7.3％に満たない場合には、その年中（相続税および贈与税の延納に係る利子税については、各分納期間）においては、次に掲げる利子税の区分に応じ、それぞれ次に定める割合となっています。

区分	割合
①②に掲げる利子税以外の利子税	当該特例基準割合
②相続税および贈与税に係る利子税（その割合が年7.3％のものを除く）	これらの利子税の割合に、当該特例基準割合が年7.3％に占める割合を乗じて得た割合

3　還付加算金の割合

　各年の特例基準割合が年7.3％に満たない場合には、その年中においては、特例基準割合となっています。

4　延滞税・利子税・還付加算金の本則と特例の割合

①令和4年1月1日から令和4年12月31日までの「平均貸付割合」は0.4%となっていますので、以下の特例割合が適用されます。

附帯税等の種類	内容			本則	特例※	(平均貸付割合 0.4%の場合)
延滞税 税金が定められた期限まで納付されない場合	①納期限から2か月を経過する日まで			7.3%	延滞税特例基準割合＋1%	2.4%
	②①の期限の翌日から納付する日まで			14.6%	延滞税特例基準割合＋7.3%	8.7%
	③事業廃止等による納税の猶予等の場合			1／2免除 (7.3%)	猶予特例基準割合	0.9%
利子税 本税の延納および申告期限の延長等がなされた場合	①所得税の利子税			7.3%	利子税特例基準割合	0.9%
	②相続税の利子税	延納の場合		3.6%～6.0%	本則×延納特例基準割合÷7.3%	0.4%～0.7%
		納税猶予	農地等	3.6%		0.4%
			非上場株式等			
			山林			
	③贈与税の利子税	延納の場合		6.6%	本則×延納特例基準割合÷7.3%	0.8%
		納税猶予	農地等	3.6%		0.4%
			非上場株式等			
還付加算金	還付金等に対して利息に当たる金額を加算して還付される			7.3%	加算金特例基準割合	0.9%

※延滞税特例基準割合は「平均貸付割合＋1%」。
　猶予特例基準割合、利子税特例基準割合、延納特例基準割合、還付加算金特例基準割合は「平均貸付割合＋0.5%」。

I 事業承継のための相続と相続税の基本と対策（相続税）

②相続税の主な延納利子税率は以下のようになります。

主な区分		延納期間 （最高）	本則 （注1）	特例 （平均貸付割合 0.4%の場合） （注2）
不動産等の 割合	対象			
75%以上	不動産等に対応する税額	20年	3.6%	0.4%
	動産等に対応する税額	10年	5.4%	0.6%
50%以上 75%未満	不動産等に対応する税額	15年	3.6%	0.4%
	動産等に対応する税額	10年	5.4%	0.6%
50%未満	立木に対応する税額	5年	4.8%	0.5%
	立木以外の財産に対応する税額		6.0%	0.7%

（注1）相続税法に規定する利子税の本則は5.4%～6.6%ですが、表における本則の利子税に
　　　 ついては、措法70の8の2以下の特例による利子税を本則として表示しています。
（注2）財務大臣が告示した令和3年の平均貸付割合は年0.4%となっています。

　このように、低金利の現在においては延納の利子税の割合は非常に低く
引き下げられています。特に自社株式については物納や売却する訳にはい
きませんから、どうしても現預金での一括納付に苦慮することになりかね
ません。

　自社株式の相続で相続税の納税に困る場合には、無理に金融機関から借
入れをして税金を払うのではなく、納税猶予や延納の要件を満たしている
ならば、いったんその適用を受け申告書の提出期限後に熟考して、将来ど
うすべきか、判断するのも一つの選択肢ではないでしょうか。

65

事業承継のための贈与と贈与税の基本と対策

§1　通常の贈与税の仕組みと対策
§2　精算課税制度の仕組みと対策

21 贈与を成立させ、確実にする方法

Question

事業承継対策には「贈与」は必要不可欠だといわれていますが、民法上、贈与を確実に成功させるためにはどうすればよいのでしょうか。

POINT

① 贈与はあげた人ともらった人の片務諾成契約により成立する
② 贈与の証拠は契約書を作成した物の引渡しが重要
③ 法律要件を充足することで贈与成立を確実にする

Answer

1 贈与はあげる人ともらう人の契約

贈与とは「ただでものをあげること」というのが私たちの常識です。民法上では、贈与の当事者同士が贈与契約を交わすことをいいます。つまり、一方が自分の財産を相手方に「ただであげましょう」といい、相手方が「いただきます」といって初めて成立する、片務・諾成契約なのです。当然、どちらかが知らないというようなことはありえません。

例えば、祖父が後継者たる孫へ毎年100万円相当額の自社株式を贈与するつもりで、自社株式の名義を孫に書き換えていたとします。ただし、孫がそれを知らないうえに配当も受け取っていなかった場合には、贈与契約は成立していません。つまり、贈与したつもりの孫名義の自社株式は祖父の財産となりますから、祖父が亡くなったときに相続財産に含めて申告しなければなりません。

2 贈与の立証は名義の変更

贈与は口頭でも書面でもできますが、ものの引き渡しが条件となります。所有権の移転登記、または登録の目的となる不動産や株式の贈与がいつ行われたかについては、一般的にその登記や登録のあった日により判定する

ことになります。名義の変更をせず、まして、払うべき贈与税を払っていないような場合には、一般的に、贈与があったとは認められていません。

確実に贈与の立証をするためにも、不動産をもらった場合は登記をすること、そして、自社株式をもらった場合は株主名簿及び法人税の申告書の別表2を必ず変更しておくこと等が重要なポイントとなるでしょう。

3　金融資産贈与の証拠を残す方法

2で述べたように、名義の問題も含めて「贈与の成立」をめぐる税務上のトラブルは、きわめて多いのが実情です。財産を生前贈与するときには、「贈与の立証」をしておくことが大切です。生前贈与が有利といっても、贈与した事実を確定させなければ意味がありません。金融資産の贈与などは特に証拠を残す必要があるでしょう。例えば、次の手順を踏んで客観的な証拠づくりをして、税務上のトラブルが生じないようにしておきます。

①	贈与する人の銀行口座から贈与する現金を引き出し、もらう人の銀行口座へ毎年あげたいときに振り込む
②	もらう人は自己名義の口座をつくっておく（開設申込みは、必ず本人または親権者の自署押印であること）
③	もらった人またはその親権者が通帳、印鑑、証書などを保管する。届出印鑑は必ず、受贈者のみが使用できる固有のものとする
④	110万円を超えるときや精算課税制度を選択した場合には、必ず贈与税の申告をする
⑤	贈与をする際には贈与契約書を作成し、確実性を高めるためには確定日付をとっておくとよい

なお、金銭贈与については毎年111万円ずつ贈与し、1,000円の贈与税申告をしておくことが贈与証拠の証明方法であるという人がいます。確かに111万円に対する贈与税は1,000円ですし、税務署に申告書を出しておけば、申告書そのものが贈与の証拠になることは確かでしょう。

しかし、贈与税がいくらであろうが、上記の手続を踏んでおかなければならないという点はまったく同じです。つまり、111万円の贈与でも、その額を贈与者の預金から実質的に受贈者の預金に移し替えておかなけれ

ば、対策としては役に立たないでしょう。逆にいえば、110万円以下の贈与で贈与税の申告をしなくても、上記の手続さえきちんと踏んでおけば、生前贈与が否認されることはありません。

4 贈与契約書を作成することも重要

お互いの意思を確認するため、贈与する際には贈与契約書を作成します。その契約書に贈与した人ともらった人が署名押印しておけば、贈与事実の強力な証明になります。また、契約書に公証役場で確定日付をもらっておけば、時期についても、より確実なものになります。

【贈与契約書モデル】

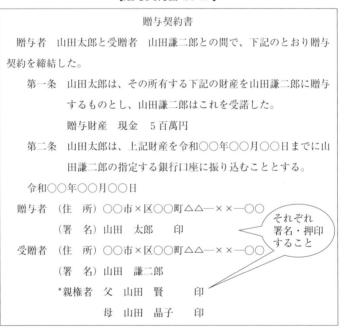

5 親権者が預かれば贈与は成立する

1で述べたように、意思の確認ができない場合、贈与は成立しません。ただし民法では、行為者が未成年である場合には、親権者が代理として法

律行為をすることができます。したがって、意思確認のできない幼児であっても、親が親権者となり、その代理として贈与契約を結び、ものの引き渡しを受けて預かっておけば、贈与は成立することになります。ただし、成人した時に引渡しをすることを忘れないようにしてください。

このようなケースでは、特にその証拠をしっかりと残すために、贈与契約書に子の法定代理人として親権者が署名、押印しておくとよいでしょう。何よりも法律要件を充足しておくことがポイントなのです。

6 贈与者の意思表示も重要

これは「あげるよ」といっている贈与者にもいえることです。贈与する人が正しい判断ができなくなっている、成年後見人制度により後見を受けているような場合には、贈与行為そのものがなかったものとされます。贈与はあげる側がしっかりした判断のもとに行い、もらう側が受諾していることが要件なのです。

7 精算課税による贈与税の申告は贈与の立証となる

贈与された財産にかかる贈与税について、相続時精算課税制度を選択し適用を受けるには、この制度を選択する旨の届出書を贈与税の申告書に添付し、所轄税務署に提出しなければなりません。また、最初の贈与の際に届け出れば、相続発生時までこの制度の適用が継続されますので、贈与を受けた年には贈与税の申告書を提出することになります。この申告書は、まさに贈与を立証するものといえるでしょう。

8 連年贈与とならないように注意する

「毎年100万円ずつ10年間贈与を続けて、合計1,000万円あげる」と約束したような場合には、1,000万円に贈与税がかかるおそれがあります。これと同様に積立預金等の場合、最初に積立額が決まっていますので、贈与者自身が積み立てると連年贈与とみなされて、積立満期額に一括して贈与税がかかることがあります。そうならないように、贈与にもバリエーションをつけてみましょう。

22 贈与が成立し、課税されるとき

Question

贈与税は、いつもらったことになり、いつからいつまでの間にもらったものに対してかかるのですか。

POINT

① **1月1日から12月31日までの贈与に対して贈与税がかかる**

② **条件付きや農地の贈与を除き、引渡し時に贈与が成立する**

③ **公正証書で契約しても贈与が認められないこともある**

Answer

1 贈与税は暦年課税（1月1日から12月31日まで）

贈与税は、所得税と同様に、個人及び個人とみなされる者に対して課せられる税金で、その年の1月1日から12月31日までの間を課税期間として、その間にすべての人から贈与を受けた財産の価額の合計額に対して贈与税が課税される「暦年単位課税の方式」を採用しています。

この1年間に贈与を受けた財産の価額の合計額を「課税価格」といい、贈与税の税額を計算する際には、まずこの課税価格を計算しなければなりませんが、一定の非課税財産は除かれます。

2 いつもらったことになるのか

贈与による財産取得の時期は、次の2つに分けて決められています。

① 書面による贈与……贈与契約書を締結したとき

② 書面によらない（口頭による）贈与……贈与の履行（ものの引渡し）までは解除できるため、税務上財産の贈与があったとされるのは、実際に「プレゼントしたとき」とされています。

3 公正証書にした場合の贈与でも引渡しが重要

なお、所有権移転の登記等の目的となっている財産（主に不動産）の贈与の時期がいつであるかについても、同様に判定します。そこで、公正証書で不動産の贈与をしておけば登記をしなくても贈与が確定し、登記をしなければ税務署等の第三者にはわからないので、贈与税の申告をせず、かつ贈与税を支払わないまま歳月が経つと、その後時効が成立し、贈与税なしで財産がもらえると思っている方がいます。

このようなケースで、「贈与は契約により成立しており、かつ、贈与税はすでに時効だ」と主張しても、「登記もせず贈与税も払っていないのだから、贈与契約は虚偽であり、贈与の成立は引渡し時である登記の時である」ことを確定させた判決もあります（クリーンハンドによる救済の不可）。

税務上では、その贈与の日が明らかでないものについては、一般的にその登記があったときに贈与があったものとみなします。「贈与の立証」をするためにも、不動産や有価証券等を贈与した場合には、不動産登記や有価証券名義の変更をして、必ず贈与税の申告をするようにしてください。

4 もらった財産は時価で課税

贈与税とは、個人から贈与（死因贈与を除きます。）によって財産を取得した人に対して、その取得した財産を時価で評価して課税します。ただ、相続や贈与により取得した自社株式などの財産は、その時価を正しくとらえようにもとらえにくく、また、評価する人の見方によって評価額がまちまちだとすると税務上は問題があります。

よって、国税庁では「財産評価基本通達」を定め、これに従って評価した価額を時価としています。そのため財産の種類によっては、取引価格とは異なる額になることもあるので、注意しなければなりません。

特に事業承継に伴う取引相場のない株式や事業用財産の評価は、財産評価基本通達に基づいて評価する場合でも、専門家にとっても非常に難しいといわれています。相続税や贈与税とは、「時価」という一番難しい問題を抱えた税金なのです。

23 暦年課税の贈与税はこうして計算する

Question

子や孫への贈与は通常の贈与税より減税されていると聞いたのですが、どのような要件で区分され、どれくらいの減税になっているのでしょうか。

POINT

① 成年年齢の引下げにより令和4年4月1日から18歳以上に

② 18歳以上の者への直系尊属からの特例贈与が区分されて課税

③ ②の特例贈与財産については一般贈与財産より税率構造が緩和

Answer

1 贈与税の税率構造の見直し

高齢者層が保有する資産をより早期に現役世代に移転させ、その有効活用を通じて経済社会の活性化を図ることが必要であるとして、相続時精算課税制度の対象とならない贈与財産に係る贈与税の税率構造は、直系尊属とそれ以外の者を区分して2本建てとされています。

18歳以上の者（子や孫）が直系尊属から贈与を受けた財産（特例贈与財産）に係る贈与税率と、それ以外の贈与財産（一般贈与財産）に係る贈与税の2つに区分されて次の図表①のようになっています。

なお、令和4年3月31日以前は、改正後の民法が施行されていませんでしたので、特例贈与の受贈者の年齢要件は20歳以下となっていました（以下同じ）。

II 事業承継のための贈与と贈与税の基本と対策（通常の贈与税）

〈図表①贈与税の速算表〉

基礎控除後の課税価格		一般贈与	18歳以上(注)の者への 直系尊属からの特例贈与
	200万円以下	10%	10%
200万円超	300万円以下	15%－10万円	15%－10万円
300万円超	400万円以下	20%－25万円	
400万円超	600万円以下	30%－65万円	20%－30万円
600万円超	1,000万円以下	40%－125万円	30%－90万円
1,000万円超	1,500万円以下	45%－175万円	40%－190万円
1,500万円超	3,000万円以下	50%－250万円	45%－265万円
3,000万円超	4,500万円以下	55%－400万円	50%－415万円
4,500万円超			55%－640万円

（注） 令和4年3月31日以前の贈与は受贈者の年齢要件が20歳以上となっていました。

2 一般贈与と特例贈与の税額の違い

次の図表②は一般贈与財産と特例贈与財産に係る贈与税について比較したものです。18歳以上の者への直系尊属からの贈与財産（特例贈与財産）が、例えば1,000万円である場合、それ以外の人が贈与を受けた一般贈与財産である場合と比較すると、贈与税額が54万円もの減税となります。相続税のかかる家族は、この特例贈与を是非活用したいものです。

〈図表②一般贈与財産と特例贈与財産による税額の違い〉

		一般贈与財産 贈与税額	18歳以上(注)の者への 直系尊属からの特例贈与財産 贈与税額	増減額
贈与財産の価額（基礎控除前）	200万円	9万円	9万円	0
	400万円	33.5万円	33.5万円	0
	410万円	35万円	35万円	0
	500万円	53万円	48.5万円	－4.5万円
	1,000万円	231万円	177万円	－54万円
	2,000万円	695万円	585.5万円	－109.5万円
	3,000万円	1,195万円	1,035.5万円	－159.5万円
	5,000万円	2,289.5万円	2,049.5万円	－240万円

（注） 令和4年3月31日以前の贈与は受贈者の年齢要件が20歳以上となっていました。

24 生活費や教育費への援助には贈与税はかからない

Question

　直系血族等である祖父母等から、子や孫が生活費や教育費の援助をしてもらっても贈与税はかからないと聞きました。誰から誰への贈与で、どの程度までの援助なら、税金がかからないのでしょうか。

POINT

① **扶養義務者からの生活費や教育費の負担は贈与税が非課税**
② **通常必要な費用以外で、預金、有価証券、車等を取得すると課税**
③ **税金のかからない範囲をしっかり把握して援助する**

Answer

1　生活費や教育費は非課税

　「扶養義務者」とは配偶者並びに直系血族及び兄弟姉妹等をいいますが、この扶養義務に基づき、例えば祖父母が孫の必要最低限の生活費または教育費を負担しても所得税はかかりません。また、扶養義務者相互間における扶養義務の範囲を超えた生活費または教育費については、通常の社会常識の範囲で行われている限りは、贈与税は非課税と決められています。

　したがって、一緒に住んでいなくとも、直系血族である孫の学校の入学金や授業料、ピアノ等のお稽古事の月謝を直接支払ってもらっても、所得税も贈与税もかかりません。また、同居している家族全員で使う食料品や消耗品の購入代金を祖父母に直接支払ってもらっても、所得税も贈与税もかかりません。同居している家族間での日常生活の応援は、税金不要の贈与のポイントなのです。

　ただし、扶養義務は収入のない人への援助ですから、生計が別である高収入の子の口座に孫の教育費を振り込んでも、贈与税は非課税とはなりません。教育費は子が自身の子（孫）の扶養義務として負担し、親（祖父母）が振り込んだお金は単に贈与とされるのです。必ず、授業料や家賃は直接

支払うなど、収入のない扶養親族への援助であることを立証する方法をお勧めします。

2 生活費や教育費等でも通常必要であれば金額制限はない

　生活費も教育費も通常必要とされるものに限る、というのがポイントです。この場合、支出先は国内国外を問わず、義務教育費に限りません。例えば、海外留学する、MBAを取得するなどすれば、何千万円もかかることがありますが、これらは必要なお金であるとして問題になりません。

　子や孫にお金を直接残すのではなく、将来立派な人材になるためにお金を注ぎ込む後継者教育は、事業承継の成功の要です。人脈豊富な大学へ進学させるための塾や家庭教師の費用、名門校の授業料や海外留学費用。どれも後継者をランクアップさせるには大切な教育費や生活費です。こうすれば遺産額も減って節税にもなりますから、本当の意味での税金のかからない事業承継対策といえるでしょう。

3 税金がかかる場合

　生活費や教育費を必要な都度渡すということがもう1つのポイントです。例えば、祖父母が学費として渡した現金の一部を、孫が自分名義の預貯金にした、車の購入資金に充てた株式や不動産を取得したという場合は「通常必要なもの」とはいえません。その部分については贈与税が課税されるか、相続時に被相続人の名義借財産として、相続税がかかることになります。

　また、孫が結婚するに当たり、祖父母や親が多額の祝金を渡した場合には贈与税がかかりますが、挙式や披露宴の費用を祖父母が直接負担しても、それが常識的な範囲であれば贈与税はかかりません。

　成人式の着物やお祝いのスーツであっても、その家にふさわしい常識的な範囲のものであれば、贈与税の問題は生じないのです。しかし、多額な"持参金"は贈与税の対象となることに留意してください。

25 教育資金の一括贈与に係る贈与税の非課税特例

Question

教育資金を孫に1,500万円まで一括贈与しても贈与税がかからない制度が、期間限定で設けられているそうですが、どのような制度で、どんな点に注意すればよいのでしょうか。

POINT

① 直系尊属からの教育資金の一括贈与が1,500万円まで非課税に
② 30歳未満で合計所得金額が1,000万円以下の直系卑属が対象
③ 1,500万円のうち学校等以外への支出については500万円が限度
④ 残額に贈与税・相続税（2割加算）がかかることもある

Answer

1 教育資金の一括贈与の非課税措置のあらまし

「教育資金の一括贈与に係る贈与税の非課税措置」は、30歳未満の子・孫等の教育資金に充てるために、その直系尊属である祖父母・父母等が、次のいずれかの方法により、令和5年3月31日までの間に、金融機関に信託・預金等をした場合に限り、その預金等をした金額のうち受贈者1人につき1,500万円までの金額については贈与税が課税されないというものです。

なお、非課税特例の適用を受けようとする場合は、受贈者は、この特例の適用を受けようとする旨等を記載した「教育資金非課税申告書」を金融機関等を経由して、受贈者の納税地の所轄税務署長に提出しなければなりませんのでご注意ください。ただし、前年の合計所得金額が1,000万円超の受贈者については対象外となっています。

①	直系尊属と信託会社との教育資金管理契約に基づき金銭信託受益権を受贈者が取得した場合
②	直系尊属からの書面による贈与により取得した金銭を、教育資金管理契約に基づき、受贈者が銀行等の預金等として預け入れた場合
③	直系尊属からの書面による贈与により取得した金銭で教育資金管理契約に基づき、受贈者が一定の金融機関等において有価証券を購入した場合

2　教育資金のあらましと見直し

教育資金とは、文部科学大臣が定める次の金銭をいいます。

(1)　学校等に支払われたことが確認できる費用

① 入学金、授業料、入園料、施設設備費、修学旅行・遠足費等となっており、学校等が費用を徴収し業者等に支払うものも含まれます。

② 学校等で使用する教科書代や学用品費、学校給食費などであっても、学校でなく業者等に直接支払いがなされる場合は対象外です。

(2)　学校等以外の費用の概要と23歳以後の除外見直し

学校等以外に対し直接支払われる以下の金銭で、これらの役務提供又は指導に係る物品の購入費及び施設利用料などが特例対象とされています。

① 学習塾・家庭教師などの教育に関する役務提供や施設利用対価など

② スポーツ・文化芸術、教養向上に関する活動に係る指導の対価など

③ 通学定期代、留学渡航費、転校するための交通費

これらの費用の支払いについては、支払日、金額、支払者、支払先氏名、その住所、概要等が明らかになっている領収書等の確認が必要です。

なお、受贈者が23歳に達した日の翌日以後に支払われるもののうち、通学費等の交通費及び、教育訓練を受講するための費用等を除き、学校等以外の者に支払われる金銭は適用対象から除外されます。

3　贈与者死亡日前3年以内の信託等は管理残高に課税！

教育資金一括贈与の贈与税の非課税特例では、贈与者が死亡したときに贈与された管理口座に残っている残額には贈与税が課税されず、相続財産に持ち戻されることもありません。

ただし、令和 3 年 4 月 1 日以後の信託等があった日から、教育資金管理契約終了の日までに贈与者が死亡した場合には、その死亡の日までの年数にかかわらず、贈与者の死亡の日における管理残額を、その受贈者が贈与者から相続又は遺贈により取得したものとみなされて相続税が課税されることになります。ただし、贈与者の死亡の日において、受贈者が次のいずれかに該当する場合には相続税は課税されません。

①　受贈者が23歳未満である場合
②　受贈者が学校等に在学している場合
③　受贈者が給付金の支給対象となる教育訓練を受講している場合

　大半がこれらのケースと想定され、課税のリスクは低いと思われます。

4　直系卑族の場合は 2 割加算

　上記 3 により、相続等により取得したものとみなされる管理残額に対応する相続税額について、贈与者の子以外の直系卑族（例えば孫）が令和 3 年 4 月 1 日以後の信託等による信託受益権等を相続等により取得したものとみなされた場合には、 2 割加算の対象となります。

5　資金管理契約の終了事由と終了時の取扱い

　教育資金管理契約は、次に定める日のいずれか早い日に終了します。①受贈者が30歳に達した日、②受贈者が死亡した日、③信託財産の価額が零になった場合等の、教育資金管理契約が合意に基づき終了する日

　死亡以外の事由により、教育資金管理契約が終了した場合においては、非課税拠出額から教育資金支出額を控除した管理残額については、終了した日の属する年に贈与があったものとして贈与税が課税されます。

　また、受贈者の死亡により教育資金管理契約が終了した場合には、管理残額について贈与税は課税されませんが、贈与者の遺産として相続税がかかることになります。

　ただし、受贈者が30歳に達した場合においても、その日に学校等に在学している場合には教育資金管理契約は終了しないものとされています。また、30歳の翌日以後については、その年に学校等に在学している期間がな

Ⅱ 事業承継のための贈与と贈与税の基本と対策（通常の贈与税）

かった場合には、その年12月31日、又は受贈者が40歳に達する日のいずれか早い日に教育資金管理契約が終了するものとされます。

6 その他の課税上の注意点

受贈者の死亡以外の教育資金管理契約の終了日から３年以内に贈与者が死亡した場合に、受贈者が贈与者から相続等により財産を取得していた場合には、贈与とみなされた管理残額が相続財産に加算されます。

なお、受贈者が贈与者からの贈与につき相続時精算課税制度を選択していた場合で、受贈者の死亡以外の教育資金管理契約の終了日以後に贈与者が死亡した場合には、贈与とみなされた管理残額が相続財産に加算されます。

このように、贈与税や相続税が課税されることもありますが、受贈者が23歳未満であったり、在学中である場合には、相続財産に持ち戻されて課税されることはありません。

孫やひ孫が30歳になるまでに自分の相続が予想される方ならば、賢く活用することにより、自分の亡き後も孫やひ孫に教育という最高のプレゼントを遺せ、何代か先の後継者教育の費用を負担できるという制度です。事業承継の対策の一つとして検討されてはいかがでしょうか。

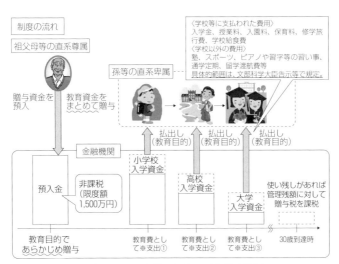

※１万円以下で１年間24万円未満の場合には領収書不要

（出典「財務省資料」を加工）

26 直系尊属からの結婚・子育て資金の贈与税の非課税特例

Question

結婚・子育て資金なら、子や孫に一括贈与しても贈与税がかからない制度ができたそうですが、どのような制度でどのようなことに注意して活用すればよいのでしょうか。

POINT

① 50歳未満で所得1,000万円以下の直系卑属が対象

② 令和5年3月31日までの1,000万円（結婚費用は300万円）までが非課税

③ 50歳で終了、死亡の場合を除き、残額に対して贈与税を課税

④ 相続時に残額は相続財産とみなされるが、孫でも2割加算の対象外

Answer

1 結婚・子育て資金の一括贈与の非課税制度のあらまし

日本の「合計特殊出生率」は2005年の1.26％から、2020年には1.34％に上昇していますが、先進国では非常に低い水準となっています。そこで、祖父母や両親の資産を早期に移転して、子や孫の結婚・出産・育児を支援するための非課税措置が設けられています。

18歳以上50歳未満の個人（受贈者）の結婚・子育て資金の支払に充てるために、その直系尊属（贈与者）が金銭等を拠出し、金融機関に信託等をした場合には、信託受益権の価額、または拠出された金銭等の額のうち受贈者1人につき1,000万円までの金額に相当する部分の価額については、令和5年3月31日までの間に拠出されるものに限り、贈与税が課されません。なお、この非課税限度額1,000万円のうち、結婚に際して支出する費用については300万円が限度とされています。

ただし、前年の合計所得金額が1,000万円超の受贈者については対象外となっています。

82

II 事業承継のための贈与と贈与税の基本と対策（通常の贈与税）

2 結婚資金のあらまし

結婚資金とは、次に掲げる費用に充てるための金銭で、非課税特例の限度額は300万円とされています（図表1）。

① 受贈者の婚姻日の1年前の日以後に支払われるその婚礼費用等。

② 受贈者等の新居の賃貸契約後3年経過までに支払われる家賃、敷金等。

③ 受贈者等が新居に引越するための費用等（複数回OK）。

〈図表1〉

結婚費用		認められる費用	（対象外）
①	婚礼	挙式や披露宴開催に必要な費用 会場費、衣装代、飲食代、引き出物代、写真・映像代、演出代、装飾代、招待状などのペーパーアイテム、人件費など	婚活費用、結納費用、婚約・結婚指輪代、エステ代、挙式等に出席するための交通費や宿泊費、新婚旅行代
②	新居	結婚を機に新たに物件を賃借する際に必要な費用 賃料、更新後の賃料、敷金、共益費、礼金・保証金等、仲介手数料、契約更新料	受贈者以外が契約の賃借物件の賃料等、駐車場のみを借りる場合の駐車場代、地代、光熱費、家具・家電等の設備購入費
③	引越	結婚を機に新たな物件に転居するための引越費用	配偶者転居の費用、転居に伴う不要品の処分費用

3 子育て資金とは

子育て資金とは、次に掲げる費用に充てるための金銭で、非課税特例の限度額は1,000万円（結婚資金を除く）とされています（図表2）。

① 受贈者等の不妊治療費用、または妊娠中に要する費用等

② 受贈者の出産に係る分べん費その他これに類する費用等

③ 受贈者の小学校就学前の子の医療のために要する費用等

④ 幼稚園・保育所・認可外保育施設等に支払う子に係る保育料等

4 申告と払出しの確認等

この特例の適用を受けようとする受贈者は、非課税申告書を金融機関を

経由し、受贈者の納税地の所轄税務署長に提出しなければなりません。また、受贈者は払い出した金銭を結婚・子育て資金の支払に充当したことを証する書類を金融機関に提出しなければなりません。

金融機関は払い出された金銭が、結婚・子育て資金の支払に充当されたことを確認し、金額を記録するとともに、資金管理契約の終了の日の翌年3月15日以後6年を経過する日まで保存しなければなりません。

〈図表2〉

子育て費用		認められる費用	（対象外）
①	不妊	人工授精、体外受精、顕微授精、この他一般的な不妊治療にかかる費用	治療のための交通費、宿泊費
②	妊婦	母子健康法に基づく妊婦健診費用	健診のための交通費、宿泊費
③	出産	分娩費（正常・流産・死産を問わず）、入院費、新生児管理保育料、検査・薬剤料、処置・手当料、参加医療補償制度掛金、入院中の食事代等	出産する病院等に行くための交通費、宿泊費
④	産後	（産後1年以内）デイケア型の訪問の心身ケア・育児サポート、宿泊型の心身・母体・乳児ケア、育児指導、カウンセリング等	産後ケアのための交通費、宿泊費
⑤	医療	子の医療費　治療費、予防接種代、乳幼児健診に要する費用、処方箋に基づく医療品代	処方箋に基づかない医療品代、交通費
⑥	育児	（小学校就学前の子に限定）入園料、ベビーシッター費用を含む保育料、施設備費、入園試験の検定料、在園証明手数料、行事参加費用、食事提供費用、施設利用料、事業に伴う本人負担金、その他育児に伴って必要な費用	行事参加費用における保護者分

5　期間中に贈与者が死亡した場合の取扱い

信託等があった日から資金管理契約の終了の日までの間に贈与者が死亡した場合には、その死亡の日における管理残額については、受贈者が贈与者から相続または遺贈により取得したものとみなされ、贈与者の死亡に係

II 事業承継のための贈与と贈与税の基本と対策（通常の贈与税）

る相続税の課税価格に加算されます。

ただし、この場合において、受贈者が1親等の血族以外（孫等）の場合には、この管理残額に対応する相続税額については相続税額の2割加算の対象となります。なお、この管理残額は結婚・子育て資金支出額とみなされ、契約終了以外は契約を解除することができませんのでご注意ください。

つまり、本質的には相続税対策になるものではありません。ただし、資産や所得の多い子や孫への新婚時における家賃等の応援措置としては活用できるうえ、特に孫の場合は遺言書がなくとも残額を孫本人が使うことができるので簡便であるといえます。

また、贈与者である被相続人から相続または遺贈により、管理残額以外の財産を取得しなかった受贈者については、相続税開始前3年以内の生前贈与財産があったとしても、相続財産への加算適用はありませんので、ご安心ください。

〈制度の概要〉

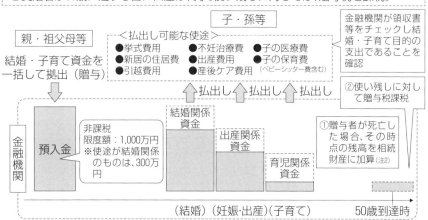

(注1) 金融機関とは、信託銀行、銀行及び証券会社等をいう。
(注2) 相続税の計算をする場合、孫等への遺贈に係る相続税額の2割加算の対象となる。

（出典：「財務省資料」）

27 直系尊属からの住宅取得等資金の贈与税の非課税特例

Question

直系尊属から18歳以上の子や孫等が住宅取得資金の贈与を受けた場合、税金がかからない大型の非課税制度があるそうですが、どんな制度でどのように利用すれば有利なのでしょうか。

POINT

① 直系尊属から18歳以上の者に対する住宅取得等資金贈与に限定
② 非課税贈与のため、直近であっても相続の際には持ち戻されない
③ 省エネ住宅等は1,000万円、その他住宅は500万円が非課税限度

Answer

1 令和4年からの非課税措置のあらまし

その年の1月1日において18歳（令和4年3月31日までは20歳。以下同じ）以上の子や孫等が、その年分の合計所得金額が2,000万円以下である父母や祖父母などの直系尊属からの贈与により、自己の居住の用に供する住宅用の家屋を新築、取得または増改築等（以下「取得等」といいます。）の対価に充てるための資金を取得した場合、一定の要件を満たすときは贈与税が非課税となります。

その非課税限度額は、居住用住宅の取得等に係る契約の締結時期にかかわらず、耐震・省エネ・バリアフリー住宅（省エネ等住宅用家屋）については1,000万円、それ以外の住宅については500万円となっています。

適用対象となる既存住宅用家屋の要件について、築年数にかかわらず、新耐震基準に適合している住宅用家屋（登記簿上の建築日付が昭和57年1月1日以降の家屋は、新耐震基準に適合している住宅用家屋とみなします。）であれば適用を受けることができます。

この住宅取得等資金贈与に係る贈与税の非課税措置が、要件等が一部改正の上、令和5年12月31日まで2年間延長されています。

Ⅱ 事業承継のための贈与と贈与税の基本と対策（通常の贈与税）

2 良質な住宅用家屋の範囲

1で説明しました非課税限度額が拡大されている「省エネ等住宅用家屋」とは、**図表1**の要件を満たしている住宅用家屋をいいます。

〈図表1〉

省エネ等住宅用家屋の範囲（次のいずれかの性能を満たす住宅）	
①	省エネルギー性の高い住宅 （断熱等性能等級4以上又は一次エネルギー消費量等級4以上）
②	耐震性の高い住宅 （耐震等級（構造躯体の倒壊等の防止）2以上又は免震建築物）
③	バリアフリー性の高い住宅（高齢者等配慮対策等級（専用部分）3以上）

3 居住要件・申告要件のあらまし

この非課税特例の適用を受けるためには、贈与を受けた資金の全額について、贈与を受けた年の翌年3月15日までに住宅の取得などに充当し、かつ、その住宅に受贈者が居住することが必要です。

ただし、翌年3月15日までに完成していなくとも請負契約で一定の状態「棟上げ等」まで建築が進んでいる場合や、その他の事由で居住していない場合でもあっても、遅滞なく（贈与の翌年12月31日までに）居住することが確実であると見込まれる時には適用が認められています。

ただし、贈与を受けた年の翌年3月15日にまだ居住していないにもかかわらず、この特例の適用が認められていた場合には、その年の12月31日までに居住しなければ修正申告書を提出し、通常の贈与税と延滞税を納めなければなりませんので注意してください。

4 新築、新築物件の取得、中古物件の取得及び増改築も対象に

この特例が適用できるのは住宅の新築だけではなく、新築住宅の購入・既存住宅の取得や増改築等についても対象となっています。原則は住宅取得ですが、住宅と同時に取得した土地等の取得資金についても適用があります。適用対象となる住宅取得等資金の範囲に、住宅の新築等に先行してその敷地に供される土地等を取得する場合におけるその土地等の取得資金

87

も含まれています。なお、あくまでも住宅等を取得するための資金贈与でなければならず、土地や建物等の不動産そのものの贈与には適用されませんのでご注意ください。

また、床面積要件については50㎡以上240㎡以下と定められていますが、その年の合計所得金額が1,000万円以下の者である場合に限り、下限が40㎡以上に引き下げられています。

5　この特例の賢い活用法

もらう人にとっては、非課税限度額はもらった金額の合計額が対象となりますので、贈与者の人数分を非課税でもらえるというわけではありません。また、精算課税制度は相続時に持ち戻されて相続財産に加算されますが、この特例はあくまでも非課税なので相続財産から除外され、3年以内に相続が発生しても相続時に持ち戻す必要がありません。適用要件を満たしているならば後継者への支援策としては最高の承継対策でしょう。

さらに相続税が多額であることが予想できるなら、将来の相続税を減少させる一ひねりした次の方法で贈与してはいかがでしょうか。現金の相続税評価は100%そのままですが、家屋なら相続税の評価は固定資産税評価額となり、建築資金の60%くらいの評価となります。高層マンションなどは購入代金の3分の1以下の相続税評価額になることもあります。

相続税のかかる先代経営者なら、先ずはこの住宅取得等資金贈与の非課税特例を行い、次に贈与するつもりの金額で建築した家や購入したマンションそのものの持分を取得しておくのです。その後に、後継者が相続や贈与によりこの自宅を取得したならば、現金で贈与されるより税負担が非常に軽くなります。財産額に応じた賢い方法を考えてみてください。

Ⅱ 事業承継のための贈与と贈与税の基本と対策（通常の贈与税）

	暦年課税 （相法21の7、 措法70の2の4）	相続時精算課税制度 （相法21の9、措法70の2の5）		住宅所得等資金 非課税特例 （措法70の2）
		一般枠	住宅所得等資金	
贈与者 （意思の表明 可能な人）	親族ほか第三者からの贈与を含む。	その年1月1日現在60歳以上の父母又は祖父母	父母又は祖父母 （年齢制限なし）	直系尊属（年齢制限なし） （父、母、祖父、祖母、曽祖父、曽祖母…）
受贈者	意思の表明可能な人 年齢制限なし	・その年の1月1日現在18以上の直系卑属である推定相続人（通常は子・代襲相続人を含む。養子でもOK） ・孫		その年の1月1日現在18歳以上の直系卑属（原則として合計所得金額2,000万円以下の者に限る。）
控除額 （非課税枠）	基礎控除（毎年） 年110万円	特別控除 2,500万円		省エネ等 / 一般 1,000万円 / 500万円
選択手続	贈与を受けた年の翌年3月15日までに申告 ＊基礎控除以下なら申告不要	同左（＊除く）		
税率	・特別贈与（直系尊属から18歳以上の者に対する贈与は一般贈与より低い税率区分） ・一般贈与（上記以外の贈与） ・超過累進課税率10％〜55％（8段階）	制度選択後の贈与を累積して、累積額から特別控除後一律20％		超えた部分について、相続時精算課税、暦年課税、それぞれの仕組みで課税
相続発生時の 相続財産への 加算	相続等で財産を取得した者については、贈与時点から3年以内に贈与者に相続が発生すると贈与財産を加算して相続税が課される（贈与税基礎控除部分も）（贈与時に課せられた贈与税額は相続財産から控除）	贈与財産を贈与時の価額で相続財産に加算（既に納付した贈与税額は控除又は還付）		非課税の特例のため 相続財産への加算なし
特別控除の 複数適用	なし	父母（養父母）又は祖父母からそれぞれ可能		なし
適用制限	なし	なし	令和5年12月31日までの贈与	令和5年12月31日までの贈与

28 相続時精算課税制度の仕組み

Question

相続時精算課税制度は事業承継を応援する制度といわれていますが、どのような仕組みになっているのでしょうか。

POINT

① 満60歳以上の父母または祖父母から満18歳以上の子及び孫等への贈与
② 2,500万円まで特別控除、超えても20％の税率で贈与できる
③ 相続税と贈与税を一体化して最後に精算する制度である

Answer

1 相続時精算課税制度は贈与による財産移転を促すもの

親世代はたくさんの金融資産や不動産を所有しています。一方、子世代には金融資産や不動産等を所有している人は少なく、生活にあくせくしている状態です。もし、相続より早い時期に子世代へ財産を移転できれば、子たちはその資産を有効に活用して、幸せで豊かな暮らしを送れるのではないでしょうか。また、事業承継についても、生前に円滑な事業の移転を考えることは重要です。後々問題を起こしそうな子には思いきって生前に財産分けをしたうえで遺留分を放棄させるか、遺留分の民法特例を活用して生前に合意を取り付け相続のときには口を出させないようにし、後継者の憂いをなくすこともできるでしょう。

しかし、高額の贈与税が問題となるため、その解決を図るために「相続時精算課税制度」と「非上場株式等の納税猶予制度」及び「個人の事業用資産についての納税猶予制度」が設けられています。

2 精算課税制度の仕組みは？

贈与を受けた人は暦年課税を適用して税務申告を行うか、相続時精算課税を適用して税務申告を行うか、選択します。

精算課税を選択した場合には、その他の財産と区分して、贈与者各自からの贈与財産の価額の合計額をもとに計算した贈与税の申告を行い、納税します。もちろん、贈与されたときに支払う贈与税は軽減されています。特別控除枠は2,500万円で、2,500万円を超えた場合には、その超えた部分の金額に対して20％の贈与税を納めます。

その後、相続が発生したときに、その贈与を受けた財産と相続した財産とを合計した価額をもとに、相続税額を計算します。つまり、精算課税を選択した人は、贈与者の相続時にそれまでの贈与財産を集計し、相続財産と合わせて相続税額を計算するのです。

そうして計算した相続税額から、二重課税とならないように、すでに支払った贈与税額を控除します。そして、もし相続税額から控除しきれない贈与税相当額があれば、還付を受けることができます。いってみれば、相続のときに、贈与税と相続税との間の精算を行うという仕組みです。

3 精算課税制度の適用対象者は父母・祖父母から子・孫等への贈与

精算課税制度は、贈与した年の1月1日において、60歳以上である父母または祖父母から18歳（令和4年3月31日までは20歳。以下同じ）以上の子である推定相続人（代襲相続人も含まれ、養子もOKです。）及び孫に対する贈与に限り適用されます。人数に制限はなく、受贈者がそれぞれ別々に選択することもできますし、贈与者についてもそれぞれの人ごとに選択することができます。

相続人でない孫に対する贈与であっても2,500万円までは無税で、これを超える部分については一律20％の税率の贈与税ですむのですから、孫への財産移転には非常に効果的な方法です。

なお、暦年課税の贈与制度では、その年に受けたすべての人からの贈与財産を合計して贈与税を計算しますが、この精算課税制度の適用を受けた場合には、ここから切り離して贈与者ごとに計算し贈与者に相続が発生するまで合算していきます。

4 精算課税制度を選択しようとする人はその旨の申告が必要

　精算課税制度の適用を受けようとする人は、贈与を受けた年の翌年2月1日から3月15日までの間に、相続時精算課税制度を選択する旨の「届出書」を「贈与税の申告書」とともに、贈与者ごとに、税務署長に提出する必要があります。

　一度この精算課税制度を選択すると、その贈与者からの贈与については相続発生時まで継続して適用され、暦年課税の贈与制度に戻ることはできません。贈与の回数や財産の種類、1回の贈与金額、贈与の期間などに制限はありませんので、2,500万円に達するまでは何度でも無税で贈与できます。当然のことですが、このときには、暦年課税の贈与制度による110万円の基礎控除はありませんので注意が必要です。

5 相続税課税時に加算する財産の価額は贈与時の価額

　精算課税制度を選択した受贈者は、計算した相続税額から、相続に係る贈与税額を控除して相続税を計算しますが、相続税額から控除しきれない金額がある場合には還付申告することができます。このような仕組みになっているため、相続時精算課税制度といわれるわけです。

　なお、相続財産は相続発生時の価額で計算しますが、合算される贈与財産の価額は贈与されたときの課税価格で加算します。ここがこの制度の大きなポイントです。相続時に贈与財産が値上がりしていれば相続税負担は軽くなり、値下がりしていれば相続税負担は重くなるからです。

　賢く活用すれば、株価対策をして大きく自社株式の評価が下がったときに一気に贈与し、その後、事業承継した受贈者が事業を発展させて自社株式の評価を上昇させても、相続税が増えることはないのです。

6 特例納税猶予制度と併用して選択できる

　令和9年12月31日まで、一定要件の下に非上場株式等についての贈与税の特例納税猶予制度とこの相続時精算課税制度は併用できます。さらに、併用して選択した場合には、相続時に精算する時にも相続税の特例納税猶予制度の適用を受けることができます。また、特例納税猶予が取消しに

II 事業承継のための贈与と贈与税の基本と対策（精算課税制度）

なったとしても、暦年課税の高額な贈与税を利子税（5年間分は免除）とともに一括納付するのではなく、精算課税に係る贈与税とその利子税の納付、その後の相続時における精算となりましたので、選択によるリスクは軽減されています。

将来の継続要件に不安のある後継者が、評価が低いときや民法特例を適用するために自社株式の一括贈与を受ける場合には、精算課税制度と特例納税猶予制度を併用して選択されることをおすすめします。

〈相続時精算課税制度の税額計算の流れ〉

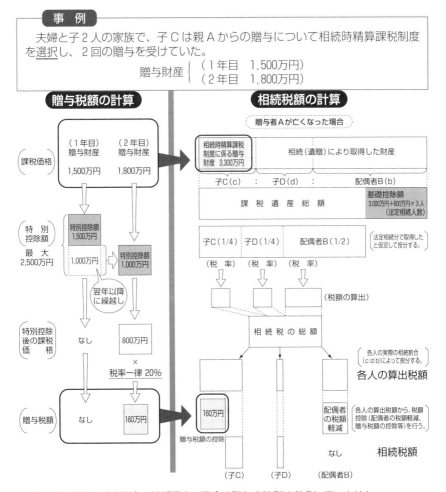

※住宅取得資金や教育資金・結婚子育て資金の贈与の特例は考慮していません。

29 孫が精算課税制度を選択する場合は慎重な判断が必要

Question

祖父母から孫が贈与を受けた場合においても、相続時精算課税制度を適用することができますが、適用すべきかどうかを判断するポイントは何なのでしょうか。

POINT

① 子に限らず、成年ならば孫も精算課税制度の対象
② 相続等で財産を取得しなくとも相続税の申告をしなければならない
③ 1親等の血族でないので、孫は原則2割加算の対象になる

Answer

1 孫も相続時精算課税制度の対象者に

その年1月1日において、60歳以上の父母または祖父母から18歳（令和4年3月31日までは20歳）以上の直系卑属である相続人（代襲相続人も含まれ、養子でもOKです。）及び孫が贈与を受けた場合、孫も相続時精算課税制度を選択することができます。つまり、相続人でない孫に対する贈与であっても2,500万円までは無税で、これを超える部分については一律20％の税率の贈与税ですむのです。

相続税のかからない一家にとっては、孫も精算課税制度の対象になるということは、孫に対する贈与財産を祖父母の相続時に持ち戻して相続税を計算しても、財産が基礎控除額以下であれば無税ですから、結果として相続税がかからないので、祖父母から孫への贈与が非課税になったともいえるでしょう。相続税のかからない家族は是非活用したいものです。

2 適用を受ければ孫でも相続税の課税対象に

しかし、相続税がかかる資産家の方々の孫が精算課税制度を選択するかどうかは、慎重な判断が必要とされます。本来、孫は相続人でないので祖

父母から贈与されたとしても、贈与税の申告のみで相続税の申告に加わることはありません。ところが、祖父母からの贈与に際し相続時精算課税制度を選択した場合には、たとえ相続時に遺贈等がなく財産を取得しなかったとしても、祖父母の相続時に親のみならず叔父等他の相続人と一緒に相続税の申告をしなければなりません。

結果として、孫の精算課税による課税価格が相続税の課税価格に加算されるため、他の相続人にとって相続税が増えるのですから嬉しい話ではありません。財産を貰ったことに加え税金負担増まで影響を及ぼされたと思われるので、孫はちょっと辛い立場になることが考えられます。

3 相続税は2割加算、暦年課税としっかり比較検討する

また、孫は1親等の血族ではありませんので、代襲相続人でない限り相続税が2割加算されることになります。Q23で説明しましたように、直系尊属から18歳以上の者への特例贈与は、その他の一般贈与に比較すると贈与税率は引き下げられています。贈与の場合は、孫であっても20％の加算がありませんので、相続税率の高い資産家にとっては適正な額の贈与を繰り返し、暦年課税を選択する方が相続税で課税されるより有利なことが多いと思われます。

例えば、祖父母から18歳以上の孫に500万円贈与すると、贈与税は48万5,000円となり、実効税率は10％にもなりません。しかし、基礎控除額を超える相続財産については最低でも10％の相続税がかかり、孫の場合は原則として2割加算の対象となるため12％の税率となります。基礎控除額を超える財産については、孫には毎年500万円の暦年課税による贈与を繰り返す方が確実に有利といえます。

贈与のときは有利だったけれど、相続税の申告時に苦慮することのないように、贈与を受けた孫は相続時精算課税制度を選択すべきかどうか、しっかり将来を考慮して判断する必要があるでしょう。

30 精算課税と暦年課税の関係

Question

贈与税については精算課税と暦年課税の2つの制度がありますが、どのような関係になっているのでしょうか。

POINT

① 一度精算課税を選択すると、暦年課税に戻ることができない
② 贈与者ごとに精算課税と暦年課税とを選択できる
③ 贈与してもらう人が最適な方法を選び判断する

Answer

1 暦年課税制度と精算課税制度の関係

次ページの図は、相続時精算課税制度と暦年課税制度との関係を表しています。暦年課税制度は税率構造が簡素化されて、基礎控除額110万円のまま残っています。なお、受贈者が精算課税制度を選択して贈与を受けると、それ以後、その選択をした贈与者からの贈与財産については暦年課税制度の適用を受けることはできなくなります。

2 贈与する人の立場で相手ごとに選択する

贈与する側から見て、相続時の相続税負担を軽減する対策としては、原則として暦年課税制度の方が有利です。ただし、将来値上がりする可能性の高い財産や着実に収入を生む財産を事前に移転するために精算課税制度を活用するのもよいでしょう。その場合には、例えば、長男Aには精算課税制度を選択して評価額2,500万円の自社株式を贈与し、長女B、次女C、孫D、孫E、孫Fには暦年課税制度による110万円の基礎控除額を活用して合計550万円、毎年現金で贈与するといった対策が考えられます。

96

II 事業承継のための贈与と贈与税の基本と対策（精算課税制度）

3 贈与してもらう人がそれぞれ判断する

精算課税制度は贈与を受けた者が別々に、贈与者を各人毎に区別して選択できます。例えば、父方の祖父母、母方の祖父母、父母それぞれからの贈与につき精算課税制度を選択すると2,500万円×6＝1億5,000万円まで無税で贈与してもらうことができます。ただし、祖父母または父母以外からの贈与については精算課税制度の適用はありませんので、暦年課税制度での申告になります。

そうすると、場合によっては祖父母からの精算課税制度、父母からの精算課税制度、それ以外の人たちからの暦年課税制度という7つの贈与方法が考えられます。

〈精算課税制度と暦年課税制度の関係〉

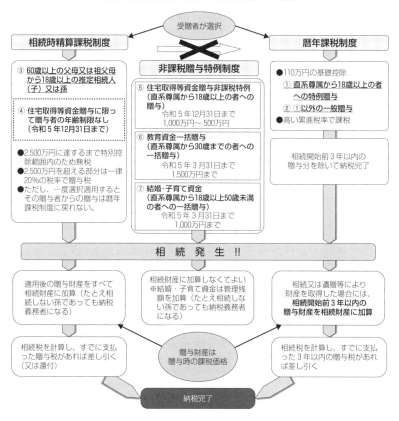

97

31 精算課税を活用した住宅取得等資金贈与

Question

住宅取得等資金に限り、親や祖父母の年齢とは無関係に相続時精算課税制度の特例が活用でき、また受贈者の所得金額や家屋の床面積にも制限がないそうですが、どのような制度なのでしょうか。

POINT

① 精算課税による住宅取得等資金贈与は贈与者の年齢制限はない

② 直系尊属からの住宅取得等資金贈与の非課税枠と併用できる

③ 一定の家屋の敷地、権利金・保証金や増改築資金も対象となる

④ 相続税がかかるなら"資金贈与"か"建物贈与"かをよく検討する

Answer

1 相続時精算課税制度における住宅取得等資金贈与の特例

Q27の住宅取得等資金贈与の非課税特例とは別に、自己の居住の用に供する一定の家屋を取得する資金、及びこれとともにする敷地の取得のための資金、または自己の居住の用に供する家屋の一定の増改築のための資金の贈与を受ける場合に限り、その年1月1日において、60歳未満の父母または祖父母からの贈与についても特別控除額が2,500万円である相続時精算課税制度を選択することができます。住宅取得等資金贈与の非課税特例と同様に、令和5年12月31日までの贈与とされていますが、ただし、受贈者の所得制限はありません。

2 直系尊属からの非課税特例と併用できる

住宅取得等資金贈与については、精算課税制度と直系尊属からの非課税特例（Q27参照）の両者を併用して適用を受けることができます。したがって、1人の贈与者から、精算課税制度の特別控除額2,500万円、非課税特例の最高限度額1,000万円を合わせると、最大で合計3,500万円の住宅取得

98

等資金の贈与を受けても贈与税がかからないことになります。

〈通常の相続時精算課税制度と住宅取得等資金贈与特例〉

		一般枠	住宅取得等資金の場合
特別控除税額		2,500万円	
年齢制限	贈与者	60歳以上の父母または祖父母	父母または祖父母(年齢制限なし)
	受贈者	18歳以上の子または孫	
適用期間		恒久的措置	令和5年12月31日まで

3 新築、新築物件の取得、中古物件の取得及び増改築も対象に

　この精算課税制度における住宅取得等資金贈与の非課税特例の適用は住宅の新築だけではなく、新築物件の購入や既存住宅の取得や増改築についても対象となります。

　住宅用家屋の新築もしくは家屋と同時に取得するその敷地、または住宅用家屋の新築に先行して取得する敷地、一定の既存住宅用家屋の取得または家屋とともに取得するその敷地、居住用家屋についての増改築等も含まれます。この敷地の取得のための資金には、借地権の取得や定期借地権で土地を借りる保証金に充てるための資金も含まれます。なお、非課税特例と異なり家屋の床面積制限の上限はありません。

4 住宅取得等資金贈与の対象となる住宅家屋及び増改築の範囲

　対象となる住宅家屋及び増改築は、次ページの図表に掲げる要件を満たすものとされています。床面積を除き、住宅取得等資金贈与の非課税特例の要件と同様です。

(1) 「住宅取得等資金贈与の対象となる住宅用家屋及びその増改築」

①	1棟の家屋…床面積40m²以上 区分所有建物…区分所有部分の床面積40m²以上
②	床面積の50％以上が専ら居住用に供されていること
③	日本国内に所在すること
④	適用対象となる既存住宅の要件について、築年数要件を廃止するとともに、新耐震基準に適合している住宅の用に供する家屋（登記簿上の建築日付が昭和57年1月1日以降の家屋については、新耐震基準に適合している住宅の用に供する家屋とみなす。）であることを加える
⑤	土地（借地権）のみの取得は適用対象外
⑥	工事費用が100万円以上で増改築後の床面積40m²以上の一定の増改築等も対象となる

(2) 「住宅取得等資金贈与の対象となる増改築や大規模修繕等の主な工事」

	増改築・大規模修繕等の主な工事
単独家屋	①増築、改築、建築基準法第2条第14号に規定する大規模の修繕又は同条第15号に規定する大規模の模様替 ②家屋の一室（居室、調理室、浴室、便所その他の室）の床又は壁の全部について行う修繕又は模様替
区分所有家屋	①家屋のうちその者の区分所有する部分について、次のいずれかのもののその過半について行う修繕又は模様替 イ　主要構造部である床及び最下階の床又は階段 ロ　間仕切壁の室内に面する部分（間仕切壁の一部について位置の変更を伴う修繕又は模様替に限る。） ハ　主要構造部である壁の室内に面する部分（遮音又は熱の損失の防止のための性能を向上させる修繕又は模様替に限る。） ②家屋のうちその者の区分所有する部分の一室（居室、調理室、浴室、便所、洗面所、納戸、玄関、廊下）の床又は壁の全部について行う修繕又は模様替

5　相続税がかからない場合は精算課税の選択も

　遺産が基礎控除額以下で住宅取得等資金贈与の非課税特例の要件を満たすことのできない親族間なら、この相続時精算課税制度による「住宅取得等資金贈与の特例」を選択し、思いきってあげたいだけ贈与するのもよい

でしょう。

　父母または祖父母の余剰金を税金の負担を心配せず、子や孫の必要資金に変えることができるのが精算課税制度です。生前贈与しても相続で遺しても税金の心配はいらないのですから、安心してプレゼントできるのです。

6　相続税課税が予想される場合には不動産の使用貸借も考慮

　しかし、贈与した現金は100％の相続税評価額です。相続税がかかると予想される人は、相続税対策上、現金贈与については精算課税制度の選択は有利な方法とはいえません。現金以外の財産の贈与を考えてみるとよいでしょう。

　例えば、建物を贈与する際の評価額は、おおむね建築価額の60％以下の固定資産税評価額となりますので、現金に比べると相続や贈与のときの評価額は、非常に有利となります。現金ではなく、マイホームを建ててから建物として贈与するのも、相続税のかかる直系血族が精算課税制度を選択するにあたって考慮すべき方法の１つです。

　いっそのこと、父母または祖父母が中古マンションの一室を購入して、子や孫に使用貸借で住まわせるのもよいでしょう。受贈者に収入があったとしても、他に贈与を受けていない場合、相場家賃が９万円以下なら贈与税の基礎控除額の範囲内となりますので、税金の要らない応援策といえるからです。

101

32 精算課税を選択した子が親よりも 先に亡くなった場合

Question

贈与を受けた子が相続時精算課税を選択したにもかかわらず、親より先に死亡した場合には、その精算課税を選択した贈与についてはどのように取り扱われ、その子の相続人たちはどうなるのでしょうか。

POINT

① 受贈者が死亡した場合は、その相続人に権利義務が承継される

② 相続を放棄すれば権利義務は引き継がない

③ 贈与を受けた年に死亡した場合には相続人が届け出る

Answer

1 受贈者が死亡した場合、どのように取り扱われるか

贈与した人が死亡する前に精算課税制度を選択した受贈者が死亡したときには、その受贈者の相続人が精算課税制度を適用した贈与に係る納税の権利と義務を引き継ぐことになります。

例えば、3,500万円相当の有価証券をもらって精算課税制度を選択し、200万円の贈与税を納めた子が、贈与した親より先に死亡してしまったようなケースです。その際、子の相続人が放棄しなかったとすると、この相続に関しては、通常どおりの相続税計算をすることになります。

しかし、その後、贈与者（親）が死亡した場合には、精算課税を適用した贈与財産を持ち戻して相続税を精算しなければなりません。受贈者（子）の相続人が、精算課税制度を選択した子に成り代わって、精算課税制度を適用したその贈与財産を相続により取得したものとみなされるのです。また、この相続税を計算する際には、その有価証券を贈与により取得した時に子が200万円の贈与税を納めていますので、子の相続人が贈与者である親の相続人として、親の相続税の精算を行う際に、200万円の税額控除を受けられることになり、控除しきれない部分は還付されます。

102

Ⅱ 事業承継のための贈与と贈与税の基本と対策（精算課税制度）

〈納税義務の承継（第1順位の場合）〉

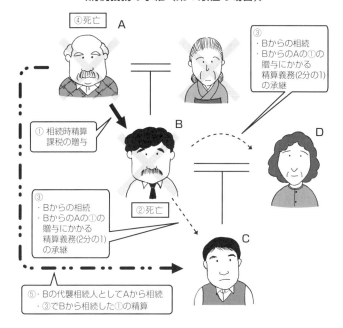

　ただし、加算税は払われません。
　上図の場合において、特定贈与者Ａの死亡前に相続時精算課税適用者Ｂが死亡したときには、配偶者Ｄ及び子Ｃが相続時精算課税制度の適用に伴う権利義務を承継することになり、その割合は、法定相続分どおりですから配偶者Ｄと子Ｃがそれぞれ2分の1ずつとなります。

※　子Ｃは18歳以上であれば、Ｂの代襲相続人として特定贈与者Ａから贈与を受けた場合、その贈与により取得した財産について相続時精算課税を適用するかどうかは、このＢの納税にかかる権利または義務の承継とは別に、選択するか否かを判断することとなります。

　ただしこのような場合で、その贈与につき精算課税制度を選択した子に、子がいないケースのように、贈与者自身である親が第2順位として相続人になったようなときには、贈与者である親には持ち戻しの適用はされません。
　次ページの図の場合において、特定贈与者Ａの死亡前に相続時精算課税適用者Ｂが死亡したときには、母Ｄ及び配偶者Ｃが相続時精算課税の適用に伴う権利義務を承継することになり（特定贈与者には承継されません。）、その割合は、母が3分の1、配偶者が3分の2となります。

〈第2順位となる場合〉

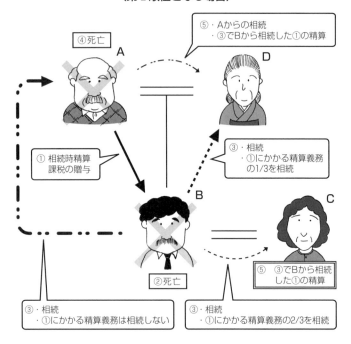

2 相続人にならなかったら権利・義務は引き継がない

　精算課税制度は、会社が倒産して贈与でもらった有価証券がもくずになったとしても、選択した受贈者が相続で財産をもらわなかったとしても、相続人は相続により、納税の権利と義務を承継することになりますので、財産をもらわないのに税金だけ負担しなければならない可能性のある厳しい制度です。

　このようなケースでは、受贈者の相続人（孫）たちは受贈者の相続のときに相続放棄するのがよいでしょう。この場合には、相続放棄しているのですから、相続財産の加算という権利義務だけを承継するといった心配はいりません。法定相続人でなく、相続人になった場合にだけ権利・義務を承継することになるからです。

3 引き継いだ相続人は新たに精算課税制度の選択を判断する

　子が親より先に死亡したことにより、孫が代襲相続人になった場合には、たとえ親の精算課税に伴う権利・義務を引き継いだとしても、そのことと

は別に新たに祖父母からの贈与につき精算課税制度を適用するかどうかを
選択することになります。

4　死亡した年に精算課税制度を選択するには相続人が届出書を提出

　精算課税制度を選択するつもりで贈与を受けた人が精算課税制度の選択
届出書を提出する前に死亡したときは、その相続人が相続の開始があった
ことを知った日の翌日から10か月以内に、届出書を死亡した人の納税地の
所轄税務署長に提出する必要があります。

　そうすることによって、初めて精算課税制度の適用を受けることができ
るのです。ただし、法定相続人全員の同意が必要とされます。その後の取
扱いは前記のとおりです。

5　贈与税の納税猶予について免除を受けた場合の相続時精算課税の取扱い

　非上場株式等についての贈与税の納税猶予を、先代経営者から2代目経
営者が相続時精算課税によって受けている場合に、2代目が特例経営贈与
承継期間の末日の翌日以後に、3代目へその株式を一括して贈与した場合
で、3代目が非上場株式等についての贈与税の納税猶予を受けたとき等に
限り、2代目の贈与税の納税猶予は免除されます。

　また、先代から2代目が相続時精算課税によって非上場株式等について
の贈与税の納税猶予を受けている場合に、2代目が先に死亡したことなど
によって贈与税の納税猶予税額の全部又は一部の免除を受けた場合におい
て、その後、先代の相続が開始したときは、その免除を受けた猶予中贈与
税額に対応する部分については、一般措置及び特例措置ともに2代目の相
続人（3代目承継者等）は、先代の相続における相続税の計算において相
続時精算課税の権利・義務は承継しませんので、ご安心ください。

33 精算課税と暦年課税の選択のポイント

Question

暦年課税か精算課税か、どちらを選ぶか非常に迷っています。どのようなポイントで選択すればよいのでしょうか。

POINT

① 相続税がかかるか、かからないかを判断するのが基本
② 相続税がかからない人は精算課税の選択で有利に財産移転
③ 相続税がかかる人は精算課税の選択は慎重に判断する

Answer

1 まず、相続税がかかるか、かからないか試算する

贈与税は、相続税がかかる人とかからない人で、贈与の方法、贈与する財産、贈与する時期が大きく変わってきます。まず、自分が持っている財産を再確認し、「相続税がかかるのか、かからないのか。」、「かかるならばどれくらいかかるのか。」をしっかり把握してください。そのうえでどの財産を、どのような形で、誰に、どういう方法で贈与するかを検討します。贈与は相続対策に大きな効果がありますが、贈与の仕方を間違えるとかえって税負担が重くなることもありますので、贈与する際には専門家の意見を聞き、失敗しない賢い贈与をしましょう。

2 相続税がかからなければ精算課税を選択する

相続税がかからない人ならば、精算課税制度を選択してどんどん贈与してもらうのがよいかもしれません。特別控除額として2,500万円もあり、複数年にわたって利用できるからです。相続税の基礎控除額は「3,000万円＋600万円×法定相続人の数」となっており、相続財産がこの基礎控除額以下であるなら、贈与でもらった財産について精算課税を選択し、相続時に持ち戻されても、結局、相続税はかかりません。最終的に特定贈与者

の財産が相続税の基礎控除額以下であるならば、その特定贈与者からの贈与には贈与税が課税されないことになります。

〈相続時精算課税を選択した場合〉

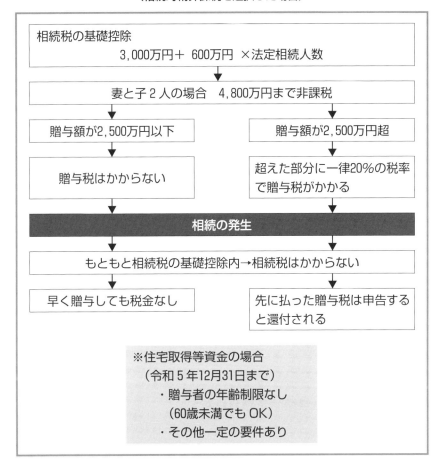

3　相続税がかかるなら慎重に選択して贈与する

　相続税がかかる人は、単純に相続税を減らすだけという目的なら、暦年課税で110万円の基礎控除枠を使いながら、相続税の実効税率より低い税率の範囲内で贈与を続ければ確実に有利です。

　一方、精算課税は、合算される贈与財産の価額は贈与されたときの価額

で計算されますので、贈与財産が贈与時より相続時の方が値下がりしていた場合には、本来支払うべき相続税より高い税金を支払うことになり、相続人にとっては一大事です。しかし、5で説明するように、上手に活用すれば精算課税による贈与でも相続税対策になり、かつ、生前に財産分割を終わらせることもできます。

　また、贈与を受けた非上場株式等につき精算課税を選択した場合においても、贈与税の特例納税猶予制度の適用を受けることができます。特例納税猶予制度を選択したい場合には、事前にきちんと要件を充足しておくようにしておいてください。

〈相続時に加算される財産〉

精算課税を選択した者以外の相続人		精算課税を選択した者	
		選択前	選択後
相続開始日前3年以内に贈与により取得した財産		相続開始日前3年以内に贈与により取得した財産　＋　贈与により取得した全財産	

4　遺留分や分散防止を考えて贈与しよう

　好きな人に、好きなものを、好きなだけあげられるからといって、相続人間の財産分割を考えることなく贈与してしまうと、相続発生後贈与を受けた人が他の相続人（相続人の兄弟姉妹）から遺留分（配偶者や子の場合には法定相続分の2分の1）を侵害されたといって訴えられ、かえって困ってしまうことがあります。生前贈与の目的の1つは相続発生後のもめごとを避けることにありますから、これではかえって逆効果です。遺留分をよく考えたうえで贈与するか、遺留分に関する民法の特例を活用してください（Q144参照）。

II 事業承継のための贈与と贈与税の基本と対策（精算課税制度）

5 精算課税と暦年課税との選択のポイント

下記に選択のポイントをまとめました。これを参考に生前贈与を活用しましょう。

〈相続時精算課税制度を選択するポイント〉

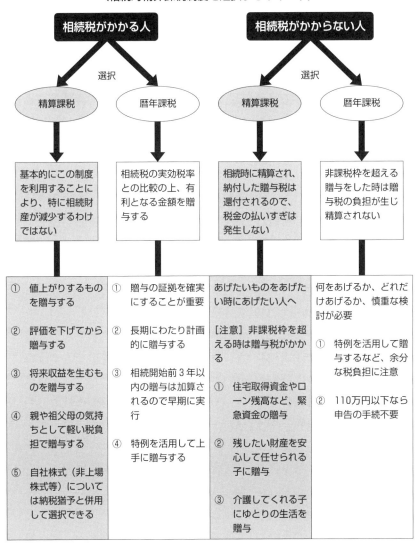

34 精算課税を選択した方が有利なケース

Question

精算課税は相続税対策上有利でないといわれていますが、どのようなケースであれば精算課税を選択した方が有利なのでしょうか。

POINT

① 値上がりの予想できる財産や着実に収入を生む財産を贈与する
② 非上場株式等を贈与した場合は特例納税猶予の適用を検討する
③ 遺言と同じ効果を持つ生前贈与だが、遺留分も考慮する

Answer

1 将来値上がりする可能性の高い財産や着実に収入を生む財産を

精算課税による贈与に限ったことではありませんが、特に2,500万円もの特別控除枠と20%の一定税率で贈与できるのですから、これを最大限に活用したいものです。

① 将来値上がりする可能性の高い財産を贈与する

例えば、ここ数年のうち市街化区域に編入されることが予想できる調整区域内の土地や収用予定地などは、その典型といえます。このように、今の評価額が低かったり、利用制限を受けて価値の低い土地でも、将来その利用価値が上がる可能性の高いものがあれば、これを評価の低いうちに贈与することは大事な視点です。もう1つ、リストラや負の遺産の後片づけも終わり、これから業績がよくなると予想できる自社株式は、まさに将来値上がりを予想できる財産といえるでしょう。経営計画の進捗度をしっかり把握すれば、完璧な贈与ができるのではないでしょうか。

② 評価を下げてから贈与する

「評価を下げてから贈与する」という方法も考えられます。例えば、現金よりも建物、自用建物よりも賃貸物件ですと、貸家の評価になり、現金に比べて大きく評価が下がります。評価を圧縮して贈与する方法です。

110

会社のオーナーなら、後継者へ事業と共に自社株式を贈与するのがベターな方法といえるでしょう。事業を譲るのですから、代表取締役である親が会社から退職金をもらったり、今まで処理してこなかった含み損を実現させたりして、さまざまな対策で自社株式の評価を下げるチャンスだからです。一定要件を満たし、非上場株式等についての贈与税の特例納税猶予制度と併用して適用することができれば、その自社株式については贈与税と相続税の負担がありませんので、ぜひ検討してください（Q80参照）。

③　着実に収入を生む財産を贈与する

中古の賃貸物件で、建物の評価はすでに低くなっており、賃料収入が確実に入ってくるような物件の場合、低い評価で贈与でき、安定収入がそのまま後継者に移転できるというメリットがあります。典型的なのがロードサイド店舗ですが、なかなか理想的なケースは少ないようです。ほかにも、利回りの高い債券や配当の多い上場株式、上場不動産投資信託などが考えられます。

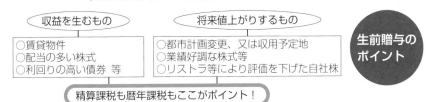

〈あげたい人に・あげたいものを・あげたい時に〉

2　遺言と同じ効果を持つ精算課税制度や特例納税猶予制度の活用

後継者には引き継がせたい財産を、特に事業承継者には事業用の資産や自社株式を贈与し、それ以外の相続人には一定の金額の財産を贈与すれば、遺言と同じように、しかも生前に意思を明確にした財産分けをすることができます。これまでは高い贈与税に阻まれてできなかったこのような方法も、精算課税や特例納税猶予制度を適用できれば可能になります。ただ、遺言書による遺贈でも生前贈与でも、遺留分侵害額請求があったときの遺留分計算においては、相続財産に一定の特別受益（原則相続開始前10年以内）を含めることとされています。遺留分に関する民法特例を活用した場合には、この心配がいらなくなるでしょう（Q70参照）。

35 精算課税と暦年課税の上手な組み合わせ

Question

贈与について、精算課税を選択すれば、従来からの暦年課税による相続税の節税はできなくなりますが、両制度を上手に組み合わせるよい方法はないでしょうか。

POINT

① 選択した贈与者以外からの贈与につき暦年課税で計算する
② 選択した受贈者以外の親族への贈与につき暦年課税で計算する
③ 組み合わせによって総合的に最適な方法を選択する

Answer

1 贈与者ごとに選択できるのがポイント

相続時精算課税制度は、贈与者ごと、受贈者ごとに選択可能ですので、例えば、祖父からの大型の贈与はすべて精算課税を選択、祖母からの少額の贈与については暦年課税で計算することができます。精算課税を選択すると、すべての財産が持ち戻されて計算されるため、祖父からの贈与について精算課税を選択した後は、その後の祖父の財産を減少させる相続税対策がとれなくなります。しかし、祖母からの贈与について暦年課税を選択しておけば、直系尊属の財産の合計額を減少させる相続税対策としての贈与は可能になります。

このように、贈与される側から考えると、祖父からの贈与については精算課税制度を選択しても、祖母や他の人からの贈与については暦年課税を選択することができますので、基礎控除額の110万円枠や低税率部分の贈与ができないわけではありません。

2 「祖父母」「父母」「それ以外」のパターンがある

父、母、父方の祖父、母方の祖父、父方の祖母、母方の祖母からの贈与

については「精算課税」か「暦年課税」かを選択でき、それ以外の人からの贈与については暦年課税で取り扱われますので、7つのパターンがあることになります。それぞれの人からの贈与について、どういう選択をすればよいのか、充分に検討したいものです。

3　選択した者以外に暦年課税による贈与をすれば財産は減少

　贈与者は精算課税を選択した受贈者との間では、贈与による相続税対策はできなくなりますが、精算課税制度については兄弟姉妹が別々に選択できますので、例えば精算課税を選択した子以外の子や孫などへの暦年課税による贈与を行えば、財産額を減らすことができます。

4　上手な組み合わせこそが最適な贈与対策

　大型の精算課税による贈与を使うと同時に、節税目的の暦年課税による贈与を併用するという組み合わせが考えられます。例えば、父からは大型の精算課税による贈与を使い、祖母からは暦年課税による贈与を使うという方法です。例えば時価7,000万円の賃貸建物の評価額が2,500万円だとすると、父から賃貸建物の贈与を受け精算課税を選択すれば、贈与税はかからず、そこから生じる家賃、例えば約700万円は毎年の贈与と同じ効果があります。

　一方、祖母からは毎年310万円の暦年課税による贈与を受けて贈与税20万円を毎年支払います。10年経過すると、家賃収入700万円×10年＝7,000万円が父から移転しています。祖母からは310万円×10年＝3,100万円も贈与されることになり、合計1億100万円の財産が移ることになります。

　祖母からの贈与については相続人でないため、相続財産に加算される3年以内の贈与とは無関係ですが、父からの贈与については精算課税制度を選択していますので、相続時にすべて持ち戻されますのでご注意ください。

　このような上手な組み合わせこそが、最適な贈与対策といえるのではないでしょうか。

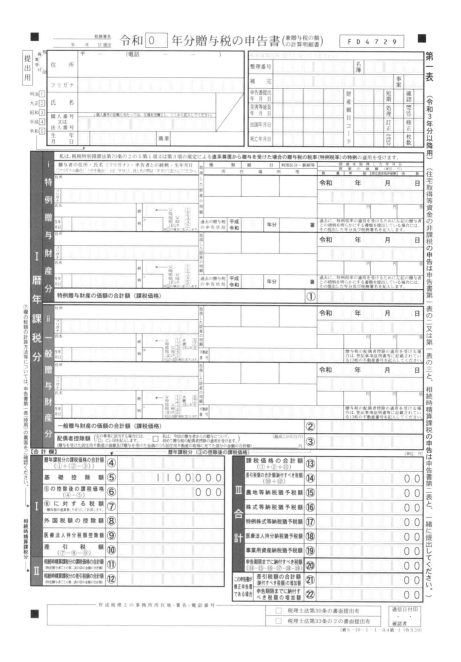

Ⅱ 事業承継のための贈与と贈与税の基本と対策（精算課税制度）

令和 ⬜ 年分贈与税の申告書 （相続時精算課税の計算明細書）　　　FD4736

受贈者の氏名

第二表 （令和3年分以降用）（第二表は、必要な添付書類とともに申告書第一表と一緒に提出してください。）

提出用

次の特例の適用を受ける場合には、□の中にレ印を記入してください。

□ 私は、租税特別措置法第70条の3第1項の規定による**相続時精算課税選択の特例**の適用を受けます。

（単位：円）

特定贈与者の住所・氏名(フリガナ)・申告者との続柄・生年月日		種　類	細　目	利用区分・銘柄等	財産を取得した年月日			
		所　在　場　所　等			数量	単価	固定資産税評価額	倍数
住　所					令和	年	月	日
						円	円	倍
フリガナ					令和	年	月	日
氏　名						円	円	倍
続　柄　父 1　母 2　祖父 3　祖母 4　1〜4以外 5					令和	年	月	日
生年月日　明治 1　大正 2　昭和 3　平成 4						円	円	倍

相続時精算課税分

	財産の価額の合計額（課税価格）	㉓	
特別控除額の計算	過去の年分の申告において控除した特別控除額の合計額（最高2,500万円）	㉔	
	特別控除額の残額（2,500万円−㉔）	㉕	
	特別控除額（㉓の金額と㉕の金額のいずれか低い金額）	㉖	
	翌年以降に繰り越される特別控除額（2,500万円−㉔−㉖）	㉗	
税額の計算	㉖の控除後の課税価格（㉓−㉖）【1,000円未満切捨て】	㉘	000
	㉘に対する税額（㉘×20％）	㉙	00
	外国税額の控除額（外国にある財産の贈与を受けた場合に、外国の贈与税を課されたときに記入します。）	㉚	
	差引税額（㉙−㉚）	㉛	

上記の特定贈与者からの贈与により取得した財産に係る過去の相続時精算課税分の贈与税の申告状況	申告した税務署名	控除を受けた年分	受贈者の住所及び氏名（「相続時精算課税選択届出書」に記載した住所・氏名と異なる場合にのみ記入します。）
	署	平成 令和　　年分	
	署	平成 令和　　年分	
	署	平成 令和　　年分	
	署	平成 令和　　年分	

•…… (注) 上記の欄に記入しきれないときは、適宜の用紙に記載し提出してください。

◎ 上記に記載された特定贈与者からの贈与について初めて相続時精算課税の適用を受ける場合には、申告書第一表及び第二表と一緒に「相続時精算課税選択届出書」を必ず提出してください。なお、同じ特定贈与者から翌年以降財産の贈与を受けた場合には、「相続時精算課税選択届出書」を改めて提出する必要はありません。

*	税務署整理欄	整理番号		名簿		届出番号		−
		財産細目コード			確認			

* 欄には記入しないでください。

（資5−10−2−1−A4統→）（令3.10）

115

取引相場のない株式の
基本的な評価と特例評価

36 株式は３つに分類して評価する

Question

株式といっても、上場されている株式、非上場の株式などいろいろありますが、どのように分類され、評価するのでしょうか。

POINT

① 財産評価基本通達では株式を３つに分類している
② 上場株式、気配相場のある株式、取引相場のない株式に分類される
③ 相場があればそのときの価額、相場がない場合は通達により評価

Answer

1　取引相場の有無で大きく３つに分類される

　一口に株式といっても、株式を発行している会社には、規模の巨大な上場企業から家族経営の零細企業までさまざまな業種・業態があります。上場株式には証券取引所における時価がありますが、非上場株式の「時価」を算定するのは非常に困難です。

　相続税法では、株式などの財産は「時価」で評価することとされていますが、株式の「時価」を算定するのは非常にむずかしいことです。そこで国税局では、「時価」を算定する課税当局の基準として『財産評価基本通達』を定めており、その評価通達によると、株式が様々な点から、次のように細かく分類されています。

分　類	内　容
上場株式	証券取引所に上場されている株式
気配相場等のある株式	登録銘柄： 　日本証券業協会の内規によって「登録銘柄」として登録されている株式 店頭管理銘柄： 　日本証券業協会の内規によって「店頭管理銘柄」として指定されている株式
	公開途上にある株式・株式の公開が公表された日から、公開の日の前日までにおけるその株式
取引相場のない株式	上記以外の株式

118

Ⅲ 取引相場のない株式の基本的な評価と特例評価

2 それぞれの分類で評価方法が違う

1で分類した株式は、下表のように、それぞれ異なる評価方法によって評価します。

分　類	評価方法
上場株式	次のうちもっとも低い価額 ・課税時期（相続や贈与で株式を取得した日）の最終価格 ・課税時期の属する月の毎日の最終価格の平均額 ・課税時期の属する月の前月の毎日の最終価格の平均額 ・課税時期の属する月の前々月の毎日の最終価格の平均額
気配相場等のある株式	次のうちもっとも低い価額 ・課税時期の取引価格 ・課税時期の属する月の毎日の取引価格の平均額 ・課税時期の属する月の前月の毎日の取引価格の平均額 ・課税時期の属する月の前々月の毎日の取引価格の平均額
	「公開途上にある株式」には、特別の評価方法が定められています。
取引相場のない株式	次のいずれかの方法で計算した額 ・類似業種比準方式 ・純資産価額方式 ・類似業種比準方式と純資産価額方式の併用方式 ・配当還元方式

119

37 株主の態様により自社株評価は異なる

Question

同じ取引相場のない株式でも、株式を取得する人によってその株式の評価方法が違うそうですが、株主の区分によってどのように評価方法が異なるのでしょうか。

POINT

① 同族株主がいる会社といない会社で評価方法が異なる

② 中心的な同族株主等である場合には原則的評価方法による

③ 中心的な同族株主等以外である場合は特例的評価方法による

Answer

1 株主の態様によって評価方法は異なる

「財産評価基本通達」によりますと、同じ取引相場のない株式でもその株式を取得する人によって原則的評価方法（類似業種比準方式など）で評価する株主と、特例的評価方法（配当還元方式）で評価する株主とに区分されます。評価の方法は、その会社に『同族株主』がいるかどうかによっても異なりますのでご注意ください。株主の態様と評価方法は、次の表のとおりです。

株主の態様					評価方法
同族株主のいる会社	同族株主グループ	取得後の持株割合5％以上			原則的評価方法
		取得後の持株割合5％未満	中心的な同族株主がいない		
			中心的な同族株主がいる	中心的な同族株主	
				役員である株主または役員になる株主	
				その他	特例的評価方法
	同族株主以外の株主				
同族株主のいない会社	持株割合の合計が15％以上のグループに属する株主	取得後の持株割合5％以上			原則的評価方法
		取得後の持株割合5％未満	中心的な株主がいない		
			中心的な株主がいる	役員である株主または役員になる株主	
				その他	特例的評価方法
	持株割合の合計が15％未満のグループに属する株主				

※持株割合とは、議決権総数に対する割合をいいます。

120

2 株主の態様別評価方法の判定のフローチャート

わかりやすくフローチャートで示しますと、株主の態様ごとに、下表のような評価方法となります。

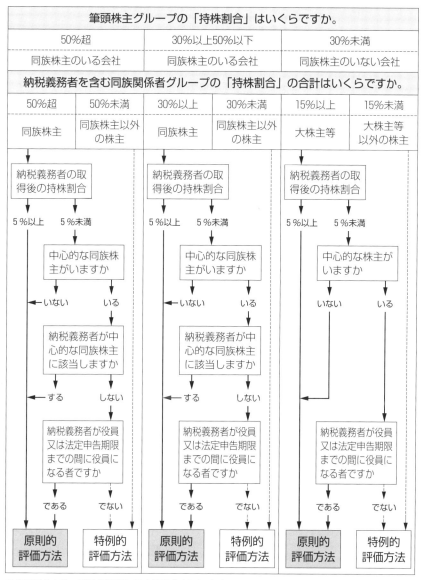

※持株割合とは、議決権総数に対する割合をいいます。

38 株主の判定は非常に複雑である

Question

自社株式の評価は株主により大きく異なるそうですが、株主の判定は非常に複雑でむずかしそうです。判定の注意点やポイントを教えてください。

POINT

① 株主の判定は原則として、株式の移動後の割合による
② 株主の判定は持株割合によって異なるので難しい
③ 同族関係者かどうかは持株割合や親族関係で判定する

Answer

1 株主は原則として移動後の割合で判定

株主の持株状況を判定するのは、原則として株式の移動後の状態です。相続、贈与があった場合には、いずれもその後の状態において株主の持株状況を判定しなければなりません。しかし、株式の発行法人にとって「中心的な同族株主」に該当する個人が法人に対して著しく低い価額で譲渡する場合などは、移動前で判定しますので注意が必要です。

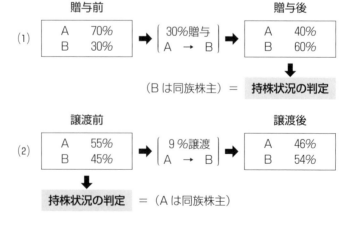

〈持株状況の判定〉

Ⅲ 取引相場のない株式の基本的な評価と特例評価

2 株主の判定はむずかしい

「同族株主」、「中心的な同族株主」、「中心的な株主」及び「役員」の区分は、次のように区分します。

〈株主の判定〉

項目		内　　容
同族株主	原則	課税時期におけるその株式の発行会社の株主のうち、株主の1人及びその同族関係者の有する議決権の合計数がその会社の議決権総数の30%以上である場合におけるその株主及びその同族関係者をいいます（この場合の「株主の1人」とは、納税義務者に限りません。）。
	特則	その株式の発行会社の株主のうち、株主の1人及びその同族関係者の有する議決権の合計数が最も多いグループの有する株式の合計数が、その会社の議決権総数の50%超である会社については、50%超の株式を有するグループに属する株主をいいます（この場合の「株主の1人」とは、納税義務者に限りません。）。
中心的な同族株主		次の①及び②の要件を満たす株主をいいます。 ①　同族株主のいる会社の株主であること。 ②　課税時期において同族株主の1人並びにその株主の配偶者、直系血族、兄弟姉妹及び一親等の姻族（※）の有する議決権の合計数がその会社の議決権総数の25%以上であること。 ※　これらの者と同族関係者である会社のうち、これらの者が有する議決権の合計数がその会社の議決権総数の25%以上である会社を含みます。
中心的な株主		次の①及び②の要件を満たす株主をいいます。 ①　同族株主のいない会社の株主であること。 ②　課税時期において株主の1人及びその同族関係者の有する議決権の合計数がその会社の議決権総数の15%以上である株主グループに属する株主のうち、単独でその会社の議決権総数の10%以上の株式を有している株主であること。
役員		次の者をいいます。 ①社長、②理事長、③代表取締役、代表執行役、代表理事及び清算人、④副社長・専務・常務等の地位を有する役員、⑤監査役、会計参与及び監事

3 「同族関係者」の判定

　同族関係者は次のようにして判定します。詳細に区分され、非常に複雑ですので、注意してください。

区分	内　　容
個人たる同族関係者	①　株主等の親族（親族とは、配偶者、6親等内の血族及び3親等内の姻族をいいます。） ②　株主等とまだ婚姻の届出をしないが事実上婚姻関係と同様の事情にある者 ③　個人である株主等の使用人 ④　上記に掲げる者以外の者で個人である株主等から受ける金銭その他の資産によって生計を維持している者 ⑤　上記②、③及び④に掲げる者と生計を一にするこれらの者の親族
法人たる同族関係者（支配している会社）	①　株主等の1人が有する他の会社の発行済株式等の総数の50%超を保有している会社 ②　株主等の1人が有する他の会社の議決権の総数が、当該他の会社の議決権の総数の50%超に相当する場合の当該他の会社 　◎　この場合、同族関係会社であるかどうかの判定の基準となる株主等が個人の場合は、その者の上記の同族関係者の有する株式を合算します（次の③及び④において同じ。）。 〈他の会社〉 株主等・個人たる同族関係者　→　議決権※の総数等の50%超所有 ③　株主等の1人及びこれと特殊の関係のある①の会社が有する他の会社の議決権の総数が、当該他の会社の議決権の総数の50%超に相当する場合の当該他の会社 〈他の会社〉 ●株主等・個人たる同族関係者 ●①の会社　→　議決権※の総数等の50%超所有 ④　株主等の1人及びこれと特殊の関係のある①及び②の会社が有する他の会社の議決権の総数が、当該他の会社の議決権の総数の50%超に相当する場合の当該他の会社 〈他の会社〉 ●株主等・個人たる同族関係者 ●①の会社 ●②の会社　→　議決権※の総数等の50%超所有 ⑤　上記①～③までの場合に、同一の個人または同族関係者である2以上の会社が判定しようとする会社の株主等である場合には、その同族関係者である2以上の会社は、相互に同族関係者であるものとみなします。

※　議決権とは次のいずれかについて議決権を有しているものをいう。

　イ　事業の解散、合併等　　ロ　役員の選解任等
　ハ　役員の報酬等　　　　　ニ　剰余金の配当等

III 取引相場のない株式の基本的な評価と特例評価

4 親族図で判定する

わかりやすく親族図で判定しますと、以下の範囲の人（6親等内の血族及び3親等内の姻族）が株主Xの同族株主となります。誰を主体にするかによって親族かどうかの判定は異なりますので、必ず納税者ごとに判定してください。

〈中心的な同族株主判定の基礎となる同族株主の範囲（アミかけ部分）〉

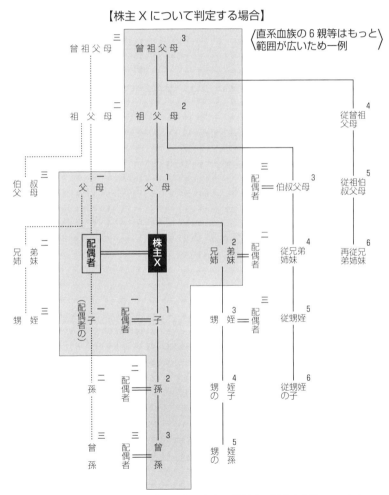

(注) 1 肩書数字は親等を、うち算用数字は血族、漢数字は姻族を示しています。
2 養親族関係…養子と養親及びその血族との間においては、養子縁組の日から血族間におけると同一の親族関係が生じます。

125

39 評価する同族会社は3つに区分できる

Question

業種ごとに、会社の従業員数や純資産価額、取引金額等によって会社を区分して評価するそうですが、どのように決められているのでしょうか。

POINT

① 従業員数、純資産価額、取引金額により会社を区分する

② 業種を3区分して会社の規模区分を判定する

③ 大会社・中会社（大・中・小）・小会社に区分する

Answer

1 会社の大きさによって評価方法が変わる

前述したように、「取引相場のない株式」の発行会社といっても、多種多様です。会社の規模が全く異なる株式を1つの方法で評価するのは問題があるでしょう。そこで「財産評価基本通達」では、評価会社を従業員数、総資産価額（帳簿価額）、取引金額（売上高）等によって大会社・中会社（大・中・小）・小会社に分類し、それぞれについて異なる評価方法で取引相場のない株式を評価することとしています。

取引相場のない株式の相続税評価を判断するための会社規模の判定基準は、評価基本通達により、次ページの図表のようになっています。

大会社の会社規模の判定基準については、代表的な株式市場である東京証券取引所第一部等の上場審査基準のみならず、新興市場の上場審査基準についても加味したうえで、法人企業統計調査に基づき決められています。

中会社（大）の判定基準については新興市場の上場審査基準を基に、中会社（中）の判定基準については中会社（大）の判定基準のほぼ50%を基準に決められています。

126

Ⅲ 取引相場のない株式の基本的な評価と特例評価

2　区分はこのように判定する

　評価会社が大会社か、中会社か、または小会社に該当するかは、説明しましたように総資産価額（帳簿価額）、従業員数及び取引金額（売上金額）を判定基準として、その営む業種の別により、次の表のとおり定められています。

　中会社はさらに大・中・小と3つに区分されています。ご自身の会社はどこに該当するか、当てはめてきちんと把握してください。

〈会社の規模区分〉（平成29年1月1日以降）

会社規模		従業員数	総資産価額（帳簿価額）			取引金額		
			卸売業	小売・サービス業	左記以外	卸売業	小売・サービス業	左記以外
大会社		70人以上						
		35人超70人未満	20億円以上	15億円以上		30億円以上	20億円以上	15億円以上
中会社	大		4億円以上	5億円以上		7億円以上	5億円以上	4億円以上
	中	20人超35人以下	2億円以上	2億5,000万円以上		3億5,000万円以上	2億5,000万円以上	2億円以上
	小	5人超20人以下	7,000万円以上	4,000万円以上	5,000万円以上	2億円以上	6,000万円以上	8,000万円以上
小会社		5人以下	7,000万円未満	4,000万円未満	5,000万円未満	2億円未満	6,000万円未満	8,000万円未満

第1次判定　①どちらか下の区分

第2次判定　②どちらか上の区分

127

40 会社規模判定の3要素の基準

Question

　従業員数や純資産価額、取引金額等によって会社の区分をするそうですが、それぞれの基準はどのようになっているのでしょうか。

POINT

① 従業員数は70人以上が大会社、中会社は5人超、小会社は5人以下

② 純資産価額は簿価純資産価額で、業種によって基準は異なる

③ 取引金額は損益計算上の売上金額で、業種によって基準は異なる

Answer

1　会社の大きさによって評価方法を変える

　取引相場のない株式を誰もが同様に評価するのは困難であるとして、財産評価基本通達により、評価会社を従業員数、総資産価額（帳簿価額）、取引金額（売上高）等によって大会社・中会社（大・中・小）・小会社に分類し、株式評価をすることとされています。

2　「従業員数」による区分

　会社規模区分判定の1つ目の要素は「従業員数」です。なぜなら、従業員数は恣意的に増やしたり減らしたりすることが現実的に不可能なため、重要な要素となります。この従業員数の基準は70人以上が無条件で大会社とされています。

　ただし、今や働き方が多様化しており、正社員ばかりとは限りません。そこで、従業員数のカウントに当たっては、次のように行います。

$$\text{従業員数} = \frac{\text{直前期末以前}}{\text{1年間の継続}} + \frac{\text{継続勤務従業員以外の従業員の直前期末以前}}{\text{1年間の労働時間の合計時間数}}$$

（注1）例えば、この算式で求めた従業員数が5.1人となる場合の従業員数の判定は『5人超』に、4.9人となる場合は「5人以下」となる。

（注2）継続勤務従業員……直前期末以前1年間、継続勤務していた従業員数をいう。ただし、就業規則等で定められた1週間当たりの労働時間が30時間未満の者は除く。

（注3）「中途入社した者」「中途退職した者」「パート」「アルバイト」については、直前期末以前1年間の労働時間の合計時間を合計する。

（注4）1,800時間……厚生労働省の統計による従業員1人当たりの年間平均労働時間。

3 「総資産価額」、「取引金額」による区分

2つ目の要素は帳簿価額における「総資産価額」です。土地や株式等に係る含み損も含み益も評価換えせず、課税時期の直前に終了した事業年度の末日（以下「直前期末」といいます。）における評価会社の各資産の帳簿価額の合計額によります。なお、評価会社が固定資産の償却費の計算を間接法によって行っているときは、その帳簿価額の合計から減価償却累計額を控除して計算します。

3つ目の要素は「取引金額」です。これは、直前期末の損益計算書に表示されている事業上の収入金額（売上高）によります。この場合の事業上の収入金額とは、評価会社の目的とする事業に係る収入金額をいい、営業外収入や特別利益は含みません。

なお、直前期の事業年度が1年未満であるときには、課税時期の直前期末以前1年間の実際の収入金額によることとなります。また、実際の収入金額を明確に区分することが困難な期間がある場合は、その期間の収入金額を月数あん分して求めた金額によっても差し支えありません。

このように、総資産価額と取引金額は貸借対照表と損益計算書の数字で判断できますので、是非自分の会社の会社規模は常にきちんと把握しておきましょう。

41 会社の区分により、こうして評価する

Question

会社の大きさによって同族会社の株式の評価方法は大きく異なるそうですが、大・中・小の区分ごとの評価はどのように異なるのでしょうか。

POINT

① **大会社は上場株式を基準とした類似業種比準方式**
② **中会社は類似業種比準方式と純資産価額方式との併用方式**
③ **小会社は純資産価額方式と50％併用方式のいずれか低い方**

Answer

1 会社の区分による評価方法

⑴ 大会社の場合

大会社の評価方法は、原則として類似業種比準方式ですが、純資産価額の方が低ければ、納税義務者の選択により純資産価額方式にすることもできるとされています。

⑵ 中会社の場合

中会社の場合は、類似業種比準方式と純資産方式の両方を採用する併用方式です。

この併用方式は、それぞれの方式により評価した価額にそれぞれ一定の割合（これを「Lの割合」といいます。）を加味して評価額を求める方法です。具体的には、次の算式によって計算します。

$$\text{類似業種比準価額} \times L + \dfrac{\text{1株当たりの純資産価額}}{\text{（相続税評価額による）}} \times (1-L) = \text{評価額}$$

（注）　上記算式の「1株当たりの純資産価額」については、株式の取得者とその同族関係者の有する株式の合計数が特定の評価会社の議決権総数の50％以下である場合は、1株当たりの純資産価額の80％相当額とします。

130

ⅡI 取引相場のない株式の基本的な評価と特例評価

(3) 小会社の場合

　小会社の場合は、純資産価額方式と併用方式のうちどちらか低い方です。この場合の併用方式は、類似業種比準価額のウェイトが50%、純資産価額のウェイトが50%とされています。

2　会社の規模ごとの評価方法の一覧表

　財産評価基本通達では、それぞれの区分に応じて次のとおり評価することとされています。

区　　分			評価方法
一般の評価会社の株式	原則的評価方法	大会社	・類似業種比準方式　　　いずれか低い方 ・純資産価額方式
		中会社　大　L=0.9	類似業種比準価額[注1]×L＋純資産価額[注2]×（1－L）
		中　L=0.75	類似業種比準価額[注1]×L＋純資産価額[注2]×（1－L）
		小　L=0.6	類似業種比準価額[注1]×L＋純資産価額[注2]×（1－L）
		小会社	・純資産価額方式[注2] ・併用方式 　（類似業種比準価額[注1]×0.5＋純資産価額[注2]×0.5） 　　　　　　　　　　　　　　　　　　いずれか低い方
	特例的評価方法		配当還元方式（原則的評価方法も選択可）[注3]

（注1）　類似業種比準価額よりも純資産価額（20%の減額をしない金額）が低ければ、純資産価額によります。

（注2）　持株割合（議決権の割合）が50%以下の株主グループの場合は、純資産価額の80%とします。

（注3）　配当還元価額よりも原則的評価方法による評価額の方が低ければ、原則的評価方法によります。

131

42 類似業種比準方式はこう計算する

Question

大会社は上場株式を基準とする類似業種比準方式により計算するそうですが、この方式はどのようにして計算するのでしょうか。

POINT

① 大会社は原則として類似業種比準方式により評価する
② 業種を選択し、標準的な上場株式の株価（A）を基準に評価する
③ 配当・利益・純資産価額を加味、しんしゃく率をかけ計算する

Answer

1 類似業種比準価額の計算方法

類似業種比準方式による取引相場のない株式の評価方法は、国税庁の公示している標本会社の「業種目別株価（A）」を基準に「配当金額（B）」「年利益金額（C）」「簿価純資産価額（D）」を分母に、評価会社の配当金額（b）、利益金額（c）、純資産価額（d）を分子にして、しんしゃく率を考慮して下図のように計算する方法です。

※「1株当たり」の値を計算する場合、分母となる『発行済株式総数』は実際の発行株式数ではなく、（資本金額÷50円）で計算した株式数によりますので、ご注意ください。

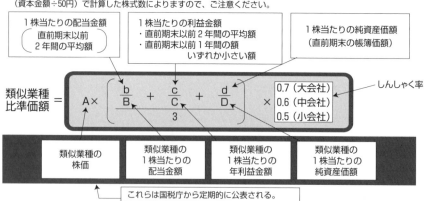

平成29年1月1日以後の相続・贈与等から、配当金額、利益金額、簿価

純資産価額の割合が１：１：１の割合とされています。

2 類似業種比準価額を算定してみましょう

では、あなたの会社の「類似業種比準価額」を具体的に計算してみましょう。国税庁が公表する『類似業種比準価額計算上の業種目及び業種目別株価等（平成31年分）』では、次のように表示されています。

業種別株価については、課税時期の属する月以前３か月間の各月の類似業種の株価及び前年平均株価に、「課税時期の属する月以前２年間の平均株価」を加えて、最も低い金額とされています。

〈類似業種比準価額計算上の業種及び業種別株価等一部抜粋〉
業種目別株価等一覧表（令和3年1・2月分）

（単位：円）

業　種　目　大分類　中分類　小分類	番号	B 配当金額	C 利益金額	D 簿価純資産価額	A（株価）									
					1月分					2月分				
					① 課税時期の属する月以前2年間の平均株価	② 前年平均株価	③ 課税時期の属する月の前々月	④ 課税時期の属する月の前月	⑤ 課税時期の属する月	① 課税時期の属する月以前2年間の平均株価	② 前年平均株価	③ 課税時期の属する月の前々月	④ 課税時期の属する月の前月	⑤ 課税時期の属する月
機械器具卸売業	74	7.7	38	353	335	334	353	364	373	337	334	364	373	377
産業機械器具卸売業	75	8.3	47	377	350	343	352	360	359	350	343	360	359	365

（出所：国税庁ホームページ）

仮にあなたの会社が以下の内容だとすると、２月に贈与した場合の類似業種比準価額は次のようになります。

産業機械器具卸売業（大会社）
b＝8.4、c＝196円、d＝1,623.6円
既発行株式の発行価額　50円／株

$$343^{※} \times \left[\frac{\frac{8.4}{8.3} + \frac{196}{47} + \frac{1623.6}{377}}{3} \right] \times 0.7（大会社）≒\underline{758円}$$

※A（株価＝課税時期の属する月以前２年間平均、前年平均、直近３か月）のうち最も小さい値

上の計算式の結果、１株50円当たりの評価が約758円になり、株価が発行価額の約15倍に上昇していることになります。

133

43 類似業種の業種判定は取引金額による

Question

類似業種比準方式で評価しようと思うのですが、いくつかの事業を行っているので、どの業種になるのかよくわかりません。業種の判定はどのようにするのでしょうか。

POINT

① 小分類に該当しない場合は中分類で判定する

② 複数業種の場合、取引金額が50%を超える業種で判定

③ 複数の類似しない業種がある場合、中→大分類で判定

Answer

1 業種目の判定

あなたの会社が国税庁の区分による業種目のどれに該当するかは、まず評価会社の事業がQ42の小分類に記載されたどの業種目に該当するかどうかを、次に該当する事業がない場合は中分類に記載された事業に該当するかどうかで判断します。この業種目は日本標準産業分類によります。

複数の業種目に当たっている場合は、取引金額の総取引金額に対する割合が50%を超える業種目を選択します。複数の業種目に該当していて取引金額が50%を超える業種目がない場合は、「財産評価基本通達」によって、次のように判定方法が定められています。

2 複数の類似する小分類に属する場合

評価会社の業種目が１つの中分類の業種目中、２以上の類似する小分類の業種目に属し、それらの業種目別の割合の合計が50%を超える場合

⇒その中分類の中にある類似する小分類の「その他の○○業」

Ⅲ 取引相場のない株式の基本的な評価と特例評価

〈複数の類似する小分類に属する場合の例示〉

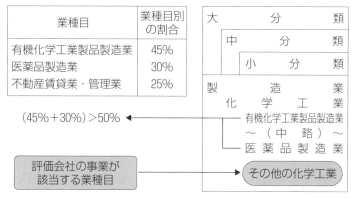

(出所:国税庁ホームページ)

3 複数の類似しない小分類に属する場合

評価会社の業種目が1つの中分類の業種目中の2以上の類似しない小分類の業種目に属し、それらの業種目別の割合の合計が50%を超える場合(**2**の場合を除きます。)

⇒その中分類の業種目

〈複数の類似しない小分類に属する場合の例示〉

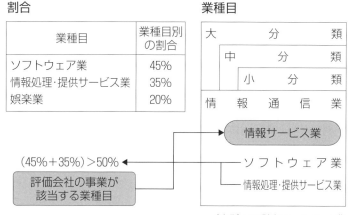

(出所:国税庁ホームページ)

4　複数の類似する中分類に属する場合

　評価会社の業種目が1つの大分類の業種目中の2以上の類似する中分類の業種目に属し、それらの業種目別の割合の合計が50％を超える場合

　⇒その大分類の中にある類似する中分類の「その他の○○業」

〈複数の類似する中分類に属する場合の例示〉

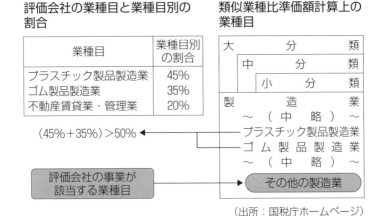

5　複数の類似しない中分類に属さない場合

　評価会社の業種目が1つの大分類の業種目中の2以上の類似しない中分類の業種目に属し、それらの業種目別の割合の合計が50％を超える場合（**4**の場合を除きます。）

　⇒その大分類の業種目

〈複数の類似しない中分類に属する場合の例示〉

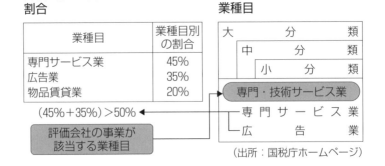

Ⅲ 取引相場のない株式の基本的な評価と特例評価

6　2～5のいずれにも該当しない場合
⇒大分類の業種目の中の「その他の産業」

7　類似業種の選択（大分類・中分類・小分類）

　類似業種は、2～6により判定した業種目とすることが原則とされています。ただし、納税義務者の選択により、業種区分が小分類による業種目にあってはその業種目の属する中分類の業種目、業種目が中分類による業種目にあってはその業種目に属す大分類の業種目を、それぞれ類似業種とすることもできます。表にまとめると、次のようになります。

業種目の区分の状況	類似業種の採用
小分類まで区分されている業種目	小分類の業種目とその業種目の属する中分類の業種目とのいずれかを選択することが可
中分類まで区分されている業種目（小分類のない業種目）	中分類の業種目とその業種目の属する大分類の業種目とのいずれかを選択することが可
大分類のみの業種目	大分類の業種目

8　業種目判断は相続時にあらためてきちんと行う

　今や、会社が複数の事業を行うことは当たり前です。ゆえに、業種目判断は非常に難しくなっています。例えば、機械卸をしていた会社が機械の管理や修理を手掛けるようになることがありますが、これらはサービス業になります。また、衣料品の卸売会社がインターネットによる小売りを始め、小売部門の売上の方が増えてきたという例もあります。

　また、機械卸業の会社では、卸売部門が50％超の売上になったり、サービス部門が50％超の売上になったりするなど、売上構成が毎年変動し、業種目が卸売になったり小売になったりすることがあります。このような場合には、評価時点が異なると業種目も異なることがあります。

　業種目が何であるかは、相続時に確認すべき重要なポイントです。相続時に評価する際に慌てて売上を区分しようとすると非常に手間がかかりますので、日常の経理において、しっかり部門別管理をしておくことが必要です。

44 類似業種比準価額の要素のポイント

Question

類似業種比準価額を計算する場合には、3つの比較要素を使って株価を計算するそうですが、これらの要素はどのように算出し、どのような点に注意すればよいのでしょうか。

POINT

① 類似業種比準価額の3要素は配当・利益・簿価純資産価額
② 1株当たりの配当は臨時的な配当を除き2年間平均で計算する
③ 1株当たりの年利益は法人税法上の申告所得を基準に計算する
④ 1株当たりの純資産価額は税務上の帳簿価額で計算する

Answer

1 類似業種の1株当たりの配当金額等の計算方法

類似業種の比準要素である「1株当たりの配当金額（B）」、「1株当たりの年利益金額（C）」及び「1株当たりの純資産価額（帳簿価額によって計算した金額）（D）」については、連結財務諸表を作成している標本会社の場合は、連結財務諸表を基に計算した金額とされています。

2 類似業種の配当と評価会社の配当を比較する

この比較は、実際の金額にかかわらず、すべて1株当たりの資本金額を50円に換算して行います。例えば、類似業種の配当が1株当たり15円であったとします。これに対して、評価会社では1株当たり30円の配当をしている場合には、30円を15円で割ってその数値をかけることになります。その結果、類似業種の株価よりも評価会社の株価は高くなります。

この場合、類似業種の配当であるBの値は、あらかじめ国税庁から公表されており、この数値は1年間同じです。これに対し評価会社の配当は、直前期末以前2年間におけるその会社の剰余金の平均配当金額（ただし、

138

その他資本剰余金を原資とする金額及び特別配当、記念配当等の名称による配当金額のうち、将来毎期継続することが予想できない金額を除きます。）の合計額の2分の1に相当する金額を、直前期末における発行済株式数（1株当たりの資本金の額が50円以外である場合には、直前期末における資本金額を50円で除して計算した数）で割って計算した金額とします。

また、配当優先株式があった場合には株式の種類ごとにその株式に係る配当金によって評価します。

配当について優先・劣後のある株式を発行している場合には、配当金の多寡は比準要素に影響するので、同じ会社の類似業種比準価額であっても、評価額は株式の種類ごとに異なることになります。

3 類似業種の利益と評価会社の利益を比較する

類似業種の1株当たりの年利益金額（C）は会計上の「税引前当期純利益の額」とされており、財産評価基本通達により国税庁から前年度平均の額が公表され、この数値は1年間同じです。

一方、評価会社の利益金額（c）は会計上の決算書の利益ではありません。法人税法上の申告所得、つまり法人税の課税所得をいい、それにかかる法人税、事業税、住民税を控除する前の金額です。なお、決算期間は1年間として計算します。

この評価会社の利益金額（c）には特別損失は考慮しますが、予想できない非経常的な利益（固定資産税売却益、保険差益等）は除きます。ただし、特別受益と特別損失のどちらもがある場合には、特別利益の金額から特別損失の金額を控除した金額で計算することになります。

また、評価会社の利益金額（c）は、直前期末期の申告所得と過去2期間の申告所得の平均値のうち、いずれか低い方を選択することができます。例えば、直前期末の申告所得が6,000万円で、直前前期の申告所得が4,000万円とします。すると、6,000万円と2期間の平均である5,000万円のいずれか低い方の5,000万円を選択することができるのです。

この会社全体の利益を発行済株式数で割って1株当たりの利益金額を算出します。類似業種と評価会社の利益の比較も1株当たりで行います。

例えば、類似業種の利益が１株当たり150円であったとします。これに対して評価会社では１株当たり300円の利益になるとした場合、300円を150円で割ってその数値をかけることになります。その結果、類似業種の株価よりも評価会社の株価は高くなります。

　具体的には、次の算式によって計算した額をいいます。

〈評価会社の１株当たりの利益金額〉

| 法人税の課税所得金額※１ | ＋ | 所得の計算上益金に不算入の利益の配当等の金額（所得税額に相当する金額を除く） | ＋ | 損金算入した繰越欠損金の控除額 | ÷ | ※２ １株当たりの資本金の額を50円とした場合における直前期末の発行済株式数 |

※１　固定資産売却益、保険差益等の非経常的な利益の金額は除きます。この場合は、非経常的な利益の金額は、非経常的な損失の金額を控除した金額（負数の場合はゼロ）とします。
※２　合計額が負数となる場合には、１株当たりの利益金額はゼロとします。

4　類似業種の簿価純資産価額と評価会社の簿価純資産価額を比較する

　類似業種の１株当たりの純資産価額（D）は会計上の「純資産の部」とされており、財産評価基本通達により国税庁から前年度平均の額が公表され、この数値は１年間同じです。

　一方、評価会社の簿価純資産価額（d）は会計上の決算書の資産の部の合計額ではありません。この場合の簿価純資産価額は決算書の貸借対照表から求めるのではなく、法人税法上の数値から求めます。その具体的な算出方法は、①資本金等の額と②法人税法上の利益積立金額と③自己株式に係る「取得資本金額」の合計金額です。

　①資本金等の額と③自己株式に係る「取得資本金額」は、税務上も、決算書に表示されている会計上の数値も、原則的には同じです。けれども、②法人税法上の利益積立金額は、会計上の用語にはなく法人税法上の用語であり、決算書上の利益剰余金とは異なっているのが一般的です。

　法人税法上の利益積立金額を求めるには、法人税申告書の別表５（１）（利益積立金額及び資本金等の額の計算に関する明細書）の「差引翌期首現在利益積立金額の差引合計額」と記載されている金額で算出します。

　この①②③の合計金額は会社全体の数値ですので、これを発行済株式総

数で割って１株当たりの簿価純資産価額を算出します。

具体的には、次の算式によって計算した額をいいます。

〈評価会社の１株当たりの純資産価額《帳簿価額によって計算した金額》〉

資本金 等の額	＋	法人税法に規 定する利益積 立金額※１	※２ ÷	１株当たりの資本金等の額 を50円とした場合における 直前期末の発行済株式数

※１　直前期の法人税の申告書別表５（１）「利益積立金額の計算に関する明細書」の翌期
　　　首現在利益積立金額の差引合計額をいいます（負数の場合は控除します。）。
※２　合計額が負数となる場合には、１株当たりの純資産価額はゼロとします。

　例えば、類似業種の簿価純資産価額が１株当たり100円であったとします。これに対して評価会社では１株当たり500円の簿価純資産価額になるとした場合、500円を100円で割って計算した金額が比較要素となります。その結果、類似業種の株価よりも評価会社の株価が高くなるのです。

5　類似業種比準価額の要素の発表時期

　その年の類似業種比準価額の要素は前年度分の数値を使うため、すぐには国税庁から発表されません。通常では６月頃に発表されることが多いようです。よって、１月～５月の間に自社株式の贈与や相続があった場合、類似業種比準価額の比準要素は昨年分しかわかっていません。また、類似業種の株価である〔A〕は前年平均を除き、毎月、数値が変わります。これらの数値を使って自社株式を評価した場合、後ほど発表された今年の要素を使って評価した額と異なることになります。

　もちろん相続税や贈与税の申告の際には、今年の類似業種比準価額の要素による株式評価額で申告しなければなりません。昨年分の要素で計算した評価額により、非上場株式を贈与した場合、贈与した日の評価額を後ほど計算したところ、大きく評価額が違った場合、思わぬ贈与税や相続税の増額に驚くこともあります。年の前半の取引相場のない株式の評価に際しては注意したいものです。

45 中会社(併用方式)はこう計算する

Question

中会社は類似業種比準方式と純資産価額方式との併用方式により評価するそうですが、この方式はどのようにして計算するのでしょうか。

POINT

① **中会社は類似業種方式と純資産方式の併用方式により評価する**
② **併用割合は、会社規模によって異なる**
③ **会社規模が大きいほど類似業種比準方式の割合が高くなる**

Answer

1 類似業種比準方式と純資産価額方式との併用方式
～中会社の株式の評価～

中会社は大会社と小会社の中間的な規模の会社なので、大会社の規模に近いものから、小会社の規模に近いものまで多種多様です。そこで、中会社の株式の評価は原則として大会社の株式を評価する場合の類似業種比準方式と小会社を評価する場合の純資産価額方式との併用方式によって評価します。

類似業種比準方式と純資産価額方式との併用方式とは、それぞれの方式により評価した価額をそれぞれ一定の割合(これを「Lの割合」といいます。)を加味して評価額を求める方式をいいます。

ただし、納税義務者の選択によって、算式中の類似業種比準価額に代えて評価会社の株式1株当たりの純資産価額(相続税評価額によって計算した金額)により計算したときは、その計算した金額によって評価することができます。

Ⅲ 取引相場のない株式の基本的な評価と特例評価

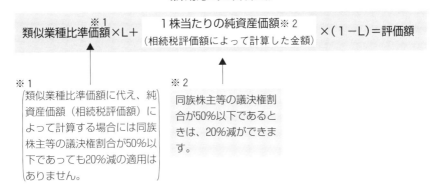

2 中会社は会社規模によってＬの割合が異なる

　中会社は、会社の規模によってさらに大・中・小に区分され、それぞれＬの割合が右のように異なります。

　総資産価額や従業員数が多いほど、取引金額（売上高）が大きいほど、つまり大会社に近いほど、Ｌの割合は高くなり類似業種比準価額の占める割合が大きくなり、

〈Ｌの割合〉

中会社	大	0.9
	中	0.75
	小	0.6

小会社に近いほど純資産価額の占める割合が大きくなります。

　利益はそれほどあがっていないのに、歴史が長く、昔から所有している資産が値上がりしているような会社は、会社規模が大きいので、Ｌの割合が高くなり、結果として自社株式の評価は下がることになります。

　会社の規模区分によって自社株式の評価額は大きく異なるのですから、会社の規模区分には常に注意を払っておく必要があります。

143

46 純資産価額方式はこう計算する

Question

小会社は上場会社とは形態が大きく異なるため、資産価額を基準とした純資産価額方式で評価するそうですが、この方式はどのようにして計算するのでしょうか。

POINT

① 資産・負債は相続税評価額におきかえて計算する
② 評価益に係る法人税等相当額（37%）を控除して計算する
③ 納税者の選択により併用方式で評価することもできる

Answer

1 純資産価額の計算方法

　小会社は、一般的には個人事業と変わらない規模であり、株主構成は特定の同族で占められているケースがほとんどです。このような小会社の株式の評価方法は、その実態に着目し、原則として純資産価額方式によって評価します。純資産価額方式とは、その会社が持っている資産価額から株式の評価額を判定する方法です。この場合の資産価額は帳簿価額ではありません。資産はすべて（負債も含めて）そのときの相続税評価額で評価しなければなりません。なお、これらの評価方法は、相続税や贈与税のための財産評価基本通達によります。具体的には、次ページの計算式で算出します。この場合、含み益の大きい資産を所有している場合、思いがけず高い株価になるおそれがあります。

　ただし、小会社の株式の評価についても、納税義務者の選択によって、純資産価額方式に代えて、Lの割合を0.5としてQ45の類似業種比準方式と純資産価額方式との併用方式により計算したときは、その計算した金額によって評価することができます。この場合の類似業種比準価額のしんしゃく率は0.5となります。

Ⅲ 取引相場のない株式の基本的な評価と特例評価

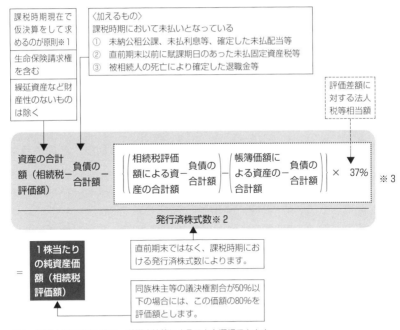

※1 課税上弊害がない限り、前期末決算によることを選択できます。
※2 分母となる『発行済株式総数』は（資本金額÷50円）で計算しない実際の発行株式数によりますので、注意してください。
※3 いずれも金庫株を除く。

2 評価益に対する税金

　純資産価額の評価を計算する場合には、相続税評価額と帳簿価額との差額、つまり資産の含み益に対してかかる税金を負債として計上し、資産から控除することになっています。この税金のことを「評価差額に対する法人税等に相当する金額」といいます。この税率は、会社にかかる法人税と住民税の税率の合計で37％とされています。

　純資産額を図示すると、次のようになります。

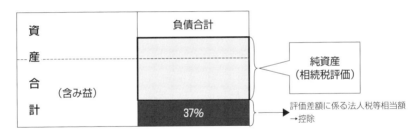

47 ３年以内に取得した不動産は通常の取引価額により評価

Question

相続や贈与のあった日から３年以内なら、会社が土地や家屋等を取得した場合でも株価を引き下げる効果はないと聞きましたが、どのような仕組みになっているのでしょうか。

POINT

① **不動産を新規取得すれば一般的に株価が下がることが多い**

② **課税時期３年以内の新規取得の場合には取引価額で評価する**

③ **弊害がない限り減価償却を行った帳簿価額で評価できる**

Answer

1 土地、家屋等の新規取得は株価引下げの効果大！

国税庁の定める「財産評価基本通達」によると、相続や贈与の時に税金の対象となる評価額は、土地の場合には通常の取引価額（時価）ではなく、路線価方式及び倍率方式により評価した額となります。この路線価方式等で評価した価額は、一般的に公示価格（国の鑑定した取引価格）の約80％程度と考えていただければよいと思います（一般的な目安ですから、専門家に確認してください。）。

建物の評価額も通常の取引価額（時価）でなく、固定資産税評価額によることができます。この場合でも、新築の場合、建築金額の約50％～60％程度となることが多いようです（土地と同様、専門家に確認してください。）。

その他に、①貸宅地、②貸家建付地、③私道等については、さらに評価の引下げができます。現金であれば、その金額がそのまま評価されますが、不動産であれば、通常の取引価額より低く評価されることもありますので、相続や贈与の際に有利となることが多いようです。

取引相場のない株式（非上場株式）を純資産価額で評価する際の財産の評

146

価についても、前述の個人の財産評価方法と同じです。よって、現預金で取得するにしろ借入金で建設するにしろ、土地・家屋等を新規に取得すれば、取引相場のない株式の純資産価額が大きく下がるケースが多いようです。

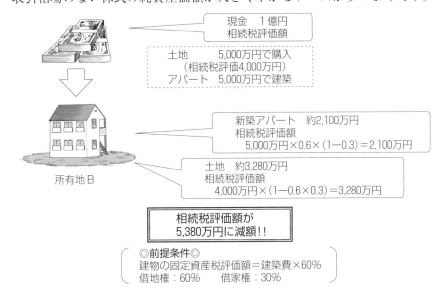

2　課税時期3年以内の取得不動産は通常の取引価額で

　ところが、取引相場のない株式を評価するにあたって「1株当たりの純資産価額（相続税評価額によって計算した金額）」を計算する場合において、その会社が課税時期前3年以内に取得または新築した土地等または家屋等を有するときは、当該土地等または家屋等の価額については、課税時期における通常の取引価額により評価しなければなりません。

　なぜなら、本来の適切な価額（時価）による株式評価を行うためには、その会社の保有する資産は通常の取引価額により評価すべきだとして、課税時期の直近（3年以内）に取得等をした土地等、家屋等については比較的、通常の取引価額（時価）が明確であるということで、このような規定が設けられたのです。この規定があるため、取得してから3年間は原則として、1で述べたような節税メリットは発揮されません。

　なお、課税上弊害がない限り、土地等は取得価額で建物等は通常の減価償却を行った帳簿価額で評価してもよいこととされています。

48 取引相場のない株式や現物出資株式等がある場合の評価

Question

今ではさまざまな規制がかかり効果が薄くなった自社株式の現物出資ですが、自社株式の評価益についてはどのように取り扱われているのでしょうか。

POINT

① 取引相場のない株式の評価益に対しては、法人税等は控除されない

② 「現物出資受入差額」についても法人税等は控除されない

③ 評価益の37％控除は一度しかできない

Answer

1 取引相場のない他社株式の評価益について、法人税等は控除不可

例えば、A社の株式を評価しようとするとき、A社の資産の中にB社株式があるとすると、まず、B社株式の評価をしなければなりません。B社株式の評価にあたって純資産価額で評価するとした場合、「評価差額に対する法人税等相当額（37％）の控除」はできないとされています。この取扱いの内容について、もう少し詳しくまとめます。

（1） 所有株式が「取引相場のない株式」である場合に限り対象になり、上場会社、店頭登録銘柄にはこの法人税等の控除不可の規制はありません。

（2） 取引相場のない株式を純資産価額で評価する場合についての適用であり、類似業種比準価額や配当還元価額で評価する場合にはこのような規制はありません。

（3） 対象は、株式だけでなく出資金、転換社債についても適用されます。

2 現物出資により受け入れた株式の評価

個人が持っている資産を現物出資した会社の株式を評価する場合には

「評価差額に対する法人税等相当額の控除」ができますので、取引相場のない株式を時価により低額で現物出資した場合、その会社の株式評価において、この控除ができると、低額による現物出資をした取引相場のない株式の含み益についても37％控除されますので、非常に株式評価が低くなることになります。

そこで、そのような有利性を排除するために、現物出資した株式の含み益については「評価差額に対する法人税等相当額の控除」が認められないことになっています。このように、現物出資する時点で相続税評価額よりも受入価額を低くして意図的に作った含み益（「現物出資受入差額」といいます。）については「評価差額に対する法人税等相当額の控除」は認められません。ただし、現物出資した後に時価が上昇して生じた含み益については、その後の企業成長により発生したものとして、この控除が認められています。

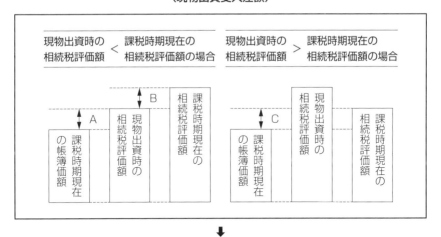

〈現物出資受入差額〉

「A」又は「C」が「現物出資受入差額」になり、「評価差額に対する法人税等相当額の控除」はされません。

このように、株式の現物出資等をした場合の取引相場のない株式の評価方法については、評価益に対する37％控除は１回しか適用できないことにご留意ください。

49 配当還元価額の計算方法とそれにより評価できる株主

Question

配当を基準に評価すると安い評価額になることが多いそうですが、どのような人がその対象者となり、またどのように計算するのでしょうか。

POINT

① 支配権を有していない少数株主は配当還元方式で評価する

② 株主が得る配当から株式を評価する方法である

③ 配当還元価額は2年間配当の平均で計算する

Answer

1 株主には2種類ある

株主の区分はたった2つです。1つは、会社の支配的な株主で所有株数の多い人をいい、一般的に「支配株主」と呼びます。

もう1つはこの反対で、会社の経営には直接タッチしない、所有株数の少ない零細株主をいい、一般的に「少数株主」と呼びます。

なお、財産評価基本通達では、支配株主については「原則的評価方法」により評価し、少数株主については「特例的評価方法」つまり配当還元価額によって評価します。

2 配当還元価額の計算方法

財産評価基本通達による配当還元方式には、次のような特徴があります。

① 年配当金額は直前2年間の実績数値の平均によっている

② 分母の利子率は10%に固定されている

具体的には、配当還元価額は次の算式で計算します。

Ⅲ 取引相場のない株式の基本的な評価と特例評価

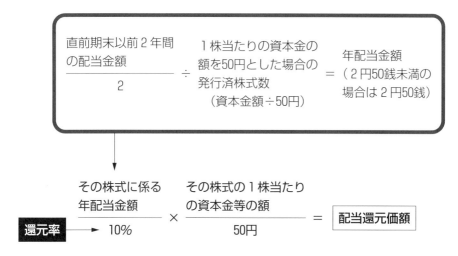

　配当金額は「継続的なもの」のみで計算しますので、資本剰余金を原資とする金額及び特別配当や記念配当などの臨時的な配当は含みません。これらの特別配当を上手に行うことが、配当をしながらも自社株式の評価を高めないことになるのです。どのように配当するか、よく検討してみましょう。

　配当について優先・劣後の株式を発行している会社の株式の配当還元価額を評価する場合には、実際の配当の多寡によって評価することになりますので、評価額が異なることになります。

　また、少数株主の持っている株式だからといっても議決権制限株式でない限り、1株当たり同じ支配権を持っていることになります。経営権の確保に問題が生じることのないように、配当還元方式で評価できる少数株主については、事前に対処方法を考えておく必要があるでしょう。

　会社法の施行により、種類株式の活用等も踏まえ、定款等でしっかり対策を考えてみてください。

50 株式や土地が一定割合を占めると特定の評価になる

Question

　株式や土地の保有割合が一定以上を占めると、小会社でなくとも純資産価額で評価しなければならないそうですが、どのような場合に「株式保有特定会社」又は「土地保有会社」に該当するのでしょうか。

POINT

① 株式保有割合が50%以上の会社は株式保有特定会社となる
② 大きく変動したケースでは合理的な理由が必要とされる
③ 純資産価額または簡易評価方式（Ｓ１＋Ｓ２）を選択する

Answer

1　株式保有特定会社とはどのような会社？

　株式保有特定会社とは、資産の大部分が株式等である会社をいいます。グループ内の各社の株式を所有することを目的としたホールディングカンパニーや自社株式の相続税対策を目的とした会社などが該当します。これらは通常の会社とは業務形態が異なるとして、原則的な評価はせず、特定の評価会社として株式の評価を行います。

　株式保有特定会社の判定基準は会社の規模に関係なく、株式等の価額の割合が「50％以上」となっています。

　また、租税回避行為を防止するため、この株式保有特定会社の判定基準において、株式等に「新株予約権付社債」が加えられています。

株式等の価額（自己株式の価額に該当する部分を除く）（財産評価基本通達により計算した価額）
── ≧50%
総資産価額（自己株式の価額に該当する部分を除く）（財産評価基本通達により計算した価額）

2 「株式保有特定会社」の評価方法

　株式保有特定会社の株式は、原則として純資産価額方式により評価します。ただし、納税義務者の選択により、簡易評価（「S1＋S2」）方式によることもできます。

　この「S1＋S2」方式を簡単に説明しますと、株式だけは必ず純資産価額方式で、その他の資産と負債についてはその会社の定められた評価方式でそれぞれ評価して、両者を合算する方式です。その計算は1株当たりで計算します。以下の図で説明します。

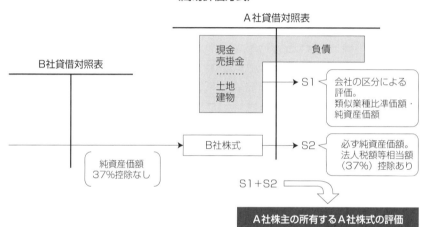

〈簡易評価方式〉

　A社の株式を「S1＋S2」方式で評価するとします。まず、A社が所有しているB社株式以外の資産と負債で、A社株式を評価します。この場合の評価方法は、A社の会社区分によります。このように、A社の本来の評価方法で評価した評価額をS1と呼びます。次にA社が所有しているB社株式の評価です。評価は必ず純資産価額方式で行い、これがS2の金額となります。これをA社の発行済株式数で割って1株当たりのS2の金額にします。最後に、S1とS2を合計します。これがA社の株式を「S1＋S2」方式で評価した金額です。この金額と、通常の純資産価額で評価した金額とのうち、いずれか低い金額がA社株式の評価額です。

　つまり、評価会社の資産の過半数が株式である場合には、その評価会社の株式は個人所有と同様、純資産価額で評価しなければならないのです。

3 土地保有特定会社はどのように評価する？

　「土地保有特定会社」とは、資産の大部分が土地等である会社をいいます。不動産会社で販売用の土地を所有するような会社、不動産賃貸会社で賃貸用の土地を多く持つような会社、そして節税目的でつくられた資産のほとんどが土地である会社などが該当します。具体的には、会社の規模に応じて「土地保有特定会社の判定要件」の表に基づいて判定されます。

	土地保有特定会社の判定要件
大会社	$\dfrac{\text{土地等の価額（財産評価基本通達により計算した価額）}}{\text{総資産価額（自己株式の価額に該当する部分を除く）（財産評価基本通達により計算した価額）}} \geqq 70\%$
中会社	$\dfrac{\text{土地等の価額（財産評価基本通達により計算した価額）}}{\text{総資産価額（自己株式の価額に該当する部分を除く）（財産評価基本通達により計算した価額）}} \geqq 90\%$
小会社	①総資産価額基準のみで判定した場合には会社区分が大会社となる小会社 総資産価額 ─ 卸売業……………20億円以上 ／ 小売・サービス業……15億円以上 ／ その他の業種…………15億円以上 $\dfrac{\text{土地等の価額（財産評価基本通達により計算した価額）}}{\text{総資産価額（自己株式の価額に該当する部分を除く）（財産評価基本通達により計算した価額）}} \geqq 70\%$ ②総資産価額基準のみで判定した場合には会社区分が中会社となる小会社 総資産価額 ─ 卸売業 ………………7,000万円以上　20億円未満 ／ 小売・サービス業 …4,000万円以上　15億円未満 ／ その他の業種 ………5,000万円以上　15億円未満 $\dfrac{\text{土地等の価額（財産評価基本通達により計算した価額）}}{\text{総資産価額（自己株式の価額に該当する部分を除く）（財産評価基本通達により計算した価額）}} \geqq 90\%$ ③上記①及び②に該当しない小会社（総資産価額基準、従業員基準及び年取引金額基準のいずれで判定しても小会社となる場合） 土地保有特定会社の判定は不要（常に、土地保有特定会社には否該当）

（注）　大会社・中会社・小会社とは、取引相場のない株式の評価上の区分に定めるそれぞれ当該会社をいいます。

Ⅲ 取引相場のない株式の基本的な評価と特例評価

4　判定に際して、特に留意すべき点

　土地保有特定会社に該当するかどうかを判定する場合において、課税時期前に、きちんとした合理的な理由もなくその会社の資産構成が大きく変動し、その変動が、「土地保有特定会社に該当する評価会社と判定されないようにするためのもの」であるとされたときは、その変動はなかったものとされますのでご注意ください。

5　「土地保有特定会社」の評価方法

　このような資産の保有状況にある「土地保有特定会社」の株式評価は、一般の会社に適用される類似業種比準価額により計算するのではなく、その会社が所有する資産の価値に着目した純資産価額方式により評価することとされています。

　よって、類似業種比準価額の方が低い場合には、いろいろな投資をすることにより土地の保有割合を下げて、類似業種比準価額を加味して評価できるようにするとよいでしょう。

〈土地保有特定会社の株式〉

原則的評価	同族株主等の保有議決権割合が50%超	純資産価額
	同族株主等の保有議決権割合が50%以下	純資産価額×80%
特例的評価		次に掲げる①または②のうちいずれか低い金額 ①配当還元価額 ②上記の原則的評価によった場合の評価額

155

51 開業後3年未満や配当・利益のない会社の評価

Question

　開業後3年未満の会社や、配当をせず利益も上げていない会社については通常の評価はできないそうですが、どのように評価すればよいのでしょうか。

POINT

① 開業後3年未満の会社は純資産価額でしか評価できない

② 比準要素数1の会社は併用方式でしか評価できない

③ 類似業種比準方式を採用するためには3期連続ゼロにしない

Answer

1　開業後3年未満の会社は純資産価額で評価

　優良資産を所有している会社の株式については、純資産価額と比べると、類似業種比準価額による評価額の方が低いことが多いという点については、今まで説明してきたとおりです。そこで、節税対策のために資産を現物出資して、急いで会社をつくったとしても無駄です。

　なぜならこのような「開業後3年未満の会社」は、財産評価基本通達により純資産価額方式で評価しなければならないからです。開業後3年未満かどうかの判定は相続や贈与のあった日で行います。

　次ページの表でこれらに該当する会社についてまとめておきます。

2　「比準要素数ゼロの会社」は純資産価額で評価

　類似業種比準価額は、類似業種の株価から配当、利益、純資産価額という3要素を使って比較し、評価会社の株価を求める方法です（Q42参照）。3つの比準要素のすべてがゼロである会社は全く未活動であるとして「比準要素数ゼロの会社」とし、純資産価額により評価します。

Ⅲ 取引相場のない株式の基本的な評価と特例評価

〈開業後3年未満の会社等、開業前、休業中〉

種　類	内　　　容	
開業後3年未満の会社等	課税時期において、開業後3年未満の会社	
	類似業種比準価額の計算の基となる次の①～③のそれぞれの金額がいずれも0である会社（比準要素数0の会社） 　①1株当たりの配当金額 　②1株当たりの利益金額 　③1株当たりの純資産価額	
開業前または休業中の会社	開業前の会社	その会社が目的とする事業活動を開始する前の場合
	休業中の会社	課税時期において相当長期間にわたって休業中である会社
清算中の会社	課税時期において、清算手続に入っている会社	

3　「比準要素数1の会社」は併用方式で評価

　類似業種比準方式の比重は3つの要素を1：1：1の割合で平均化しますから、算式では分母に3という数値が使われています。よって、分子の項目の1つまたは2つがゼロである場合、3分の1または3分の2がゼロになりますので、結果として類似業種比準価額は非常に低くなります。

　そこで、利益がない、配当がない、薄価純資産価額がない「比準要素ゼロの会社」の株式の価額は原則として、純資産価額で評価することとされています。また、2要素がゼロの状態が2期続く次表のような会社は「比準要素数1の会社」とされ、会社の規模にかかわらず、類似業種比準方式の適用割合（Ｌの割合）を一律0.25として評価することとされています。

　「比準要素数ゼロの会社」と違い、「比準要素1の会社」は類似業種比準価額も加味されるのですが、純資産価額の高い会社にとってはやはり一気に評価が上がることになり大問題です。資産があれば「比準要素ゼロの会社」に該当することはないのですが、「比準要素1の会社」とならぬように注意したいものです。

157

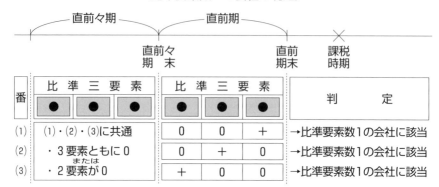

(〈参考〉笹岡宏保著「財産評価の実務」清文社)

4　配当がゼロの注意点

　配当がゼロといっても、実はその期だけの配当に関することではなく、2期間の平均の話なのです。したがって、直前期の配当がゼロになるには、直前期の配当もゼロ、直前々期の配当もゼロでなければなりません。同様に、直前々期の配当がゼロというのは、直前々期の配当と、さらに、そのもうひとつ前の期の配当もゼロでなければなりません。つまり、過去3期間の配当がすべてゼロのときに、はじめて配当が2期間ともゼロになります。

5　利益がゼロの注意点

　配当と異なり、利益については2期間の平均利益か、その期の利益をとるかを選択できます。すなわち類似業種比準価額との併用方式が採用されるかどうかの判定では、なるべく黒字になるように選択すればよいのです。3期連続赤字の場合には無理ですが、3年前が黒字で直前々期の赤字よりも利益が大きかった場合には、平均を選択すれば直前々期の利益はゼロとなりませんので、類似業種比準価額との併用方式を選択できるのです。

6　自社株式の評価も考慮して、利益・配当政策を

　このように、いくら資産や売上げが大きかったとしても、連続して配当

しなかったり赤字が続いているときに相続が発生すると、大会社であっても純資産価額が75％も加味される等、思いもよらない自社株式の評価額になり大変な額の相続税になることもあります。そんなことにならないように、利益、配当についてはいつも留意し、「2要素が3期連続ゼロ」が続かないようにしておくことが必要でしょう。

〈開業後3年未満又は2要素が3期連続ゼロの会社等の株式の評価〉

原則的評価	(1) 下記(2)以外の場合	同族株主等の保有議決権割合が50％超	純資産価額（相続税評価額によって計算した金額　以下同じ。）
		同族株主等の保有議決権割合が50％以下	純資産価額×80％
	(2) 併用方式による場合	同族株主等の保有議決権割合が50％超	類似業種比準価額×25％＋純資産価額×（1−25％）
		同族株主等の保有議決権割合が50％以下	類似業種比準価額×25％＋純資産価額×80％×（1−25％）
特例的評価			次に掲げる①または②のうちいずれか低い金額 　①配当還元価額 　②上記の原則的評価方法によった 　　場合の評価額

52 種類株式の相続税評価額の計算方法

Question

会社法の下、さまざまに活用できる種類株式を、上手に事業承継に役立てたいと思っています。評価や取扱いはどのようになっているのでしょうか。

POINT

① 配当の優先・劣後につき類似業種比準価額は異なる

② 無議決権株式の評価は選択により減額することもできる

③ 社債類似株式は配当加算せず発行価額により評価する

④ 拒否権付株式は普通株式と同様に評価する

Answer

1 種類株式の3類型につき評価が明確にされた

事業承継に活用されると思われる下記の3類型の種類株式について、相続等（相続、遺贈又は贈与をいう。以下同じ。）により同族株主（いわゆる原則的評価方式が適用される同族株主等をいう。以下同じ。）が取得した場合には、その評価方法について、次のように取り扱われています。

第一類型 　配当優先 　無議決権株式	普通株式と同様に評価 ただし、議決権がない点を考慮し、納税者の選択により、5％評価減し、その評価減した分を議決権株式の評価額に加算する評価方法を導入（注）
第二類型 　社債類似株式	発行価額と配当に基づき評価
第三類型 　拒否権付株式	普通株式と同様に評価

（注）　・同族株主が相続により取得した株式に限る
　　　　・当該株式を取得した同族株主全員の同意が条件
　　　　・相続税に限り適用

（参考：中小企業庁　平成19年度税制改正資料）

Ⅲ 取引相場のない株式の基本的な評価と特例評価

2 配当優先の無議決権株式の評価

(1) 配当優先株式の評価

　同族株主が相続等により取得した配当（資本金等の額の減少によるものを除く）優先株式の評価は次のようになっています。

① 類似業種比準方式による評価

　配当について優先・劣後のある株式の評価にあたっては、株式の種類ごとにその株式に係る実際の配当金によって評価します。よって、配当優先により配当金額が多ければ、普通株式より評価が高くなります。

② 純資産価額方式による評価

　配当優先の有無に関係なく、普通株式と同様、財産評価基本通達の純資産額の定めにより評価します。

《設　例》類似業種比準方式の計算例

```
①  発行済株式数                  61,000株
    内  配当優先株式              21,000株（自己株式数1,000株）
        普通株式（配当劣後株式）  40,000株（自己株式数0株）
②  資本金等の額                  30,000千円
③  1株当たりの資本金等の額       500円（30,000千円÷60,000株）
④  1株当たりの資本金等の額を50円とした場合の発行済株式数
                                 600,000株（30,000千円÷50円）
⑤  年配当金額
    直前期      配当優先株式      1,000千円
                普通株式          1,800千円
    直前々期    配当優先株式      1,000千円
                普通株式          1,800千円
⑥  年利益金額                    24,000千円
⑦  利益積立金額                  60,000千円
⑧  類似業種比準株価等

        A ＝ 488円（類似業種の株価）
        B ＝ 4.4円（1株当たりの年配当金額）
        C ＝  31円（1株当たりの年利益金額）
        D ＝ 285円（1株当たりの純資産価額）
```

161

【計 算】
1 1株当たりの年配当金額の計算
  (1) 配当優先株式
     (1,000千円＋1,000千円)÷2÷(600,000株×20,000株÷60,000株)
     ＝5円00銭
  (2) 普通株式
     (1,800千円＋1,800千円)÷2÷(600,000株×40,000株÷60,000株)
     ＝4円50銭
2 1株当たりの年利益金額の計算
   24,000千円÷600,000株＝40円
3 1株当たりの純資産価額の計算
   (30,000千円＋60,000千円)÷600,000株＝150円
4 類似業種比準価額の計算
  (1) 配当優先株式
     イ 1株（50円）当たりの比準価額

$$488円×\frac{\frac{5.0}{4.4}+\frac{40}{31}+\frac{150}{285}}{3}×0.7（注）≒336.24円 （10銭未満切捨て）$$

     ロ 1株当たりの比準価額
        336.24円×500円÷50円＝3,362円
  (2) 普通株式
     イ 1株（50円）当たりの比準価額

$$488円×\frac{\frac{4.5}{4.4}+\frac{40}{31}+\frac{150}{285}}{3}×0.7（注）≒323.30円 （10銭未満切捨て）$$

     ロ 1株当たりの比準価額
        323.30円×500円÷50円＝3,233円
     （注）大会社であるものとした。

（国税庁ホームページ資料改変）

Ⅲ 取引相場のない株式の基本的な評価と特例評価

(2) 無議決権株式の評価

　同族株主が無議決権株式を相続等により取得した場合には、原則として、議決権の有無を考慮せずに評価します。しかし、納税者の選択により次の①～③すべての条件を満たす場合に限り、原則的評価額から5％の評価減をするとともに、株式の相続税評価額の合計額が変わらないように、この5％の評価減をした金額を他の同族株主が取得した議決権のある株式の価額に加算して申告することを選択することができます。

① 相続税の申告期限までに遺産分割協議が確定していること
② 同族株式を取得したすべての同族株主がこの特例評価を選択して申告することに同意した届出書が、申告期限までに所轄税務署長に提出されていること
③ 「取引相場のない株式の評価明細書」に評価額の算定根拠を記載し、添付していること

《設　例》調整計算の計算例

---

① 評価する会社の株式の通常の（「調整計算」を適用しない場合の）評価額
　　　普通株式（議決権のある株式）　　　3,500円
　　　配当優先の無議決権株式　　　　　　3,600円
② 発行済株式数　　　　　　　　　　　60,000株（被相続人所有）
　内　普通株式（議決権のある株式）　20,000株
　　　配当優先の無議決権株式　　　　40,000株
　（注）　自己株式はないものとする。
③ 上記株式の相続の状況
　　長男Aが普通株式20,000株を相続、次男B、三男Cが配当優先の無議決権株式をそれぞれ20,000株ずつ相続。

【計　算】
1 配当優先の無議決権株式の評価額（単価）
　　3,600円×0.95＝3,420円
2 議決権のある株式への加算額
　　3,600円×40,000株×0.05＝7,200,000円
3 議決権のある株式の評価額（単価）
　　（3,500円×20,000株＋7,200,000円）÷20,000株＝3,860円

（平成19年3月9日　国税庁情報より）

(3) 実務上の留意事項

　この特例の適用については、議決権のある株式を取得した者が相続税の増加を容認することができるかどうかがポイントです。財産が増えるわけでもないのに、余分な相続税額を負担することになるのですから、後継者にとっては歓迎できることではありません。

　しかし、経営に参加できず配当しか期待できない非後継者たちにとっては、多少とも納得できる評価であり、相続税対策というよりは財産分けに活用できるのではないでしょうか。納税者ごとに有利不利が異なるので、むずかしい判断が必要です。もっとも、非上場株式等についての納税猶予制度（特例措置を含む）を適用することを検討している場合には、議決権制限のある株式は適用対象とはなりません。

3　社債類似株式の評価の取扱い

(1) 評価の方法

　次の条件を満たす株式（社債類似株式）については、その経済的実積が社債に類似していますので、利付公社債の評価に準じて、発行価額により評価します。ただし、株式ですから、既経過利息に相当する配当金の加算は行いません。

①　配当金については優先して分配する。ある事業年度の配当金が優先配当金に達しないときは、その不足額は翌事業年度以降に累積することとし、優先配当金を超えて配当しない（累積非参加型配当優先株式）。

②　残余財産の分配については、発行価額を超えて分配をしない（残余財産分配確定株式）。

③　一定期日において、発行会社は本件株式の全部を発行価額で償還する（取得条項付株式）。

④　すべての議決権を有しない（完全無議決株式）。

⑤　他の株式を対価とする取得請求権を有しない。

(2) 実務上の留意点

この社債類似種類株式の場合には、2の配当優先の無議決権種類株式とは異なり、類似業種比準価額の場合には後継者の相続する他の普通株式の評価額は上がりません。また、非後継者が保有するこの種類株式は社債類似株式として低い評価とされますので、相続税評価額は大きく下がることになります。ただし、条件にあるように期限を定めて発行会社が発行価額で買い取ることになりますので、買取資金を準備しておかなければならないことに留意する必要があります。

4 拒否権付株式（第三類型）の評価の取扱い

(1) 評価の方法

拒否権付株式（会社法第108条第1項第8号に掲げる株式）については、拒否権を考慮せずに普通株式と同様に評価します。

(2) 実務上の留意点

現経営者が、事業承継後の経営安定のため、一定期間は後継者の独断専行経営を防げる形にしておきたい場合、拒否権付株式を発行・保有し、後継者への権限委譲後、一定期間は保有しておくことが考えられます。

もともと少数株主の意見を反映するための種類株式ですから、同族の過半数を有している株主には必要ないものです。普通株式を評価の下がったときに、相続時精算課税制度で後継者に生前に一括贈与する、あるいは第三者に株式を売買し経営を任せる等といった対策と組み合わせると、経営権をある程度確保できる方法となります。

また、拒否権付株式を発行している場合には、後継者以外の者がその拒否権付株式を有している場合には、非上場株式の納税猶予制度（特例措置を含む）の適用を受けることはできません。

165

IV

上手な自社株式対策を
考えて実行しよう

53 株式対策はまず、贈与することから

Question

自社株式対策には完璧な方法などないと聞いていますが、堅実に実行でき、確実に効果がある方法とは何なのでしょうか。

POINT

① 贈与はどんな会社でも、どんな状況でも、必ず実行できる
② 贈与の効果は薄いといっても続ければ効果はある
③ 贈与を毎年繰り返せば少しずつでも確実に自社株式は移動する
④ むやみに複数の相手に分散すると、後で困ることになることも？

Answer

1 どこまで贈与するかはむずかしい

　贈与といえば基礎控除額（110万円）の範囲内と考えていらっしゃる方が多いのですが、別に基礎控除額を超えて贈与したってかまいません。ただし、その場合には贈与税がかかってきますので、その税金を払ってでも贈与するかどうかです。その判断は、その贈与税額が将来発生するであろう相続税額よりも安いかどうかによります。

　では、どのくらいの金額までなら贈与税の方が安いのか、考えてみましょう。それは、その人の財産の大きさや法定相続人の数等によって異なります。ただし、相続まで財産を移転するのを持ち越すのは、仮に相続税の方が安いとしても家族に負担を残すことになり、気がかりになる人もおられるでしょう。その意味では、贈与税が少しばかり高くついても、生前に問題を解決してしまう方が安心だともいえます。

　これをどう考え、どう判断するかは人それぞれの考え方で、どちらがよいともいえませんが、贈与すべきかどうかを決定するときのターニングポイントといえるでしょう。

168

IV 上手な自社株式対策を考えて実行しよう

2 必ず自社株式の評価をしてから贈与する

株価の計算方法については第Ⅲ章ですでに述べてきましたので、ぜひ第Ⅲ章を参照して株価を計算してください。株式の移転対策として贈与をするときは、株式の評価をしっかり行ったうえで、どれくらいの贈与税を払うのかよく検討しなければなりません。また、株式を評価する際は、「贈与があった後」の状態において、同族株主に該当するかどうかを判断されますので、ご注意ください。

3 特例納税猶予適用か否か十分検討してから実行する

特例納税猶予の適用を受ければ、総株主等議決権数の全株式等について、贈与税については全額が、その後の相続税についても全額が納税猶予されます。精算課税制度と併用して選択できますので、非上場株式等を贈与する場合は特例納税猶予の適用を受けることができるかを必ず検討してください。

4 贈与はいつすれば有利なのか

贈与する場合、いつ贈与するか、そのタイミングを決めることが重要です。というのは、贈与の日は随時選択できますが、その日によって株式の評価額が異なるからです。一般に、会社は年に1回決算を迎えます。自社株式を後継者に贈与するのに次の決算期までに贈与するのがよいか、それとも決算期を経過してから贈与するのがよいか、よく検討してください。

決算期までに株式を贈与すると、前年の決算数値を基準に株式の評価額を算定しますが、決算期後に贈与すると、株式の評価額を算定するときに基準となる数値がその期の決算数値になるからです。すなわち、類似業種比準価額の基準にする数値は、前期と当期のどちらが有利になるか、しっかりと検討してから贈与するようにしてください。

5 贈与の手続

具体的な自社株式の贈与の手続について説明します。

この手続を確実にしておかないと贈与自体が利害関係者や課税当局から

169

否認されることもあり、あとで困ってしまうことになります。

① 贈与契約書を署名捺印の上 2 通作成し、贈与した者と贈与を受けた者がそれぞれ 1 通ずつ保管します。

② 譲渡制限のある株式の場合には、贈与についても会社（株主総会または取締役会等）の譲渡承認が必要です。贈与する人あるいは贈与された人が会社に対して譲渡承認の申請をします。

　　ただし、定款に定めれば、代表取締役の承認でよい等、承認を簡単にできる方法もありますので、一度確認されるとよいでしょう（下記参照）。

【参考】株式の譲渡承認申請書及び承認通知書

株式の譲渡承認申請書

株式会社○○○○

　　　　　　　　　　　　　　　　　　令和　　年　月　日

代表取締役○○○○　殿

　　　　　　　　　　　株主　　住所

　　　　　　　　　　　　　　　氏名（または名称）　　　　　　　㊞

　　貴社株式を下記のとおり譲渡したいので、会社法第136条により申請いたします。

　　　　　　　　　　　　　　　記

1．譲渡しようとする株式の種類及び数

　　　　　　　　　　　　　　　　　　　　株

2．譲渡しようとする相手方

　　　　　住所

　　　　　氏名（または名称）

　　上記株式は、当社取締役会において、貴殿のお申出のとおり承認されましたから通知いたします。

　　　　　　　　　　　　　　　　　　令和　　年　月　日

株主○○○○　殿

　　　　　　　　　　　　　　　株式会社○○○○

　　　　　　　　　　　　　　　代表取締役○○○○㊞

Ⅳ 上手な自社株式対策を考えて実行しよう

③ 株主から譲渡承認申請書が提出されたら、原則として、取締役会設置
会社は取締役会を、取締役会非設置会社は株主総会を開催してその承認
をします。そして、それを議事録として残します。定款等に「代表取締
役の承認でよい等」別の定めがあれば、それに従ってください。

【参考】取締役会議事録

取締役会議事録

日時　○年○月○日

場所　○○○○

　　　　　　　取締役総数　　　○　名

　　　　　　　出席取締役　　　○　名

上記のとおり出席があったので、代表取締役○○○○は定款の規定により議長

となり、定刻開会を宣し、議事に入った。

　　　　第○号議案　株式譲渡承認に関する件

議長は、今回株主○○○○より下記のとおり当会社の株式につき譲渡承認の請

求があった旨述べ、更に当会社の株式を譲渡するには取締役会の承認を要する

旨の定款第○条の規定を説明した後、この承認につき一同に意見を求めたとこ

ろ全員異議なくこれを承認し、直ちに株式譲渡承認書を交付することに決定し

た。

6　贈与税が少なくなるといっても、多数の人に贈与すると問題が生じる

　贈与税対策の基本は、贈与する相手を多くし、少額を贈与することだと
いわれていますが、自社株式については、この原則は当てはまりません。
なぜなら、株式がどんどん分散していくと会社の経営に関与しない人まで
もが株主となってしまい、事業承継者の意思決定に対して何かと異議を唱
えられることも考えられるからです。

　相続税の納税に困ったり、資金が必要なときに承継者に対し買取り請求
を起こしてくる事例もよく見受けられます。相続税対策だからといって、
むやみに多数の親族や部外者に贈与するのは避けましょう。

171

54 「配当還元価額」で贈与する方法

Question

　事業承継に備え、自分の所有株式をなるべく低い価額で贈与したいのですが、誰に、どのくらい、どのように贈与すればよいのでしょうか。

POINT

① 同族株主以外の少数株主は特例的評価方法により評価する
② 同族株主以外の人は配当還元による低い評価で相続・贈与ができる
③ 配当還元方式は2年間の平均配当により10%を基準として評価する

Answer

1　配当還元方式で評価できる株主への自社株式の移転

　一般的に同族関係者の所有している株式は「原則的な評価方法」として、類似業種比準方式、純資産価額方式と、これらの併用方式によって評価されます。

　これ以外に、経営支配権を持たない少数株主は、特例的評価方式として「配当還元方式」により評価されます。この「配当還元方式」は「原則的評価方式」に比べて、その評価による株価が低い場合が多いので、配当還元方式で評価できるような形で株式を贈与することができれば、相続税対策として有効な手段となります。そのポイントは、以下の①～⑤の条件をすべて満たす人への贈与になります。

① 筆頭株主グループの議決権割合が30%以上であること
② 一の筆頭株主グループの中に25%以上の持株割合のグループがあること
③ 贈与を受けた者が次の「2」で示す親族に属さないこと
④ 贈与を受けた者の議決権割合が5％未満であること
⑤ 贈与を受けた者が役員でないこと

172

2　一定の親族についても配当還元方式で評価できる

　親族への贈与でも、甥、姪や孫の配偶者といったような人には配当還元価額で評価できますので、次の図表を参考にしてください。

〈配当還元価額で贈与できる親族図の事例〉

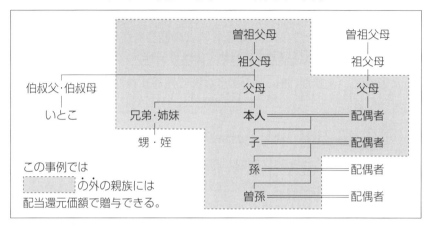

3　配当還元方式による評価額

　この方式は配当率によって株式の評価額を決定するもので、1株当たりの資本金等の額に過去2年間の年平均配当率をかけて求めた金額を10倍にしたものが評価額になります。ただし、同族株主の評価額を限度とします。例えば、2年間の平均配当率が10％の場合は資本金等の額が評価額となります。ただし、2年間の平均配当率が5％未満または無配の場合は資本金等の額の2分1となります。

$$1株当たりの資本金等の額 \times \frac{2年間平均の1株当たりの配当率}{10\%}$$

　会社の承継にとって何よりも大切なのは相続税対策ではなく、もちろん経営権の確保です。配当還元方式で評価のできる人は少数株主であり、事業承継者ではありません。自社株式を贈与するときは、ぜひ経営権に影響のない株数の範囲内で行うか、議決権を制限した株式の発行により行うようにしましょう。

55 株式を売買するのも 事業承継の効果的な方法

Question

数年前から自社株式対策として自社株式の贈与を続けているのですが、なかなか株数が減りません。もっと早く減らす方法として自社株式を売却しようと思っていますが、誰にどのような形で売却すればよいのでしょうか。

POINT

① 株式売却の場合、株式は減少するが財産の合計額は減少しない
② 贈与ではもらった方に課税、売買では売った方に譲渡所得
③ 株式売買の手続はきっちり行わないと税務上認めてもらえない
④ 株式の売買には 4 つの形態がある

Answer

1 売却するのが有効かどうかは株価の将来性による

株式対策として株式を贈与すると、贈与した人の財産から株式がなくなります。しかし、株式を売却した場合には売買の対価として現預金が増えますので、税金負担や売買価額と相続税評価額の差異を考慮しない場合には、財産の合計額は同じです。

株式を売却する効果は、株式を現金に換えて隠すというわけではありません。売却した時点で財産価値は同じだとすると、その後も評価が上がる株式なら、現預金に比べると早く株式を手放しておいた方が有利ということになります。また、自社株式の評価は、経営計画の動向や今後どう経営していくかによって上昇や下落の予測をすることもできます。時期を見計らって売買すれば、効果があるといえます。

また、贈与ではなく、その時の時価で売買するのですから、後で他の相続人から特別受益（相続開始前10年以内に限る）として持戻し請求をされることはありませんので安心です。

174

Ⅳ 上手な自社株式対策を考えて実行しよう

それに、生前に自分の意思で後継者に株式を移転するのですから、贈与ほど直接的ではないのですが、立派な株式対策になります。しかし、贈与では贈与を受ける人に贈与税負担以外の資力は必要ありませんが、売買では買う人に購入資金が必要となります。

2　株式を売った場合には売主に税金がかかる

個人株主が株式を売ると、譲渡益に対して所得税と住民税がかかります。株式を売った場合の税額計算については申告分離課税となっています。

申告分離課税とは、株式を売った人が確定申告をして税額を自ら計算する方法で、確定申告をしても他の所得とは合算せず、株式の売却益だけで独自に計算することになります。

なお、株式等に係る譲渡所得等については「上場株式等に係る譲渡所得等の課税の特例」と「一般株式等に係る譲渡所得等の課税の特例」とそれぞれ別々の申告分離課税となっています。よって、まず株式等の譲渡については上場株式等と非上場株式等に区分します。

それぞれの区分において、2つ以上の株式等を売却した場合には合算して計算し、1つの銘柄で売却益が発生し、他の銘柄で売却損が生じている場合には、その利益と損失を通算することができます。しかし、上場株式等と非上場株式等との間で譲渡損益の通算はできず、もちろん他の所得との通算もできません。

なお、株式を売った場合の税率は、上場株式等または非上場株式等を問わず、復興特別所得税（所得税額×2.1％）を上乗せすると、所得税が15.315％、住民税が5％、合計で20.315％の税率となっています。

3　株式売買の手続

同族会社などが株式の承継対策として非上場株式等を売買する場合には、次の手続が必要です。株式売買が利害関係者や課税当局に否認されないよう、しっかりと法令どおりに手続をしておきましょう。

175

① 有価証券売買契約書は2通作成し、売った人と買った人がそれぞれ1通ずつ保管します。

【参考】有価証券売買契約書

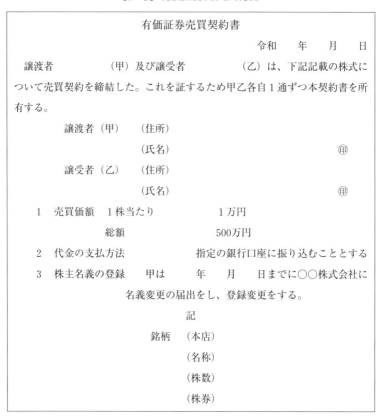

② 譲渡制限のある株式の場合には、株式を売却する際に会社の譲渡承認が必要です。株式を売る者または買った者が会社に対して譲渡承認申請をします。
⇨【参考】「株式の譲渡承認申請書」（170ページ）

③ 株主から譲渡承認申請書が提出されたら、原則として会社は取締役会あるいは株主総会を開催してその承認をし、議事録を残さなければなりません。別途定めがある場合はそれに従ってください。
⇨【参考】「取締役会議事録」（171ページ）

4 譲渡の証拠を確実に残すこと

　株式の売買を有効に成立させて、後々税務上でも株式の売買があったことを課税当局に認めてもらうためには、必ず**3**の手続をしっかり行い、書類を残しておく必要があります。相続税対策のために株式を売却するのですから、もしこの売買が否認されれば、せっかくの税金対策が水の泡となってしまうからです。さらにもう一歩念を入れるためには、株式の売買代金は銀行の預金口座を通したり、売買契約書については公証人役場で確定日付をとるなどするとよいでしょう。

　最後に、会社の株主名簿を変更するとともに、法人税の申告書の概況書には「株主または株式所有異動の有無」という欄がありますので、売買があれば必ず「異動あり」と書いておきましょう。

　なお、税理士に株式評価額の根拠などを法人税の申告書に書面添付してもらうとよいでしょう。

5 株式を誰に売買するかよく考慮する

　株式を売る場合には、次の4つのケースが考えられます。

（イ）個人が所有している株式を個人に売るケース
（ロ）個人が所有している株式を会社に売却するケース
（ハ）会社が持っている株式を個人に売却するケース
（ニ）会社が持っている株式を会社に売却するケース

　取引相場のない同族会社の株式は時価が明らかではありませんので、税法上の低額譲渡に該当するかどうかの判定基準を通達等によって定めています。この定めによると、誰に売るかによって時価が異なるという通常では考えられない取扱いとなっています。しかし、後になって課税当局と無駄な争いをしたくないと考えた結果、同族間で取引する場合には、一般的にはこの通達上の価額で売却することが多いようです。

　また、贈与では贈与した方には税金はかかりませんが、売買では売った方に譲渡所得が生じて所得税等が発生する場合もあることに留意しておいてください。

56 課税問題が発生しない税務上の売買価額

Question

取引相場のない株式を売買する場合、売る相手によって税務上の売買価額は異なると聞きましたが、税務上の問題のない価額とはどのように計算するのでしょうか。

POINT

① 相続や贈与の場合は財産評価基本通達により評価する

② 所得税法上の時価は株主の分類によって異なる

③ 法人税法上の時価は所得税法上の時価により算定する

Answer

1 相続税法で定められている時価とは

相続税法においては、株式は時価で評価すると定められています。ところが取引相場のない株式については上場株式と違い、時価がいくらかというのは非常にむずかしい問題です。そこで、財産評価基本通達によって時価の評価方法が定められています。相続税や贈与税の場合には、一般的にはこの評価方法により計算した金額を使います。

2 所得税法で定められている時価とは

所得税法でも、すべての取引は時価で判断されます。所得税基本通達において「1株又は1口当たりの純資産価額等を考慮して通常取引きされると認められる価額」と決められています。課税当局は個人と同族法人との関係においては、低額譲渡の判定基準となっている財産評価基本通達の例により算出した価額、つまり相続税評価額を基準としています。

この場合において、株式等を譲渡した個人がその株式の発行会社にとって「中心的な同族株主」(Q38参照)に該当するときは、常に「小会社」として評価しなければなりません。また、株式の発行会社が土地や上場株

178

式を所有している場合、「1株当たりの純資産価額（相続税評価額によって計算した金額）」の計算にあたっては、これらの資産について譲渡の時における時価によることとされています。

なお、「1株当たりの純資産価額（相続税評価額によって計算した金額）」を計算する際には、評価益に対する法人税等に相当する金額（37％）は控除しません。これらの例外規定により、結果として法人に譲渡する場合の所得税法上の時価と相続税法上の時価は大きく異なることになります。

〈『譲渡の時の価額』の所得税法上の算定での注意〉　　　（所基通59-6）

- 「同族株主」に該当するかどうかの判定　⇒　譲渡前の保有株式数で判定
- 譲渡した者が「中心的な同族株主」の場合
   ⇒常に『小会社』として評価（純資産価額またはL＝0.5とした併用方式の選択）
- 土地、上場有価証券は譲渡の時の価額で評価
- 1株当たりの純資産価額（相続税評価）の算定にあたっては、法人税等に相当する額（37％）を控除しない

課税当局の見解では、

相続、贈与の場合より高く評価されることが考えられる

3　法人税法で定められている時価とは？（法基通9-1-14）

　法人がその株主等から自己の株式を取得する場合には、その株主等が個人であるときには、譲渡所得等の収入金額とされる金額は自己株式の時価とします。自己株式の時価とは、2の所得税法上の時価により算定するものとされています。

〈租税特別措置法取扱通達による取扱い〉　　　（措通37の10・37の11共-22）

会社が自己株式を個人株主から取得する場合
　「法人に対する低額譲渡」にあたるかの判定
　　→株主に交付された金銭等の額が『自己株式の時価』に対して2分の1未満か否かで判断
　『自己株式の時価』の算出
　　→上記 『譲渡の時の価額』の算定 と同じ扱い

57 親子間で自社株式を売買するときのポイント

Question

事業承継対策には、親子の間で自社株式を売買するのがよいと聞きましたが、どう考え、どう対処すればよいのでしょうか。

POINT

① 親から子に自社株式を売買すると親に譲渡所得税がかかる

② 安い値で売買すると買った方に贈与税がかかる

③ 親子間売買はメリット・デメリットをよく検討し実行する

Answer

1 親子間売買と課税関係

親子間で自社株式を売買することは、一般的には子に会社の経営権を渡すためなのですから、親が持っている自社株式を子に売るという方法です。

親子間で売買するならば他人に売るわけではないので、なるべく安い価額で売りたいと思うのが人情でしょう。なぜなら売った親の譲渡所得税が安くなり、子の方でも買取資金が少なくて済むからです。譲渡所得税の計算ではそれで問題ないのですが、相続税評価額以下で売買する場合には買う子の方に経済的利益が生じますので、その利益に対して贈与税が課税されることになります。

2 贈与税と譲渡所得税、よく比較して検討する

売った親に譲渡所得税等がかかるのは当然ですから、子に安く売れば売るほど譲渡税は安くて済むことになります。しかし、安く売れば1で説明したように、買主の子には相続税評価額と買取価額との差額について贈与税がかかります。そこで、親にかかる譲渡所得税と子にかかる贈与税とをよく比較検討し、売買価額を決めるとよいでしょう。

180

IV 上手な自社株式対策を考えて実行しよう

いろいろなケースが想定できますが、親の分離課税による譲渡所得税は常に20.315％と税率が変わりませんので、20.315％以下の税率の範囲内で低額譲渡するとよいでしょう。下記の**「贈与額別にみた贈与税額」**の表を参考にしてください。そして、それらの税金の合計金額がもっとも安くなるように売買価額を設定し、親子間売買を実行しましょう。

3 親子間売買のメリット・デメリット

この親子間での自社株式の売買は、親が生前に自分の意思で子に株を渡すことができますので、安心できる事業承継対策となりますが、子は買取資金が必要になります。また、親は確実に後継者に自社株式を承継できる上に、相続財産から自社株式がなくなりますが、子からの買取資金が手元に入ってきますので、相続財産の合計が大きく減少するわけではなく、反対に増加する場合もあります。そのうえ売った親には所得税や住民税がかかるというデメリットもあります。

ただし、親が自社株式を売却した資金を利用して新たな相続税対策をしたり、自分の生活資金として使ってしまうとすれば、結局自社株式ならば相続財産として残ったはずの財産が消えてしまうことになりますので、相続税上も大きなメリットが生じることになります。

〈贈与額別に見た贈与税額〉

年間の贈与額	特例贈与財産※		一般贈与財産	
	贈与税額	負担割合(%)	贈与税額	負担割合(%)
500万円	48.5万円	9.7	53.0万円	10.6
600万円	68.0万円	11.3	82.0万円	13.6
700万円	88.0万円	12.5	112.0万円	16.0
800万円	117.0万円	14.6	151.0万円	18.8
900万円	147.0万円	16.3	191.0万円	21.2
1,000万円	177.0万円	17.7	231.0万円	23.1
1,500万円	366.0万円	24.4	450.5万円	30.0

※18歳以上の者への直系尊属からの贈与

58 従業員等や関連会社への 自社株式売買のポイント

Question

自社株式を減少させる方法として従業員や関連会社に売却する方法もあると聞きましたが、どのように考え、どう対処すればよいのでしょうか。

POINT

① 従業員や第三者に売却する場合は配当還元価額で売却してもよい

② 関連会社に売った場合は売主・買主・株主に課税されることも？

③ 売主個人には所得税が、買主会社には法人税がかかる可能性も？

④ 会社株主には法人税が、個人株主には贈与税がかかる可能性も？

Answer

1 配当還元価額で自社株式を売却するとどうなる？

自社株式を取得価額で売買した場合には、自社株式を売った方には利益が生じませんので譲渡所得税はかかりません。同族会社のオーナーの持株は創立当時に出資し、そのまま継続して持っていることが多いので、ほとんどの場合、取得価額は当初の出資した金額となります。

第Ⅲ章で説明しましたように、財産評価基本通達による相続税評価額である自社株式の時価は、その株式を取得した人の立場で評価することになります。そのため、自社株式を買った人が支配的同族株主以外の場合には、配当還元価額で売買したとしても、所得税についても贈与税についても問題は生じないでしょう。

2 従業員への自社株式売買は効果的な相続対策

配当を年10％までに設定すると、配当還元価額は資本金等の額以下となります。そうすれば、売る方にも買う方にも全く税金が生じないことになります。親族以外の第三者、従業員がまさにこの相手に該当します。この

182

場合の従業員は、たとえ従業員であってもオーナーの親族である特定の人は該当しないことになりますので、十分ご注意ください。

　従業員へ当初の出資金額で売買するとなると、評価の高い自社株式がオーナーの財産から減少し、売買対価として安い配当還元価額による現金が増えることになりますので、大きく相続財産の評価額が減少することになります。

3　関連会社に自社株式を売買する場合の注意点

　オーナーが所有する自社株式を子会社や関係会社、あるいは自分の出資する関連会社に売却するという方法がよく行われており、この場合、売主が個人である場合には譲渡所得税がかかることがよくあります。関連会社へ売却するのですから、売買価額が時価の2分の1未満で譲渡した場合には、時価により会社に売ったものとみなされて、余分な税金がかかることもあります。

　買主である会社は取得価額が株式の時価より低い場合には、その差額は買取会社が利益を受けたことになりますので、受贈益として法人税がかかることにもなります。反対に、株式の売買価額が時価よりも高い場合には、時価よりも高い部分の金額については会社が売主に対し給与として支払ったり、寄附したことになります。したがって、個人が会社に売買する場合には、課税上問題のない時価（Q56参照）でするとよいでしょう。

4　株主に課税される場合

　会社が時価よりも安く株式を買った場合、その会社の株主にも贈与税がかかってくるのを忘れてはいけません。例えば、子が大株主である関連会社に自社株式を安く売るという方法です。

　このような売買をした場合、子が支配株主として所有している関連会社の株式評価額が上がることになりますので、結果として子は、親から自社株式の評価が上がった分だけ利益を受けたことになります。よって、原則として、株式の評価額が上昇した分だけ贈与税がかかることになりますのでご注意ください。

59 会社の規模により株価は変動する

Question

会社の規模の大、中、小によって自社株式の評価額の仕方が大きく異なるそうですが、どのような場合に会社の規模が変わり、株価の評価額が変動するのでしょうか。

POINT

① 会社規模の判定の要素は従業員数、総資産価額、取引金額による
② 会社の規模が大きければ類似業種比準価額の比重が大きくなる
③ 会社規模が異なると取引相場のない株式の評価は大きく異なる

Answer

1 会社規模はどうやって判定する

取引相場のない会社の株式はどのように評価したらよいか、非常に難しい問題です。そこで国税庁の財産評価基本通達では、取引相場のない株式の評価方法をいろいろな要素から定めています。まず、株式を評価するに当たって、会社の大きさによって評価方法を変えています。この会社の大きさは、従業員数、総資産価額（帳簿価額）、取引金額（売上高）の3要素で決めることになっています。

なお、平成29年の財産評価通達の改正により会社規模の判定基準の3要素が改正され、比準要素の割合が1：1：1となっています。

2 取引相場のない株式の評価は会社規模によって異なる

一般的に同族関係者の所有している株式は、支配的な株主については原則的評価方法により評価します。原則的評価方法とは類似業種比準方式、純資産価額方式と、これらの併用方式によって評価することをいいます。

同族会社の株価を算定するときには、1により判定した会社の規模によって大会社、中会社、小会社に分けられます。さらに、中会社は中の大・

184

中・小の3区分に分けられます（Q39参照）。

3 自社株式評価は会社規模により類似業種比準価額の割合が異なる

原則として大会社は類似業種比準価額、小会社は純資産価額、中会社は双方の併用方式（Q41参照）となっていますので、会社の規模が大きくなればなるほど、類似業種比準価額の占める割合が高くなります。内部留保が多く資産に含み益のある中小企業では、類似業種比準価額よりも純資産価額の方が高いケースが多くなっていますので、会社の規模が大きくなると取引相場のない株式の評価額は下がる可能性が高くなります。

例えば、類似業種比準価額が2,000円、純資産価額が10,000円だったとした場合、会社規模により相続税評価額が下図のように大きく異なります。社員が何人か退職した、アクシデントで売り上げが減少した等の理由により、会社の区分が一段階下がっただけで、相続税評価額が倍近くなることがあるのですから驚きです。

事業承継を考えるなら、会社規模に関しては、従業員数や売上金額等のきちんとした数値の把握が常に重要でしょう。

〈例〉類似業種比準価額：2,000円　純資産価額：10,000円の会社の場合〉

会社規模	評価	株価	
大会社	類似業種比準価額	2,000円	
中会社（大）	類似業種比準価額×0.90＋純資産価額×0.10	2,800円	
（中）	類似業種比準価額×0.75＋純資産価額×0.25	4,000円	
（小）	類似業種比準価額×0.60＋純資産価額×0.40	5,200円	
小会社	類似業種比準価額×0.50＋純資産価額×0.50	6,000円	

185

60 会社の規模の変更による上手な自社株式の贈与

Question

　会社規模の判定は従業員数、総資産価額、取引金額で異なるそうですが、将来新規投資を考える場合、それが自社株式評価に影響を及ぼすのでしょうか。その場合、いつ贈与すれば有利なのでしょうか。

POINT

① **従業員数の確保と総資産価額増加により会社規模が大きくなる**

② **新規投資により総資産価額が増加すれば会社規模が変わることも**

③ **会社規模変動により株式評価額が下がれば贈与のチャンス到来か**

Answer

1　会社規模変動の要素

　Q59でご説明しましたように、類似業種比準価額のほうが低く、なるべくその比重を高めたい場合には、会社規模を大きくしなければなりません。そのためには、従業員数の増加か、総資産価額の増加か、取引金額の増加が必要です。合併や営業譲受けなどにより会社が大きくなれば、どの要素も拡大し要件を充足できますが、それ以外の場合はそう簡単なことではありません。

　まず、従業員数基準と総資産価額基準を比較していずれか下位の区分を採用しますが、次にそれと取引金額基準のいずれか上位の区分により判定します。従業員数や取引金額を増やすことは容易ではありません。容易に実行できる方法として、従業員数基準の確保が前提ですが、借入れをして総資産価額を増やすことが考えられます。しかし、無駄な借入れは会社経営にとって意味がありません。会社の将来の発展を図るために、借入れをして新規投資や資産の有効活用をすれば、総資産価額が大きくなりますので、会社規模も大きくなることが考えられます。

186

2 借入れによる総資産の増加

例えば、従業員数が40人で貸借対照表上の総資産価額が4億5,000万円である製造業の会社が設備投資をすることになり、8,000万円借り入れして新工場を建設したとします。この場合、貸借対照表の総資産価額は5億3,000万円になりますので、下図表から判定しますと、会社の規模は中会社の中から中会社の大に変わります。

〈取引相場のない株式の発行会社の規模区分〉
（従業員数35人超、総資産4億5,000万円、取引金額3億円）

会社規模		従業員数	総資産価額（帳簿価額）			取引金額		
			卸売業	小売・サービス業	左記以外	卸売業	小売・サービス業	左記以外
大会社		70人以上	20億円以上	15億円以上		30億円以上	20億円以上	15億円以上
中会社	大	35人超70人未満	4億円以上	5億円以上		7億円以上	5億円以上	4億円以上
	中	20人超35人以下	2億円以上	2億5,000万円以上		3億5,000万円以上	2億5,000万円以上	2億円以上

「中会社の中」の場合、「類似業種比準価額×0.75＋純資産価額×0.25」となり評価額は4,000円となっていますが、会社規模判定が大きくなり、「中会社の大」に該当すれば「類似業種比準価額×0.9＋純資産価額×0.1」となり、評価額は2,800円と大きく下がります（下図参照）。

このように新規投資等により、会社規模が大きくなれば、純資産価額の占める割合が低くなり、自社株式の評価額が大きく下がることもあるのです。新規投資こそが自社株式の評価減につながり、事業承継のための自社株式贈与のタイミングの到来となることも考えられます。

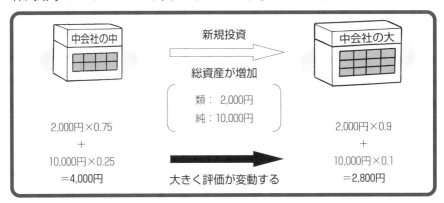

61 類似業種比準価額を上手に引き下げる方法

Question

　会社の規模から判定すると大会社となり、類似業種比準方式で評価することになりますが、事業承継に当たり自社株式の評価を引き下げるにはどうすればよいのでしょうか。

POINT

① 含み損や退職金の実現で利益や資産を圧縮する

② 一株当たりの利益金を抑えるのは特別損失が効果的

③ 特別利益と特別損失は相殺されるので要注意

Answer

1　類似業種比準価額の評価減は3要素の引下げ

　類似業種比準方式では、Q42の算式のように業種の類似した上場会社の平均株価をもとにして算出します。その際、その会社の実績（1株当たりの配当金額・利益金額・純資産価額）を上場会社と比較して評価額を調整します。配当金額・利益金額・純資産価額の比重については、1：1：1とされており、類似業種比準価額を下げるにはこの3要素をそれぞれ引き下げなければなりませんので、1株当たりの配当金額や利益金額・純資産価額を引き下げる対策を立てることになります。

2　1株当たりの利益と純資産価額を下げる

　会社の利益を引き下げるには、ボーナスをはずむとか、借入金で物件を取得するとか、古い機械を新しいものに換えるとか、寄附金を多く出すとかいった方法がありますが、利益調整はそんなに簡単ではありません。そこで、地価や株価の下落による含み損の資産を所有している場合には、思いきって実現することを考えます。

188

Ⅳ 上手な自社株式対策を考えて実行しよう

　なぜならいくら時価が下がっていても、類似業種比準価額の1株当たりの利益や純資産額は税務上の数値を使いますので、どれだけ含み損があっても株価は下がらないからです。含み損を実現させることは利益が下がるだけでなく、簿価純資産価額も引き下げることになります。

　また、退任した代表者や子会社に転籍した役員に役員退職金を支給すれば、高額な退職金を支給されるでしょうから利益金額が圧縮されます。どちらも将来必ず発生する費用ですが、支払わない限り税務上の利益を下げることはできません。その他に資産の特別償却をすることも当然利益の引下げになりますが、将来に収益を生むものに投資しなければ、ただの出費になることに注意してください。

　なお、固定資産売却益、保険差益等の特別利益は、原則として自社株式を評価する際の利益からは外されます。しかし、この場合の控除する特別利益の金額は、特別損失の金額を控除した金額（マイナスの場合は0）となりますので、両方あるときはご注意ください。ただし、レバレッジドリースのように予想できうる特別利益はそのまま含めて計算します。

　よって、事業承継としての株式評価減対策としては、特別損失と特別利益は同年度に発生しないようにします。例えば、保険契約を解約して退職金を支払うのでなく、退職金を支払って翌期以後に保険契約を解約するようにしてください。そうすれば、高額の役員退職金支給による株式評価額の減少効果が最大限となるからです。賢い特別損失の活用をしてください。

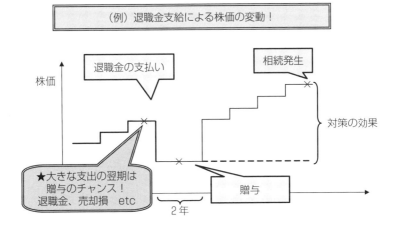

62 配当・純資産価額を下げて類似業種比準価額を引下げ

Question

利益を圧縮すれば類似業種比準価額が下がるそうですが、利益と配当と総資産価額は比重割合が1：1：1と同じ割合となっていますので、他の2要素も下げたいと思っていますが、どうすればよいのでしょうか。

POINT

① 含み損や退職金の実現でも純資産価額は下がる

② 通常の配当は抑え、特別配当等で対応するのが望ましい

③ 3要素を下げれば類似業種比準価額は下がるので贈与のチャンス

Answer

1 1株当たりの純資産価額を下げる

類似業種比準価額を算出するに当たっての純資産価額は簿価によります。純資産価額の方式の計算では資産はすべて相続税評価額に置き換えるため、含み損があっても資産価額は下がりますので気にする必要はありません。しかし、類似業種比準方式においては、帳簿上の金額をベースに課税上の純資産価額を計算しますので、帳簿上に現れていない含み損（資産の含み損、将来の退職金、不良債権など）がある場合、実際より高い資産価値になってしまいます。そこで、含み損のある資産の社外への売却や、将来支払い義務が発生している退職金等の負債を支払ってしまうなどの方法を実現することは、株式の評価額を下げる要因となるのです。

2 1株当たりの配当を下げる

株式の評価の計算では、配当金額は直前期末以前2年間の平均を用いるのですが、資本剰余金を原資とする金額及び一時的な記念配当や創立10周年記念配当といった特別配当など、毎期継続性のないものは配当金額には

含みません。創立10周年記念配当はしたものの、儲かっていないから定期的な配当は無配にするということもあり得ます。

このようにすれば、特別配当は計算に含まれないので、配当金額はゼロということになります。配当については法人税では経費とはなりませんので、通常の配当は最小限に抑えた方が、法人税の節税にも相続税評価額の引下げにもなるでしょう。

類似業種比準価額の評価引下げチャート

1株当たりの利益を下げる
- 含み損の実現→利益も下がるし、資産も減少する
- ボーナスを増やす
- 役員昇格者・転籍者に退職金支給する
- 借入金で資産を取得する

ただし、将来の利益を確保するために投資しなければ、無意味

1株当たりの配当を下げる
- 直前2年間の配当額の平均で算定
- 普通配当を減らし、「特別配当」「記念配当」を増やす

株価評価の基準となる配当額は小さいが、株主の手取りは多い

1株当たりの純資産額を下げる

利益を下げる方法の実現で純資産額も下がる

株価を下げて贈与・相続

63 純資産価額を上手に引き下げる方法

Question

私の経営している会社は小会社に該当しますので、株式の評価額は原則純資産価額で評価することになるそうですが、事業承継にあたって株式の評価額を下げるにはどうすればよいのでしょうか。

POINT

① 純資産価額は資産の相続税評価額から負債を差し引く

② 評価益に対する法人税等相当額（37%）を控除して計算する

③ 退職金の支給、賃貸建物の建築その他の方法で価額は下がる

Answer

1 純資産価額の評価方法

純資産価額方式では、会社の正味財産である純資産額を株式総数で割ったものが評価額となります。簿価ではなく、全ての資産・負債を相続税評価額に評価し直して計算する方式です。なお、評価益がある場合には将来支払うべき法人税等を考慮して、純資産額から「評価差額に対する法人税等相当額（37%）」を差し引くことになっています（Q46参照）。

2 生前に退職金を確実な方法で支給する

役員であるオーナーが生前に退職し、多額の退職金を支払った場合利益金額が大きく減少し、自社株式の評価額は下がることになります。この場合、次のようなことに留意する必要があります。

(1) 実質的に引退すること

支払った退職金が税法上、会社の損金として認められるには、次のような要件があり、これを満たさないと、退職金を支給しても損金に算入できず、法人税も自社株式の評価額も下がりません。

（イ）常勤役員が非常勤役員になるときや、取締役を退任し監査役になっ

たときで、退職金を支払った後の報酬が従来の半額以下になること

（ロ）実際に引退し、実質的に経営上重要な地位を占めていないこと

（ハ）代表権を持たず、取締役会で影響を及ぼさないこと

⑵　過大な役員退職報酬額ではないこと

一般的には「最終月額報酬×役員勤続年数×功績倍率」で計算することになりますが、過大になると法人税法上否認されます。否認されたとしても受け取った金額に対し、所得税や相続税がかかります。

⑶　役員退職金規程に基づき所定の手続を経ること

役員退職金規程を整備しておく支払いに必要な取締役会や株主総会の決議を証明するため、きちんと議事録に残しておくこと等も重要です。

⑷　この要件は、死亡時に退職金として支払った場合も同様です

3　本業のための設備投資や遊休地の有効活用も

家屋は固定資産税評価額で評価しますので、本業のための新たな設備投資で工場や本社社屋を取得すると自社株式の評価額の引下げ効果があります。本業で勝ち残るための合理化投資や社員の能力強化投資をすれば、結果的に自社株式の評価を下げることにもなるのです。

逆に、海外移転などで工場用地や本社用地が不要になった遊休地について、余裕資金を活用して賃貸物件等を建ててはいかがでしょうか。自己資金の有効活用と自社株式の評価減対策という双方の視点から、有利な方法といえます。

4　賃貸建物を建てて自社株式の評価を下げる

会社で賃貸建物を建てても、個人で建てるのと同じように、自社株式について評価減の効果があります。取得した不動産が賃貸物件なら、土地は貸家建付地として路線価（公示価格の約80％）で評価した金額から〔借地権×借家権〕の割合を差し引いた額が評価額となり、家屋は貸家として固定資産税評価額から借家権（30％）割合を差し引いた額となります。現金と比較すると、それぞれ相当の評価減になります。

ただし、取得後3年経たないと相続税評価額で評価することができませ

んので、株式評価減の効果はあらわれないことにご注意ください。

5 純資産価額を引き下げる手順

純資産価額は、次のような手順で引き下げることができます。

1．会計処理の見直し
　① 回収不能の債権の切捨てを検討
　② オーナーの早期の生前退職金の支給
　③ 不良債権の償却（含み損の実現）
　④ 従業員退職金の社外積立制度の導入

↓

2．会社分割等　会社法を賢く活用する！
　① 収益部門を切り離し新会社へ移行する
　② 収益の高い部門を子会社化する
　③ 適格分割・適格合併を活用する

↓

3．土地・建物の取得
　相続税評価額との乖離を利用する

↓

4．内部留保益の抑制
　内部留保益が増加しないように社外流出を図る

↓

5．オーナーの株数を減少させる
　① 事業承継者への贈与は贈与分岐点で判断する
　② 従業員持株会など第三者へ引き渡す

6 純資産価額と類似業種比準価額との大きな違い

　純資産価額方式は原則として相続等や贈与のあった日の時価で評価し、類似業種比準方式は前年度決算末の数値で評価を行います。つまり、類似業種比準価額は前期末の数値を使いますので今期の損失は考慮しませんが、純資産価額の計算においては今期の大きな損失を反映させることができます。

　大きな損失としては役員退職金の支払いがあります。考えるべきポイントは、生前に退職して退職金をもらうべきか、死亡時に退職して所得税の対象ではなく、相続税のみなし財産として死亡退職金を受け取り相続税を払うべきか、どちらが有利かということです。

　株式評価額が下がるという意味では生前に退職金の支給を受け、翌期に株式評価額が下がってから贈与し、特例納税猶予の適用を受けるという考え方もあります。

　また、相続時に死亡退職金として受け取った場合には、自社株式の純資産価額の評価減には効果はありますが、類似業種比準価額には効果はありません。ただ、所得税が一回もかかることがなく相続税のみ課税されることになりますので、退職金の手取り額は非常に多いことになります。きちんと効果を検証して、いつ退職金の支給を受けるべきかを決めるようにしてください。

7 二次相続での取得で評価減を活かす

　小会社であっても、純資産価額より類似業種比準価額との50％併用方式の方が低い場合は、死亡退職金の支給により、相続時よりも翌期の方が自社株式の評価額が大きく下がることもあります。そのような場合は、翌期に評価減が予想される自社株式は配偶者が相続します。その後、株主総会決議で死亡退職金が確定し支払われ、その翌期に評価額の下がった相続株式を後継者に贈与したならば、後継者は評価減効果の効いた株式を取得することができるのです。要件が充足しており、後継者が非上場株式等についての贈与税の特例納税猶予制度の適用を受けることができれば、後継者は無税になるうえ、他の人の相続税負担も軽くなります。

　両親が健在ならば、この配偶者を活用した株式移転は非常に効果の高い方法です。ぜひ、ご検討ください。

64 返済予定のない貸付金は 増資に振り替える

Question

自分が経営する会社に、資金繰りのため多額の個人的資金を貸し付けています。相続の際は貸付金として評価されるので大変だと聞きましたが、何かよい方法はありませんか。

POINT

① 貸付金を資本金の増資に充当し、株式の評価額に変える
② 1株当たりの時価で増資しなければならない
③ 貸付金の評価額は株式の評価額になるため、評価額が下がる
④ 返済不能の場合には、相続発生までに免除する

Answer

1 貸付金を増資に振り替えるポイントはその価額

貸付金を資本金に振り替えることは第三者割当増資（Q65参照）に該当しますので、増資する場合には注意を要することがあります。それは、時価で割当てなければならないことと、譲渡制限のある会社では株主総会の特別決議が必要だということです。また、「特に有利な発行価額」で株主が増資に応じた場合、税法では時価の10％以上低い金額の払込みをした場合がこれに該当しますが、時価と発行価額の差額に対して課税されます。

では、時価とはいくらを意味するのでしょうか。株式の評価額には相続税評価による類似業種比準価額や純資産価額、その併用方式、または配当還元価額といったさまざまな価額が存在します。そこで国税庁では、法人税、所得税に関し、「支配的株主にとっての増資や譲渡にあたっての株式の評価は相続税評価を基本に次の3つの条件を加味して評価する」という通達を定めています。

オーナーの相続財産が減少するからです。

ただし、債務免除により株式等の相続税評価額が上昇した場合には、免除者から他の株主へ、上昇分相当額の贈与があったものとみなされますのでご注意ください。

そうでない場合は、前述したように増資に振り替えてください。債務超過の株式の評価額はゼロであることが多いので、増資しても債務超過の場合には、株式の評価額がゼロのままであり何ら課税関係は生じません。

返済の見込みがないにもかかわらず、相続税のかかる貸付金については、相続前に必ず整理しておきましょう。これこそが事業継承者への最低限必要な事業承継対策といえるでしょう。

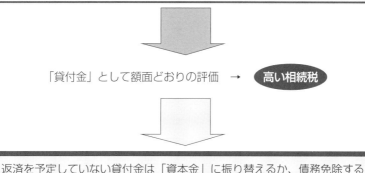

5　資本金の増加により思わぬ増税になることも

増資により資本金が増えると、会社の均等割の地方法人税額が増えることもあります。毎年払う税金ですのでその負担はこたえます。また、資本金が1億円を超えますと、外形標準課税として事業税がかかることになるほか、中小企業の優遇策が受けられなくなる等、せっかく相続税を節税しようとしたのに、毎年の会社が支払う税金が増えることもあります。

きちんと税効果を検証した上で、よく考えてから実行してください。

65 同族関係者以外の人に増資を引き受けてもらう

Question

第三者割当増資を親族以外の人に引き受けてもらった場合、ケースによっては大きく自社株式の評価額が下がることもあるそうですが、どのような場合でしょうか。また、どのようにすればよいのでしょうか。

POINT

① 第三者割当増資の引受人は配当還元価額で評価できる人にする
② 株式の発行数が増え純資産価額の評価は下がり、即効果が出る
③ 資本金が大きくなると、中小企業の優遇策が受けられなくなる

Answer

1 第三者割当増資は、時価以外は贈与とみなされる

現在の株主以外の第三者（特定の取引先や金融機関、自社の役員や従業員など）に新株式を割り当てたり、株主であっても特定の者にだけ新株式を割り当てる増資を「第三者割当増資」といいます。

同族会社が新株を発行する場合において第三者割当がされたときは、時価での払込みをした場合を除き、新株式を引き受けた人は新株引受権と新株式の時価との差額を贈与により取得したものとして取り扱われます。国税庁の解釈によると、新株式の時価とは、同族株主の場合は原則的な相続税評価額が基準となり、同族株主以外は配当還元価額が基準となるとされています。

2 第三者割当増資で株式の評価が下がる

配当還元価額は配当を基準としたかなり低い価額（Q49参照）ですから、これを基準に評価することのできる株主に配当還元価額で第三者割当増資をすれば、資産をあまり増やさず株式総数が増えるので、1株当たりの純

資産価額や利益が薄められ株式評価額が下がることになります。よって、支配権に影響のない範囲で配当還元価額で評価することのできる者（例えば従業員持株会等）に増資分を配当還元価額により引き受けてもらったとしても、税務上は問題ありません（会社法上は株主総会における特別決議が必要です。）。その後、自社株式を事業承継者が相続したり贈与を受けた場合、株式の評価額が下がっていますので、税効果の高い自社株式対策といえます。

　一方、事業承継者や同族関係者に安い価額で第三者割当増資をした場合には、相続税評価額との差額が贈与となります。同族関係者間で時価により第三者割当増資をする場合、贈与とならぬ税務上の割当価額は純資産価額とされています。相続発生時に類似業種比準価額で評価できる自社株式なら、評価額がかなり下がることもあります。増資する際にはさまざまなケースを想定して、よく検討してください。

〈第三者割当増資を行った場合の課税関係〉

株　主	増資前	持株割合	増　資	増資後	持株割合	第三者割当増資後の課税関係
社　長	40,000株	50%	──	40,000株	25.00%	──
長　男	24,000株	30%	20,000株	44,000株	27.50%	──
次　男	16,000株	20%	20,000株	36,000株	22.50%	贈与税関係
＊	──	──	40,000株	40,000株	25.00%	課税なし
合　計	80,000株	100%	80,000株	160,000株	100%	

＊従業員持株会等の第三者

3　中小企業の優遇策が受けられないことも

　また、増資したことにより資本金が1億円を超えて中小企業でなくなると、中小企業に対するいろいろな優遇策が受けられなくなります。相続税対策のために増資をしてみたら、思わぬ法人税の増加があったということのないように留意してください。

┌〈参考〉中小企業に対する優遇策の例────────────────
│・交際費の損金算入：年間800万円までは全額が損金算入（令和6年3月31日までに開始する事業年度まで）
│・法人税の税率軽減：令和5年3月31日までに開始する事業年度は所得800万円以下の部分は15%に軽減
│・中小企業等は外形標準課税の対象外
│・一定要件の機械を取得した場合は一定の特別償却又は税額控除（資本金3,000万円以下のみ）が認められる
└──────────────────────────────────

66 土地・株式保有割合等を下げて特定会社等にならない

Question

自社が所有している総資産のうち土地や株式の占める割合が特別に高い会社は自社株式の評価をするときに不利になるそうですが、どのように対処すればよいのでしょうか。

POINT

① 土地の占める割合が70%あるいは90%以上なら、純資産価額方式
② 株式の占める割合が50%以上なら、純資産価額方式
③ 3要素がゼロである会社の株の評価は純資産価額のみで評価する
④ 特定会社に該当しないように資産等を組み替える

1　土地保有特定会社の要件を外す（Q50参照）

土地保有特定会社の株式は、原則として純資産価額方式で評価することになりますので、類似業種比準価額の方が低い場合には、土地の保有割合を下げて類似業種比準方式を加味して評価できるようにします。

例えば、所有土地の有効活用を兼ねて、建物を新築するなどの対応が効果的でしょう。ただし、課税時期の直前に合理的な理由もなしに大きく資産構成に変動がある場合で、それが土地保有特定会社と判定されるのを避ける目的と認められるときは、その資産の組換えがされなかったものとみなされますので注意が必要です。

純資産価額＞類似業種比準価額

土地の保有割合の引下げ
（例）・所有土地の有効活用による建物の取得
　　　・借入による設備等への投資

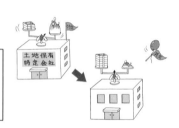

2 株式保有特定会社の要件を外す (Q50参照)

　株式保有特定会社の株式は、原則として純資産価額方式により評価しますが、納税義務者の選択により簡易な方法によることもできます。しかし、類似業種比準方式の方が低い場合には、所有株式の売却や不動産の取得などによって株式の保有割合を下げ、特定会社から外す工夫をして類似業種比準方式を加味して評価できるようにします。

　なお、株式等の判定基準には新株予約権社債も加えられていますので、ご注意ください。

純資産価額＞類似業種比準価額

株式等の保有割合の引下げ

（例）・所有株式の売却
　　　・不動産の取得
　　　・設備等への投資

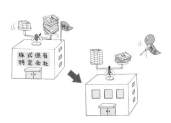

3　3期連続2要素ともゼロにはしない

　類似業種比準価額の計算上、1株当たりの「配当金額」、「利益金額」、「簿価純資産額」のうち2要素以上がゼロ、かつ、3要素を直前々期をベースに計算しても3要素のうち2以上がゼロの会社は、純資産価額方式もしくは類似業種比準方式と純資産価額方式との併用方式（Lの割合は、会社の規模にかかわらず一律25％）のいずれかで評価することになります。また、すべての比準要素数がゼロの会社の株式は、純資産価額方式により評価します。

　当面「利益金額」の赤字が続くときで、類似業種比準方式の方が有利な場合には、今まで内部留保してきた利益積立金などを原資として配当すれば、3期連続2要素以上ゼロ（比準要素数1の会社）を回避することができ、この規制はクリアできますので、ご検討ください（Q51参照）。

67 従業員持株会の賢い活用方法

Question

　従業員持株会を設立して自社株式を譲渡や贈与する方法が事業承継の効果的な方法だと聞きましたが、どのようにすればよいのでしょうか。

POINT

① 従業員持株会への譲渡や贈与は相続財産を大きく減らす
② 配当優先による無議決権株式を従業員持株会に譲渡や贈与する
③ 退職時の取扱いを含めしっかりとした規約を作る

Answer

1　従業員持株の効果

　「従業員持株制度」とは、会社が従業員に何らかの便宜を与えて自社株式の取得・保有を推進させる制度で、最近この制度を導入する会社が増えてきています。非上場会社における大きな理由の１つとしては、オーナー経営者の相続対策ということが考えられます。

　会社のオーナー経営者が自社株式の大部分を所有していたとすると、相続に際して自社株式の相続税評価額が非常に高くなることも予想されます。しかし、これを担税力の面から考えると、取引相場のない株式に関しては上場株式のように市場性がありませんので、相続税評価額で売却することは不可能に近いのです。また、経営権の問題から考えても、無制限に他人へ譲渡することはできません。

　そこで、この自社株式の対策の１つとして、経営権に影響しない程度の株数を従業員持株会に譲渡や、贈与する方法があります。これにより、株式を社外に流出させずにオーナーの相続財産を減らすことができます。自社株式のうち経営上必要欠くべからざる株数はオーナー一族が所有し、経営権に影響がなく相続税の課税上オーナーが所有しているとかえって負担が重い部分を、従業員持株会に渡してしまおうというわけです。

2　メリットとデメリットを検討する

〈メリット〉
① 配当支払により財産形成等の援助となり、福利厚生対策となる。
② 従業員のモチベーションを高めることができる。
③ 株主構成の改善や株式事務の合理化に有効である。
④ 資金調達の一手法となる。
⑤ 未公開会社が株式を公開する場合、安定株主として期待できる。
⑥ オーナーの事業承継に役立ち、相続税対策にも効果的である。

〈デメリット〉
① 株主関係が悪化すると会社運営が混乱する可能性がある。
② 株式市場がないため換金性が乏しい。
③ 従業員持株会からオーナー一族が買い戻す場合、原則的な評価方法で買い戻さなければ贈与税の問題が生じる場合がある。
④ 公開へ向けた資本対策の制約条件となる可能性がある。

　これらのメリット、デメリットをよく考慮したうえで実行するならば、事業承継するうえでの自社株式の生前移転（譲渡・贈与）としては、非常に効果的な方法といえるでしょう。

3　退職する従業員からいくらで買い取るか

　従業員持株会で問題になるのは、退職した従業員からいくらで自社株式を買い取るかということです。一般的には配当還元価額が多いと思われますが、中には取得価額での売買もあります。持ってもらうときは発行価額で取引を行ったものの、買い取るときにはどうするかということです。

それについては、

① 取得時が発行価額だから買い取るときも発行価額である。

② 取得時は取得時、買取時はその時の配当還元価額である。

③ 従来から1株500円で買い取ってきたから、今回もそれにならい、過去からの慣行を貫く。

など、いろいろな主張があります。

　要は、従業員株主がいくらで納得するかです。納得する基準を設けたなら、それを従業員持株会の規約の中で買取価額として明記しておくことがトラブルを避けるための対策になります。

4　オーナー一族が買い取る場合

　従業員からオーナー一族が買い取る場合には、税務上の時価は財産評価基本通達による原則的評価方法とされていますので、株式の評価額は非常に高いものとなります。もし、これよりも低い金額で買うと、従業員からオーナー一族の者が贈与を受けたものとみなされ贈与税がかかります。

　それでは課税上の問題がなく買い取るにはどうすればよいかというと、従業員持株会がいったん買い取り、それ以後の日に買い取った非上場株式等を従業員持株会に加入している他の従業員に売却する方法をとればよいわけです。この方法なら買う人は従業員ですから、財産評価基本通達における時価は配当還元価額となりますので問題はありません。

5　会社が自己株式として買い取る場合

　今や会社も自己株式を取得することができるようになっています。そこで、退職した従業員から自己株式を買う場合に、金庫株の買取り制度を利用して、会社自身が自己株式を買います。その後、その自己株式を従業員持株会に所属している他の従業員に売却します。このときの税務上の時価は、通達により従業員ならば配当還元価額でよいとされています。資金繰りの面も含めてベターな方法ではないでしょうか。

Ⅳ 上手な自社株式対策を考えて実行しよう

〈金庫株の図〉

「適正な時価」についての税務当局の見解
　　法人税基本通達9－1－14、所得税基本通達59－6により評価
　　（法人税法、所得税法によって評価基準時が異なるので注意!!）
売主が、

中心的同族株主	純資産価額方式（法人税等非控除型）又は小会社方式
中心的同族株主以外の同族株主	財産評価基本通達に定める原則的評価方式
財産評価基本通達に定める例外評価に該当する株主	課税上弊害がない限り配当還元方式

金庫株の買取価額の算定には税務上、大きな問題がある!!

6　従業員持株会の設立の手順

　次の手順で従業員持株制度を導入すると、経営権に影響なく、上手な自社株式の対策が実行できます。
① 会社の定款に株式の譲渡制限規定がない場合には譲渡制限規定を設け、自社株式が勝手に従業員から第三者に譲渡されるのを防ぐ。
② 従業員持株会の規約を整備しておく。特に従業員が退職する場合には、持株会またはその指定する者へ持株を譲渡する旨の規定と買取価額の算定方法を明記することが必要である。
③ オーナー所有株式を従業員持株会へ渡すには、経営権に影響のない株式について取得条項付種類株式制度を活用して、全株主の同意により配当優先・議決権制限株式としておき、持株会へ譲渡する（議決権制限株式について、非公開会社に限り発行株数の制限がない）。

68 従業員持株会はこのように運営する

Question

事業承継対策に成功する方法の1つとして、従業員持株会を作ればよいといわれましたが、従業員持株会とはどのような制度で、どのように運営すればよいのでしょうか。

POINT

① 従業員持株会の組織は4つの種類がある

② 同族会社に適した形態は「民法上の組合」としての持株会

③ トラブルに備え、自社独自の持株会規約を作る

Answer

1 従業員持株会には4種類の組織がある

従業員持株会の組織には、次の4つの場合があります。

① 法人組織になっている場合

② 代表者または管理人の定めがある社団としての形態を持っている場合

③ 民法上の組合になっている場合

④ 従業員がそれぞれ直接株主になっている場合

一般的には③の民法上の組合が最も多い形態ですが、小さな同族会社の場合には従業員が直接参加する④の方式となっている場合が多いようです。

2 同族会社の従業員持株会はどれがよいか

同族会社が従業員持株会を作る目的は、従業員の財産形成よりも、従業員にも株主になってもらい、やる気を高めることにあります。これを主たる目的とする従業員持株会なら、従業員が直接株主になる④の直接参加方式がよいでしょう。しかし、閉鎖的な同族会社で従業員が株主になった場合、退職するときに高額で買取りを要求されたり、株主としての権利を乱

用されたり、関係のない第三者に譲渡されたりという不安があります。

そこで、これらの不安があるなら、従業員持株会自体が株主になり、従業員がその持株会に対して持分を持つにすぎない③の民法上の組合がよいでしょう。特に、民法上の組合による従業員持株会でも自社株式の引出しができないようにしておくとよいでしょう。

同族会社に適した従業員持株会の要約

1 民法上の組合とする

2 持株会が株主になり、持株会に加入する社員が直接株主にならない

3 持株会に加入する社員は、持株会から自社株式を引出しできない

4 持株会に加入する社員が退職する場合には、持株会から持ち分の払戻しを受ける（株式の買取りではない）

5 上記の払戻し金額はあらかじめ規約に定めておき、納得した人だけ加入してもらう

3　議決権制限株式を割り当てる

従業員持株会に割り当てる株式は議決権制限株式にすると、より安心でしょう。そうすることにより、株主関係が悪化したとしても、議決権がないのですから経営権に影響することはありません。

また、問題となるのは、退職した従業員からいくらで自社株式を買い取るかということであり、従業員株主が買取価額についていくらで納得するかがポイントです。議決権のない株式であり、かつ納得する基準であるならば、その額を従業員持株会の規約の中で買取価額として明記しておけば、それが慣例となり公正な価格となることが考えられます。

4　従業員持株会の規約は自社に合わせて作成する

同族会社にはさまざまな特徴があり、上場会社で採用されているような従業員持株会を作る必要はありません。自社の特色に合わせて「引出しができない」「買取価格を定める」「従業員持株会へ譲渡する」等、一定の縛りをつけて規約を作成するようにしてください。

遺留分に関する民法特例
(非上場株式等及び個人の事業用資産)

69 経営の円滑な承継のための4つの支援策

Question

非上場株式等及び個人事業用資産についての贈与・相続に的を絞って中小企業経営承継円滑法が改正され、事業承継の応援措置が拡充されたそうですが、どのような制度でしょうか。

POINT

① 遺留分侵害額請求に対し制限を加える2つの民法特例がある

② 後継者個人と会社の資金需要に対し融資制度が拡大・抜本強化

③ 非上場株式等及び個人事業用資産については100%納税が猶予

④ 所在不明株主に関する会社法の特例により買取等の期間を短縮

Answer

1　中小企業経営承継円滑化法で定められた4つの支援措置

「中小企業における経営の承継の円滑化に関する法律」（以下、「円滑化法」といいます。）では、①遺留分に関する民法の特例、②金融支援、③事業承継税制、④所在不明株主に関する会社法の特例の4つの支援制度が定められています。

2　遺留分に関する民法特例

先代経営者から後継者が自社株式等又は個人事業用資産等を生前贈与（原則相続開始前10年間）された場合、後継者以外の相続人はこれらの生前贈与に対して遺留分侵害額請求ができます。民法特例（円滑化法）により、遺留分権利者全員が合意すれば、遺留分に関する以下の特例を適用することができます。

(1)　贈与株式等・事業用資産の価額を除外（除外合意）

生前の合意により、生前贈与された自社株式等又は個人事業用資産の価

212

額を、遺留分を算定するための基礎財産の価額から除外することができるため、相続後の遺留分侵害額請求を未然に防ぐことができます。

⑵　贈与株式等の評価額をあらかじめ固定（固定合意）

生前の合意により、後継者の努力による株式等価値の上昇分を、遺留分を算定するための基礎財産の価額に含めないことができるため、後継者の経営意欲を阻害しないことになります（個人事業は利用不可）。

3　相続に伴って生ずる資金需要に対する金融支援

事業承継の際に必要となる資金について、都道府県知事の認定を受けることを要件に、融資と信用保証の特例が措置されています。

中小企業者及びその代表者、これから他の中小企業者の経営を承継しようとする中小企業者や経営承継する個人への直接融資に対しては日本政策金融公庫法の特例により、中小企業の代表者、事業を営んでいない個人への間接融資に対しては中小企業信用保険法の特例による信用保証により金融支援措置が行われています。

4　相続税・贈与税の特例納税猶予制度

都道府県知事の認定を受けることを要件に、事業承継に伴う税負担を軽減する以下の特例が措置されています。

⑴　非上場株式等に係る贈与税・相続税納税猶予制度

令和9年12月31日までの期間限定で非上場株式等の贈与又は相続等に係る贈与税・相続税の納税が100％猶予され、その後免除されます。

⑵　個人の事業用資産に係る贈与税・相続税納税猶予制度

個人事業主の事業用資産の贈与又は相続等に係る贈与税・相続税の納税が100％猶予され、その後免除されます。

5　所在不明株主に関する会社法の特例（令和3年8月施行）

会社法上、5年間通知が継続して到達しない等の所在不明株主からは自社株式を買い取ることができます。都道府県知事の認定を受け所定の手続きを得ることを前提に、この期間が5年から1年に短縮されています。

213

70 遺留分に関する民法特例で 「争族」を回避

Question

円滑化法では、後継者が支配権をもって安心して事業承継をするために、一定要件の中小企業の株式及び個人事業用資産の贈与につき、2つの遺留分に関する民法の特例を定めています。どのような制度なのでしょうか。

POINT

① 生前贈与しても遺言で指定しても遺留分に対しては効果がない
② 株式等又は事業用資産につき遺留分の対象から除外合意できる
③ 贈与した非上場株式等につき固定価額で遺留分計算ができる

Answer

1 後継者が安心できるための民法特例の創設

民法の相続法に従った事業承継においては、遺留分制度が大きな制約となっています。相続後の経営の安定化を考慮すると、後継者のみに非上場株式の過半数以上や事業用資産を取得させるとよいのですが、遺留分を侵害することを知っていた場合を除き、非上場株式等（以下事業用資産を含む）を相続開始前10年以内に生前贈与したとしても、遺言で後継者に取得させたとしても、後継者以外の相続人はこの非上場株式等の価額につき遺留分侵害額請求をすることができます。請求された場合、後継者は原則として、遺留分に相当する価額を金銭で賠償しなければなりません。

また、後継者が相続開始前10年以内に贈与された非上場株式等については民法の規定によると、相続開始時の評価額で持ち戻したうえで遺留分算定の基礎財産としますので、株式の場合、後継者が圧倒的な努力をして会社を発展させ、株式の評価を上げれば上げるほど、後継者が遺留分侵害額請求される価額が大きくなってしまうという納得できない問題が生じることになります。

214

円滑化法は、これらの問題点を克服できるように、遺留分に関して次の2つの制度を設けています。会社の事業承継の場合はいずれも利用することができますが、個人の事業承継の場合には、2(1)除外合意のみを利用できます。

2　遺留分に関する民法の特例の主な制度

(1)　遺留分算定の基礎財産から除外（除外合意）

　旧代表者の生前に、経済産業大臣の確認を受けた後継者が、旧代表者の推定相続人及び後継者全員との合意内容について家庭裁判所の許可を受けることで、旧代表者から後継者へ生前贈与された特例中小企業者の株式等・事業用資産（以下「対象資産」という）について、遺留分算定の基礎財産から除外することができます。この特例により、事業承継に不可欠な自社株式等・事業用資産に係る遺留分侵害額請求を未然に防止できるとともに、後継者単独で家庭裁判所に申し立てるため、民法の遺留分放棄制度と比べると、非後継者の手続が簡単なのです。

　同様の措置が個人の事業用財産についても設けられています。

(2)　贈与株式の評価額をあらかじめ固定（固定合意）

　生前贈与後に後継者の貢献によって自社株式の評価が上昇した場合でも、遺留分の算定に際しては相続開始時点の上昇後の評価で計算されてしまうため、経済産業大臣の確認を受けた後継者が、旧代表者の推定相続人及び後継者全員との合意内容について家庭裁判所の許可を受けることができた場合、遺留分の算定に際して、生前贈与された特例中小企業者の株式の価額を合意時点の評価額であらかじめ固定できます。この特例を適用すれば、後継者にとって株式価値上昇分は遺留分請求の対象外となりますので、経営意欲が阻害されることはありません。

民法の特例
◇一定の要件を満たす後継者が、旧代表者の推定相続人及び後継者全員との合意及び所要の手続（経済産業大臣の確認、家庭裁判所の許可）を経ることを前提に、民法の特例の適用を受けることができる。
◇手続については、後継者が単独で申立てができることがポイント。
（民法の遺留分の生前放棄は当事者全員が個別に申立てを行うことが必要）

71 会社の事業承継の民法特例適用要件

Question

経営承継円滑化法により定められた特例中小企業者の株式等に対する遺留分侵害額請求を未然に防止するための民法特例の対象となる会社・経営者・後継者の要件はどのようなものでしょうか。

POINT

① 民法特例が受けられる会社は「特例中小企業者」に限定
② 特例適用「旧代表者」とは株式を贈与した代表者に限定
③ 特例適用「後継者」とは過半数の議決権を有する代表者に限定

Answer

1 遺留分に関する民法特例のあらまし

経営承継円滑化法を活用することにより、一定の要件を満たす中小企業の後継者は、旧代表者から贈与された特例中小企業者の株式等について、旧代表者の遺留分権利者全員の合意があるならば、経済産業大臣の確認及び家庭裁判所の許可を受けることを条件に、遺留分に関する民法の特例（「除外合意」、「固定合意」）の適用を受けることができます。

	資本金 又は	従業員数		資本金 又は	従業員数
製造業 その他	3億円以下	300人以下	ゴム製品製造業（自動車又は航空機用タイヤ及びチューブ製造業並びに工業用ベルト製造業を除く）	3億円以下	900人以下
卸売業	1億円以下	100人以下	ソフトウェア・情報処理サービス業	3億円以下	300人以下
小売業	5,000万円以下	50人以下	旅館業	5,000万円以下	200人以下
サービス業		100人以下			

（「中小企業経営承継円滑化法申請マニュアル　令和4年4月改訂版」（中小企業庁）を基に作成）

216

2 対象「中小企業者」の要件

適用対象となる会社は、その営む業種により前ページの中小企業者の表のいずれかに該当し、3の①及び②の要件に該当する会社をいいます。

3 特例中小企業者の要件

① 中小企業のうち、3年以上継続して事業を行っている会社
② 上場株式を発行している会社・店頭公開会社を除く

4 旧代表者（先代経営者）の要件

以下のすべてに該当するものをいいます。
① 特例中小企業の現代表者、代表者であったもの
② 他の者に対して自社株式等（全部事項無議決権株式を除く。）の贈与をしたもの

5 後継者の要件（相続人でなくともよい）

以下のすべてに該当する者をいいます。
① その旧代表者から自社株式等の贈与を受けた者であること
② 株式等受贈者からその株式等を相続により取得した者
③ 単独で総株主等議決権数の過半数を有していること
④ 特例中小企業者の現代表者となっていること

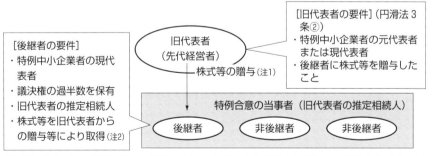

（注1）株式＝株主総会において決議をすることができる事項の全部につき議決権を行使することができない株式を除く（円滑法3条②）
（注2）贈与を受けた者から当該株式等を相続、遺贈若しくは贈与により取得した者を含む（円滑法3条③）

72 個人事業主の民法特例適用要件

Question

経営承継円滑化法により定められた個人事業者の事業用資産に対する遺留分侵害額請求を未然に防止するための民法特例の対象となる先代経営者・後継者・事業用資産の要件はどのようなものでしょうか。

POINT

① **特例が受けられる先代経営者は3年以上継続している個人事業者**
② **旧個人事業者から後継者に事業用資産の全部を贈与すること**
③ **対象事業用資産は宅地等、建物、減価償却資産等に限定**

Answer

1 遺留分に関する民法特例のあらまし

経営承継円滑化法を活用することにより、一定の要件を満たす個人事業者である後継者は、旧個人事業者（先代経営者）から贈与された事業用資産について、旧個人事業者の遺留分権利者全員の合意がある場合に限り、経済産業大臣の確認及び家庭裁判所の許可を受けることを条件に、遺留分に関する民法の特例（除外合意）の適用を受けることができます。

2 旧個人事業者（先代経営者）の要件

以下のすべてに該当するものをいいます。

① 適用対象となる個人事業者の範囲は、次表の従業員基準を満たした中小企業者に該当する個人

〈図表1〉

中小企業法上の中小企業者の定義	従業員数
製造業その他	300人以下
※ 製造業のうちゴム製品製造業（自動車又は航空機用タイヤ及びチューブ製造業並びに工業用ベルト製造業を除く）	900人以下
卸売業	100人以下
小売業	50人以下
サービス業（下記を除く）	100人以下
※ サービス業のうちソフトウェア業又は情報処理サービス業	300人以下
※ サービス業のうち旅館業	200人以下

※ 政令により範囲を拡大した業種
（「個人版事業承継税制の前提となる中小企業経営承継円滑化法の認定申請マニュアル　令和4年4月改訂版」（中小企業庁）を基に作成）

② 合意又は贈与までの間に3年以上、継続して事業を行っている個人事業者であること

③ 後継者に対して事業の用に供している事業用資産の全部の贈与をしたこと

3　対象事業用資産

個人事業者が民法特例を活用する際に対象となる「事業用資産」とは、次のものをいいます。

① 先代経営者の事業の用に供されていた資産

② 先代経営者から自分以外の者に対する贈与の日の属する年の前年分の事業所得に係る青色申告書の貸借対照表に計上されているもの

事業からは不動産貸付業、駐車場業及び自転車駐車場業が除かれます。

(1)　対象となる資産

事業資産については、財産の種類として、次のものに限られるとともに、財産の種類ごとにそれぞれ以下の条件に該当するものに限られます。

① 宅地等

・宅地等に該当すること

・贈与の直前において旧個人事業者の事業の用に供されていたこと

・建物又は構築物の敷地の用に供されていること

・棚卸資産に該当しないこと

② 建物

・贈与の直前において旧個人事業者の事業の用に供されていたこと

・棚卸資産に該当しないこと

③ 減価償却資産 　以下のいずれかに該当すること

・固定資産税（償却資産）が課税される償却資産（構築物、機械装置、器具備品、船舶など）

・自動車税又は軽自動車税において、営業用の標準税率が適用される自動車等

・その他上記に準ずるもの（貨物運送用の一定の自動車、取得価額500万円以下の乗用自動車、乳牛等の生物、特許権等の無形減価償却資産）

⑵ **利用する場合の注意点**

　個人事業者が遺留分に関する民法特例を利用するためには、事業用資産の全部を贈与する必要があります。例えば、贈与の対象となる事業用資産の全部または一部が数人の共有に属する場合は、その有していた共有持分の全部を後継者のみに贈与する必要があります。

ケース１ 　先代経営者が100%所有している資産を後継者に全部贈与
　　　　　→特例利用可能

ケース２ 　先代経営者が70%所有している資産を後継者に70%贈与
　　　　　→特例利用可能

ケース３ 　先代経営者が100%所有している資産を後継者に70%贈与
　　　　　→特例利用不可

4　後継者の要件（相続人でなくともよい）

以下のすべてに該当するものをいいます。

① **図表1**に該当する中小企業者であること

② 合意時点において、承継した事業を営む個人事業者であること

③ ・旧個人事業者から事業用財産の全部の贈与を受けたこと

　　・旧個人事業者から事業用財産の全部の贈与を受けた者から、その全部を相続により承継したこと（下図のようなケースにおける C が該当します。）

〈事例〉

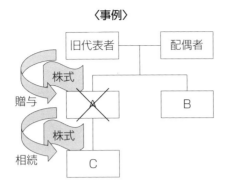

④ 取得した資産を事業の用に供していること

〈図表２〉

個人事業の経営の承継の場合	
①先代経営者 （旧個人事業者）	・合意時点において３年以上継続して事業を行っている個人事業者であること。 ・後継者に事業の用に供している事業用の全てを贈与したこと。
②後継者 （個人事業後継者）	・中小企業者であること。 ・合意時点において個人事業者であること。 ・先代経営者からの贈与等により「事業用資産」を取得したこと。

73 後継者が贈与された株式等を遺留分対象外とする方法

Question

代表者の配偶者や子たち相続人と後継者の全員の合意により、後継者が贈与された自社株や個人の事業用資産について、遺留分算定の基礎財産から除外することができるそうですが、どんな制度ですか。

POINT

① 後継者が贈与された自社株式や事業用資産について遺留分対象外
② 旧代表者の推定相続人及び後継者全員の書面による合意が要件
③ 特例を受ける後継者の現保有議決権数は50％以下であること

Answer

1 旧代表者から贈与を受けた株式等についての除外合意

民法では旧代表者から後継者へ、原則として相続開始前10年以内に生前贈与された資産は特別受益となり遺留分計算基礎財産に算入しますが、円滑化法を活用することにより、特別受益となる「旧代表者からの贈与により取得した株式や個人の事業用資産等」の全部または一部につき、旧代表者の推定相続人及び後継者全員の書面による合意ができればその価額を遺留分算定の基礎財産の価額から除外することが可能となっています。

旧代表者の推定相続人及び後継者全員による除外合意の制度により、後継者が旧代表者から自社株式や個人の事業用資産等の生前贈与を受けたとしても、その全部または一部につき、遺留分を算定するための財産の価額に算入しないことができます。よって、後継者以外の相続人の遺留分を考慮した合意をすることや、遺留分を侵害したとしてもお互い納得のできる財産分けをすることが旧代表者の生前にできることになるのです。

Ⅴ 遺留分に関する民法特例

2　推定相続人全員及び後継者の合意（除外合意も同様）

　民法特例を利用するためには、先代経営者の推定相続人全員（ただし、遺留分を有する者に限る）及び後継者で合意をし、合意書を作成することが必要です。合意書の主な記載事項は以下のとおりです。
　① 合意が後継者の経営の承継の円滑化を図ることを目的とすること。
　② 後継者が先代経営者から贈与等により取得した自社株式・事業用資産の価額について、遺留分の計算から除外する旨（除外合意）
　③ 後継者が代表者でなくなった場合などに後継者以外の者がとれる措置。
　④ 必要に応じ、推定相続人間の衡平を図るための措置。

3　特例を受けるための後継者の議決権の数

　上記の特例は自社株式等に限り、会社の後継者が所有している議決権数のうち、この特例により贈与を受けた株式を除いた議決権数が総株主等議決権数の100分の50を超えている場合には認められません。なぜなら、旧代表者から特例中小企業者の株式等を生前贈与される前から、後継者が50％を超える議決権を有している場合には、すでに経営権を支配しているからです。

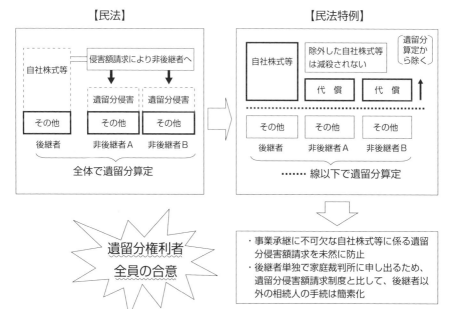

223

74 贈与株式の評価額を合意時の価額に固定する方法

Question

旧代表者の推定相続人及び後継者全員の合意により、後継者が取得した株式等について、遺留分を算定するための価額に算入すべき価額を合意時の価額に固定することができるようになったそうですが、どのような制度でしょうか。

POINT

① 遺留分の計算に際し贈与株式につき合意時の価額に固定できる
② 旧代表者の推定相続人からの相続、贈与株式等についても対象
③ 特例を受ける後継者の保有議決権数は50%以下であること

Answer

1 旧代表者から贈与を受けた株式等についての価額固定の合意

すでに説明していますが、民法では後継者が旧代表者から株式等の生前贈与（相続法改正により原則相続開始前10年間）を受けた後、後継者自身の貢献によって自社株式の評価を上昇させた場合であっても、上昇後の相続時の株式評価額で株式を持ち戻して遺留分の算定基礎財産を計算します。つまり、後継者が努力すればするほど、後継者以外の相続人の有する遺留分の価額が増大していくという皮肉な結果となってしまいます。

そこで、円滑化法では旧代表者の推定相続人及び後継者全員の書面による合意により、後継者が旧代表者から生前贈与を受けた株式等の全部または一部について、遺留分を算定するための財産の価額に算入すべき価額を当該合意の時の価額に固定することができるものとしています。

円滑化法では、後継者が生前贈与を受けた自社株式等については、合意ができれば遺留分を算定するための財産の価額に算入しないこと（除外合意）ができますが、遺留分権利者の反対等から生前贈与株式を遺留分算定

V 遺留分に関する民法特例

基礎財産に算入しないこと自体は認めない場合もあります。その場合には、遺留分の算定基礎財産に算入せざるを得ませんが、相続財産に後継者が貢献した株価上昇部分を含めないとすることに合意ができた場合、遺留分算定基礎財産に贈与株式は算入するけれども、その算入価額は旧代表者の推定相続人及び後継者全員の合意時の価額に固定できるという方法を定めているのです。この合意書の主な記載事項はQ73の除外合意の場合と同様です。

2 旧代表者の推定相続人からの取得の場合等

1の固定合意は、その贈与を受けた旧代表者の推定相続人から相続、遺贈もしくは贈与により取得した場合を含みます。また、この特例は後継者が所有している自社株式等のうち、この民法特例により贈与を受けた株式を除いた議決権数が総株主等議決権数の100分の50を超えている場合には認められません。いずれの場合もQ73の除外合意の場合と同様です。

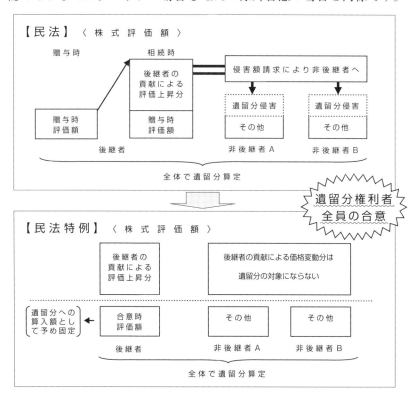

75 合意時の評価額を算定する際の「相当な価額」とは

Question

固定合意時の価額は税理士等が相当な価額として証明したものに限られますが、その価額はどのようにとらえて算定すべきか、公の機関の参考意見はないのでしょうか。

POINT

① 専門家の説明により時間をかけて合意形成することが必要
② 合意形成したうえでの価額であれば「相当な価額」といえる
③ 客観的合理性を担保するために専門家の証明が必要となる

Answer

1 合意の意義と「相当な価額」の証明

固定合意における価額は、税理士、税理士法人、弁護士、弁護士法人、公認会計士または監査法人（以下「専門家」といいます。）がその時における相当な価額として証明したものに限られます。しかし、非上場株式等の価額の評価方法についてはさまざまなものがあり、事案ごとに評価の観点や方式が異なり、価額にはある程度の幅が生じると考えられます。

固定合意を行うにあたっては、対象株式の発行会社の業種、規模、資産、収益状況や株主構成等を勘案して価額を算定することになります。実際には上記のように価額にはある程度幅が生じることを前提に、当事者間で種々の交渉を経て合意時価額が決定されると考えられます。一般的には、合理的意思を有する独立した当事者間において合意した価額であれば、「相当な」価額ということができるでしょう。

中小企業庁が公表しているガイドラインを参考にこの価額について、まとめてみましょう。

2　合意のための情報格差の是正

　中小企業者の株式の合意時価額の算定にあたり、合意の当事者である後継者と非後継者との間で利害が対立する場合があり、その際、以下の2つの情報に関しては格差があります。合意の前提としては、利害の調整を図りつつ、これらの情報格差を是正する、つまり後継者以外の相続人にしっかり情報を提供することが大切でしょう。

① 　会社の財産や収益性の情報格差

　　自社株式の価額に影響を及ぼす会社資産（例：多額の含み益を有する資産）の存在や、実現可能性が極めて高い収益の見通し等については、実際に会社経営に携わっている後継者の方が多くの情報を有しています。そのことを利用し、後継者が情報について恣意的な説明を行い、それに基づいて合意がなされた場合には、後日、紛争の要因となるおそれがあります。このような事態が起きないよう、後継者と非後継者は、会社に関する情報を共有し、十分な時間をかけて、双方の合意形成を行うことが必要です。

② 　株式の評価方法の情報格差

　　株式の評価方式にはさまざまな方式があり、どの評価方式を採用するかにより、価額に大きな影響があります。この点に関しても、通常、後継者の方が非後継者に比べて、多くの情報を有していることが一般的です。よって、後継者は合意形成にあたっては、各種評価方式について非後継者に説明することが必要でしょう。その際、実際に評価を行う「専門家」が、それぞれの評価方式の特徴などについて、専門的見地から説明を加えることが重要です。

3　相当な価額の算定にあたっての注意点

　このような交渉を経て当事者間で合意した価額が、必ずしも合意時価額となるわけではありません（次図(3)のケース）。情報の格差を是正したうえで、価額についての合意形成を行うことに加え、専門家の客観的な観点から株式の価額として相当である旨の証明を受けることが必要です。このため、円滑化法においては、「合意の時における価額」について、専門家

227

が「その時における相当な価額として証明をしたものに限る」ことにより、客観的合理性を担保することとしているのです。

したがって、合意によって固定できる価額は、次図の斜線部分であり、次図(1)から(3)までの場合には、その固定合意は要件を欠くことになりますので、違法となります。例えば、数十億円の資産を保有し、毎年数億円もの利益を計上している会社の株式の価額を社会通念上あり得ない価額（例：1株100円）で合意し、専門家が「その時における相当な価額として証明をした」場合であっても、次図(3)に該当し、違法となります。

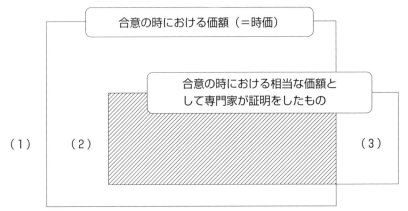

〈納税が猶予される相続税などの計算方法〉

上図の斜線部分の場合のみ固定合意の要件を満たし、それ以外の価額を定めている(1)から(3)までの場合には、当該合意は違法となる。

(1) 「合意の時における価額（＝時価）」以外の価額で、かつ、専門家が相当であると証明をしていない価額を定めた場合
(2) 「合意の時における価額（＝時価）」であるが、専門家が相当であると証明をしていない価額を定めた場合
(3) 専門家が相当であると証明をした価額であるが、「合意の時における価額（＝時価）」とは認められない価額を定めた場合

(中小企業庁資料「経営承継法における非上場株式等評価ガイドライン」より)

4　株式評価の実施にあたって留意すべきこと

中小企業庁資料「経営承継法における非上場株式等評価ガイドライン」において、評価を行う専門家は案件ごとの諸事情を考慮しながら、各種評

価方式（Q76参照）を用いて評価し証明を行うことにするとし、その際に
のちのち非後継者から錯誤、詐欺等の違法事由や損害賠償請求を主張され
ないように、以下のような点に配慮しながら評価を行うことが望まれると
しています。

① 依頼者（通常、後継者）にとって有利となる評価を行うことなく、
客観的な立場から証明を行う。

② 計算書類のほか、会社の実態を把握するため必要な資料の提供を依
頼者より受け、その資料に漏れ・虚偽のない旨を書面等で確認する。

③ 提出を受けた資料に関しては、その内容の真実性、正確性、網羅性
について原則として検証せず、それを前提として評価を行う旨を当事
者に説明し、評価証明書に添付する付属書類への記載も行う。ただし、
専門家の視点から明らかな誤りがある場合や評価を行うにあたり、資
産の含み損益の反映、引当金の追加計上または経常損益と非経常損益
の利益区分修正を行うことなどが実態を表すために必要と判断される
場合には、一定の修正を行う必要がある。

④ 今後の収支見込みなど将来の予測に基づく評価を実施する場合に
は、この予測が明らかに不合理でないか否かの検討は行うべきである
が、予測の達成可能性について責任を負うことはできないため、その
旨を当事者へ説明し評価証明書等への記載を行う。

⑤ 依頼者とともに合意をする当事者全員に対し各種評価方式を提示
し、それぞれの評価方式の特性を十分に理解させるべく説明を行うと
ともに、評価方式により価額に差異が生じることへの理解も得ておく
必要がある。なお、情報の格差が生じることがないよう、同一の場所
に当事者を集めるなどの対応をとることも考えられる。

76 中小企業庁が公表した非上場株式等の各種評価方法とは

Question

円滑化法における非上場株式等の時価評価について、中小企業庁が公表している評価方法とはどのような方法なのでしょうか。

POINT

① 評価方法には「収益方式」「純資産方式」「比準方式」がある

② 財産評価基本通達に基づいた国税庁方式でも一定の合理性がある

③ 合意した価額が客観的であっても課税されることもあり得る

Answer

1 中小企業庁が公表した各種評価方式

評価を行う税理士・弁護士等の専門家は、案件ごとの諸事情を考慮しながら、各種評価方式を用いて評価し証明を行うこととなります。後日、非後継者から錯誤、詐欺等の違法事由や損害賠償請求を主張されないように、さまざまな点に配慮しながら評価を行うことになります。

中小企業庁が公表したガイドラインによると、非上場株式等の評価方式は、大きく①収益方式、②純資産方式、③比準方式に分類され、国税庁方式である相続税評価も基準の1つと見ることができるとされています。

(1) 収益方式

評価対象会社に期待される利益等を基にして評価する方式で、概念的には、将来にわたる収益の総額の現在価値を示しているといえます。つまり、評価対象会社が将来獲得する利益またはフリー・キャッシュ・フロー（債権者や株主等の資金提供者に対する利払い、弁済または配当に充てることのできるキャッシュ・フローのことをいいます。）を一定の割引率で割り引いた現在価値に基づき評価する方式です。

配当還元方式もこの方式に含まれ、株主が将来受け取ることが期待され

230

る配当金に基づいて株式の価額を評価する方式ですが、会社における配当
政策の影響を強く受ける点に留意する必要があります。

(2) 純資産方式

評価対象会社の貸借対照表上の資産から負債を控除して求めた純資産価
額に基づき、株式の価額を評価する方式です。

具体的には、簿価純資産方式と時価純資産方式に大別されます。

---

① 簿価純資産方式

簿価純資産方式は、貸借対照表に計上されている各資産の帳簿価額
による純資産価額をもって、株式の価額とするものです。

② 時価純資産方式

時価純資産方式は、貸借対照表に計上されている各資産を時価に引
き直し、その純資産価額をもって、株式の価額とするものです。さら
に、評価益に対する法人税額等相当額を控除する方式と控除しない方
式とがあります。

なお、時価評価に基づいた純資産方式には、「事業を新たに開始する際
に同じ資産を取得するとした場合における価額を算定する」との考え方に
基づく再調達時価純資産方式と、「会社を清算する場合における早期処分
価額を算定する」との考え方に基づく清算処分時価純資産方式等があり、
いずれの場合にも評価対象会社の各資産（特に、土地、建物、非上場株式
等）の価額をどのように評価するかが問題となります。

(3) 比準方式

評価対象会社と類似する上場会社（類似会社または類似業種）の株式の
市場価額や、評価対象会社の株式の過去の取引における価額を参考として
評価する方式です。比準方式には、次の3種類があります。

231

① 類似会社比準方式

　類似会社比準方式では、まず、評価対象会社の業種、規模などを考慮し、類似する特定の上場会社を選定し、評価対象会社と選定した上場会社の純資産価額等の財務数値を比較して倍率を算出します。その上で、算出した倍率を、選定した上場会社の市場株価等に乗じることにより、評価対象会社の株価を算定する方式です。この方式は、株式を公開する場合の公開株価を決定する際に利用されています。

　会社が、新規上場を行うに際し、競争入札方式を採用する場合には、入札価格の下限価格を設けることになります。この下限価格の設定にあたっては、類似会社比準方式により算定された価格の85％とすることが、各証券取引所の規則等に定められています。

② 類似業種比準方式

　類似業種比準方式では、まず、評価対象会社と類似業種の上場会社全部を選定し、評価対象会社と類似業種会社の純資産価額等の財務数値を比較して倍率を算出します。そのうえで、算出した倍率を類似業種会社の株式の市場株価に乗じることにより、評価対象会社の株価を算定する方式です。

③ 取引事例方式

　取引事例方式とは、評価対象会社の株式について、過去に適正な売買が行われたことがある場合に、その取引価額を基に株式の価額を算定する方式です。過去の売買事例が複数回存在しているような場合には、基本的に直近の売買事例を用いることが一般的です。

　類似会社比準方式では類似する特定の上場会社の市場株価等の動向、類似業種比準方式では類似業種の上場会社の株式の市場株価等の動向、取引事例方式では実際の取引における価額をそれぞれ踏まえているという点において判断すれば、比準方式は客観性が高いといえるでしょう。

2　国税庁方式 ＝ 相続税評価額

　非上場株式等に係る贈与または相続に際しては、相続税法上、財産の価額は「取得の時における時価」とされていますが、課税実務では、財産評価基本通達に基づき評価され、贈与税または相続税が課されています。この財産評価基本通達に基づく評価方式は、いわば収益方式、純資産方式及び比準方式を併用した評価方式といえます（第Ⅲ章で詳述）。

　円滑化法における後継者は、株式を贈与等により取得することが民法特例の適用要件となっていますので、通常、贈与株式に対する税額計算については、財産評価基本通達に基づく国税庁方式による評価を行っていることが多いと考えられます。そのため、固定合意においても、財産評価基本通達に配慮するケースもあることが想定されますが、財産評価基本通達を固定合意のための評価に利用できるかどうかは、また別の問題であるという指摘もあります。

　しかし、東証マザーズやジャスダックといった新興市場に上場している同族会社の株価について、収益還元方式、純資産方式及び国税庁方式により評価を行ったところ、国税庁方式により評価した株価は、それ以外の評価方式による株価のレンジに収まっているケースが多かったこと、また、固定合意が当事者全員の合意を前提とした仕組みであるため、当事者間で、国税庁方式以外の評価方式も含め、ガイドラインに記載している各評価方式についての情報を共有したうえで、国税庁方式に基づく評価で合意するのであれば、その価額には、一定の客観性・合理性があるとも考えられます。

　ただし、円滑化法の定めによって相当であると証明された合意時価額を基に、その株式の取引が行われた場合においても、国税庁の所得税及び法人税の取扱いに留意する必要があります。合意したけれども、価額につき国税庁方式とは見解が異なるため、結果として課税されるということもあり得るからです。自社株式の評価は本当にむずかしいものです。

（詳しくは中小企業庁から平成21年2月に公表されました「経営承継法における非上場株式等評価ガイドライン」を熟読ください。）

77 合意すれば後継者以外の相続人にも 財産分けができる

Question

円滑化法による「除外合意」をする際に、後継者や相続人に対する合意対象外資産についても除外合意することができるそうですが、どのようなものなのでしょうか。

POINT

① 後継者に対する対象資産の「除外合意」が前提となる

② 後継者が贈与された対象外資産についても除外合意できる

③ 非後継者が贈与等された財産についても除外合意できる

Answer

1 後継者が取得した対象資産以外の合意等

円滑化法により、旧代表者の推定相続人及び後継者は、後継者が取得した対象資産に関する遺留分の算定に係る「除外合意」をする際に、併せて、その全員が書面により合意すれば、後継者が旧代表者から生前贈与により取得した「対象資産以外の財産」の全部または一部について、その価額を遺留分を算定するための財産の価額に算入しない旨の定めをすることができます。

もちろん、贈与された対象資産については遺留分に関する合意はしないで、「その他の財産」についてのみ遺留分に関する合意をするということはできません。「その他の財産」に関する合意は、対象資産に関する合意に付随的な、いわゆるオプションとしての合意なのです。

よって、対象資産以外の財産についての合意は、遺留分からの「除外合意」をしている場合のみに認められており、「固定合意」をしている場合は認められていません。

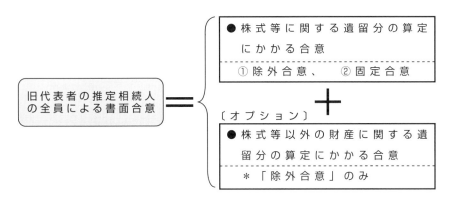

2 遺留分に関する合意と推定相続人間の衡平

　円滑化法により、後継者の取得する自社株式等について遺留分に関する民法特例についての「除外合意」をする場合には、併せて、その全員の書面による合意により推定相続人間の衡平を図るための措置に関する定めをすることができます。

　「推定相続人間の衡平を図るための措置」とは具体的に何を指すのでしょうか。合意の時点における推定相続人間の状況等により異なると思われますが、一般的には、後継者が旧代表者から自社株式等を遺留分の制約を受けることなく、あるいは遺留分の制限を緩和しつつ取得したことと均衡をとり得るということなのですから、後継者は①非後継者に対し一定の金銭を支払う、②旧代表者に対し、生活費として毎月一定の金銭を支払ったり、医療費その他の金銭を負担するなどが考えられます。

　「推定相続人間の衡平を図るための措置」を考えますと、対象資産を後継者に取得させ、推定相続人全員で「除外合意」や「価額固定合意」をする際に、後継者以外の推定相続人が無償合意してくれるかといえば難しいでしょう。実際にはある程度の代償財産を旧代表者から非後継者に贈与する、遺言書で相続させる等の必要があるのではないでしょうか。

3　推定相続人間の衡平を図るための措置についての除外合意も可

　推定相続人が衡平を図るための措置についての定めとして、「除外合意」の場合に限り、後継者以外の推定相続人が旧代表者からの贈与または当該贈与を受けた旧代表者の推定相続人からの相続、遺贈もしくは贈与により取得した財産の全部または一部についても、その価額を遺留分を算定するための財産の価額に算入しない旨の定めをすることができるものとされています。

特例合意の内容	
①除外合意	後継者が贈与を受けた株式等を遺留分算定基礎財産から除外
AND ／ OR	
②固定合意	後継者が贈与を受けた株式等の評価額を合意時で固定 ＊弁護士、公認会計士、税理士による評価額の証明が必要
① ＋ OPTION	
③追加合意	以下の財産を遺留分算定基礎財産から除外 ・　後継者が贈与を受けた株式等以外の財産 ・　非後継者が贈与を受けた財産

Ⅴ 遺留分に関する民法特例

（確認申請書より抜粋）

様式第１

遺留分に関する民法の特例に係る確認申請書

年　　月　　日

経済産業大臣名　殿

郵便番号
住　所
氏　名　　　　　　　印
電話番号

　中小企業における経営の承継の円滑化に関する法律第７条第１項の確認を受けたいので、別紙その他の必要書類を添えて申請します。

（別紙）

特例中小企業者	会　社　所　在　地		
	会　　社　　　名		
	代　表　者　の　氏　名		
	設　　立　　日		
	資本金の額又は出資の総額（＊）		円
	株式上場又は店頭登録の有無（＊）	ア　株式を上場又は店頭登録している。 イ　株式を上場又は店頭登録していない。	
	主　た　る　事　業　内　容　（＊）		
	総株主又は総社員の議決権の数（＊）	個　常時使用する従業員の数（＊）	人
旧代表者	住　　　　　所		
	氏　　　　　名		
	代　表　権　の　有　無　（＊）	あり／なし（退任日　　年　　月　　日）	
後継者	住　　　　　所		
	氏　　　　　名		
	電　話　番　号		
	保有議決権数及び割合（＊）	個（　　％）	
	合意の対象とした株式等を除いた保有議決権数及び割合（＊）	個（　　％）	
	旧　代　表　者　と　の　続　柄		
後　継　者　以　外　の　推　定　相　続　人		目録記載のとおり。	
合意の内容	合　　意　　日		
	合意の対象とした株式等を後継者に贈与した年月日又は期間	〜	
	チェック欄	合意をした事項	添付書類
		合意が特例中小企業者の経営の承継の円滑化を図るためにされたものであること。	
		法第４条第１項第１号の規定による合意	左記合意の対象とした株式等に係る議決権の数	個	
		法第４条第１項第２号の規定による合意	左記合意の対象とした株式等に係る議決権の数及び価額	個円	
		法第４条第３項の規定による合意		
		法第５条の規定による合意		
		法第６条の規定による合意		

（記載要領）
　１　（＊）の事項については、合意をした日における状況を記載すること。
　２　「合意の内容」欄については、合意をした事項の「チェック欄」に〇印を記載し、「添付書類」欄には当該事項を確認できる書類及び該当箇所（例：合意書第●条）を記載すること。

237

78 合意には経済産業大臣の確認と家庭裁判所の許可がいる

Question

円滑化法による「除外合意」や「価額固定合意」する際に、推定相続人間で合意するだけでは効力がなく、経済産業大臣の確認と家庭裁判所の許可がいるそうですか、どのようにすればよいのでしょうか。

POINT

① 合意した後継者は経済産業大臣の確認を受けることができる

② 確認後1か月以内の家庭裁判所の許可により効力が生じる

③ 当事者全員の署名・記名押印のある書類を申請書に添付

Answer

1 経済産業大臣の確認

(1) 合意をした後継者は、その合意が次のいずれにも該当することについて、経済産業大臣の確認を受けることができます。

① その合意が特例中小企業者の経営の承継の円滑化を図るためにされたものであること

② 申請者がその合意をした日において後継者の要件に該当すること

③ 合意をした日において、後継者が有する特例中小企業者の株式等のうち、合意対象株式等を除いた議決権の数が総株主等議決権数の100分の50以下の数であったこと（会社のみ）

④ 後継者が対象資産を処分し経営者でなくなった場合などに、旧代表者の推定相続人が一定の措置をすることのできる合意をしていること（円滑化法第4条3項）

(2) 経済産業大臣の確認申請は合意をした日から1か月以内に、一定の書類を添付した申請書を経済産業大臣に提出しなければなりません。

(3) 経済産業大臣は確認を受けた後継者について、偽りその他不正の手段によりその確認を受けたことが判明した場合には、その確認を取り消すことができます。

2 家庭裁判所の許可、合意の効力・消滅

(1) 家庭裁判所の許可

合意は経済産業大臣の確認を受けた後継者がその確認を受けた日から1月以内にした申立てにより、家庭裁判所の許可を受けたときに限り、その効力が生じます。家庭裁判所は、その合意が当事者全員の真意に出たものであるとの心証を得なければ、これを許可することができないものとされています。

(2) 合意の効力

家庭裁判所の許可があった場合には除外合意・価額固定合意は効力が生じます。ただし、旧代表者がした遺贈及び贈与については、合意の当事者以外の者に対してする遺留分侵害額請求には影響を及ぼさないものとされます。

〈後継者は合意した他の推定相続人に対して遺留分侵害額請求できない〉

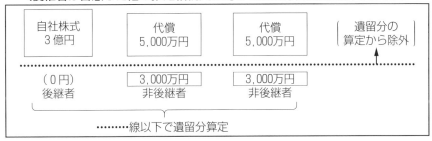

〈第三者への遺留分侵害額請求の禁止〉

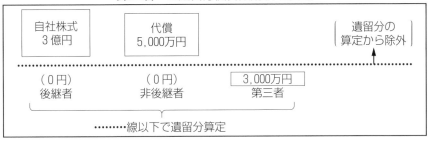

（中小企業庁資料より）

(3) 合意の効力の消滅

合意は、次の事由が生じたときには効力が消滅します。

① 経済産業大臣の確認の取消し
② 旧代表者の生前に後継者の死亡または成年後見・補佐の開始の審判を受けたこと
③ 合意当事者以外の者が新たに旧代表者の推定相続人となったこと（再婚、新たな子の出生等）
④ 合意の当事者の代襲者が旧代表者の養子となったこと

(4) 手続

民法の特例の手続については、次のようになっています。

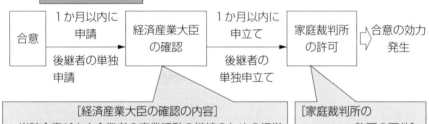

V 遺留分に関する民法特例

⑸ 申請書に添付しなければならないもの

① 合意の当事者全員の署名のある次に掲げる書面

・合意に関する書面

・合意の当事者全員が当該特例中小企業者の経営の承継の円滑化を図るためにその合意をした旨の記載のある書面

② 遺留分計算を贈与時の株式等の価額で固定する定めをしたときはその価額を記載した税理士等の証明書

③ 定款の写し、法定相続情報一覧図など経済産業省で定める書類

⑹ 合意後に後継者が死亡したとき

合意後に後継者が死亡したときは、経済産業大臣の確認を受けることができません。また、経済産業大臣の確認後に後継者が死亡したときには、家庭裁判所の許可を受けることができません。

⑺ 許可の取消し

偽りその他不正の手段により、合意につき経済産業大臣の確認を受けたことが判明したときは、家庭裁判所の許可は取り消されます。

241

VI

非上場株式等の
特例納税猶予制度

79 従来からの事業承継税制（一般納税猶予）の全体像はこうなっている

Question

円滑化法に基づいて都道府県知事の認定を受けることを前提とした、従来からの非上場株式等の相続税と贈与税の納税猶予制度（一般納税猶予）の全体像はどうなっているのでしょうか。

POINT

① 都道府県知事の認定を受けた会社の株式が対象

② 3分の2に達するまでの非上場株式等の相続・贈与等が対象

③ 贈与時は納税不要、相続時には評価額の80%部分が納税猶予される

Answer

1 非上場株式等の相続税・贈与税の納税猶予制度（一般納税猶予）

経営承継円滑化法によって、中小企業の経営承継に選択肢が増えています。㈱日本政策金融公庫での経営承継融資制度や保証協会の経営承継保証枠が設定されており、遺留分に関する民法の特例の適用を受けることもできます。また、経営承継円滑化法に基づいた都道府県知事の認定を受けることを前提とした、非上場株式（自社株式）等の相続税または贈与税の納税猶予制度（一般納税猶予）の適用を受けることができます。

2 非上場株式等の納税猶予制度（一般納税猶予）の全体像

一定要件を満たす中小企業である非上場会社が都道府県知事の認定を受けて、一定要件を満たす先代経営者から現代表者である後継者に一定数の非上場株式等が贈与された場合、その贈与税について納税が猶予されます（「第一種特例贈与」といいます。）。その贈与をした先代経営者に相続が発生した場合、猶予を受けている贈与税は免除され、贈与されていた株式等の贈与時の評価額が新たに相続税の課税対象とされますが、この相続時に

おいても都道府県知事の切替確認を受けることができると、相続税の一般納税猶予の適用を受けることができます。

いずれの場合も、先代経営者から相続等または贈与を受けた株式等のうち後継者が相続等または贈与前から保有していた株式を含めて、総株主等議決権数の3分の2に達するまでの部分にしか納税猶予は適用されません。贈与に際して一般納税猶予の適用を受ける場合でも、相続時精算課税制度が選択可能になっていますので、暦年課税か精算課税のいずれかを選択し、それぞれの制度で計算した贈与税額が猶予されます。

また、非上場株式等の贈与税の一般納税猶予制度を選択せずとも、一定要件を満たしていれば単独で非上場株式等の相続税の一般納税猶予制度を選択できます。ただ、贈与税の一般納税猶予後に相続税の一般納税猶予を受ける場合と、単独で相続税の一般納税猶予を受ける場合では、その適用要件が異なっています。この従来からの制度を「一般納税猶予」といいます。

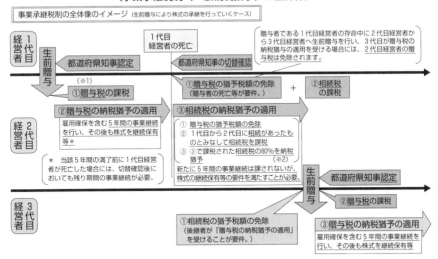

（※1）後継者がすでに保有している株式を含めて3分の2に達するまでの部分のみ一括贈与すれば、その贈与分に納税猶予が適用される。
（※2）生前贈与され相続時に相続財産に合算される株式は、相続前に既に保有していた株式を含めて3分の2に達するまでの部分に限り相続税の納税猶予は80％に対応する税額の納税を猶予。

（参考：「中小企業経営承継円滑化法申請マニュアル　平成26年12月改訂」改変）

80 事業承継の円滑化を図るための特例納税猶予の概要

Question

事業承継の更なる円滑化を図るため、令和9年12月31日までの期間限定による非上場株式等についての納税猶予制度の特例措置（特例納税猶予）があるそうですが、この特例はどのような制度なのでしょうか。

POINT

① 特例承継計画の提出・確認、知事の認定を受けた会社の株式が対象
② 特例納税猶予は非上場株式等の全株式の相続・贈与等が対象に
③ 贈与時は猶予で納税不要、相続時には100％評価減による納税猶予

Answer

1　特例納税猶予における贈与税は全株全額納税猶予適用可

　円滑化法に基づく一定の要件を満たす中小企業である非上場会社等が、認定経営革新等支援機関の指導及び助言を受けて策定した事業承継に関する計画書（以下「特例承継計画」といいます。）を都道府県庁に提出し、知事の確認を受けた場合には、非上場株式等についての贈与税または相続税の納税猶予の特例措置（以下「特例納税猶予」といいます。）の適用を受けることができます。

　その非上場会社等の先代経営者が後継者に代表権を譲った後、先代経営者が代表権を有している後継者に非上場株式等を原則として一括贈与し、その贈与後、会社が円滑化法に基づく都道府県知事の認定を受けて特例認定承継会社となった場合、後継者である受贈者は贈与された非上場株式等について贈与税の**特例納税猶予**の適用を受けることができます。この場合、非上場株式等に係る贈与税全額の納税が猶予されます。

2　贈与税は暦年課税または相続時精算課税

　この**特例納税猶予**の適用を受ける場合、贈与された非上場株式等の相続

246

税評価額により、暦年課税あるいは相続時精算課税のいずれかの制度を選択して贈与税を計算し、特例対象株式等に係る贈与税額全額が猶予されます。いずれの制度を選択するかは任意ですが、認定が取り消され納税をしなければならないリスクを考えると、相続時精算課税制度を選択するとよいでしょう。なお、先代経営者である贈与者が死亡した場合には、非上場株式等について猶予された贈与税額は全額免除となります。

3 相続発生時に相続税の特例納税猶予に切替えできる

　この贈与をした先代経営者に相続が発生した場合、**特例納税猶予**の適用を受けている贈与税額は免除され、贈与された株式等の贈与時における評価額が新たに相続税の課税対象とされます。この相続時においても都道府県知事の切替確認を受け相続税の**特例納税猶予**の適用を受けることができると、猶予対象となる非上場株式等の全株式につき100％の評価減をして相続税額を計算し、通常の評価により計算した支払うべき相続税額との差額について全額の納税猶予を受けることができます。つまり適用対象非上場株式等については相続時点では無税となるのです。

　また、非上場株式等についての贈与税の**特例納税猶予**の適用を受けずとも、期間内において円滑化法に基づき知事の確認・認定を受け一定の要件を満たせば、単独で非上場株式等についての相続税の**特例納税猶予**の適用を受けることができます。なお、贈与税の**特例納税猶予**の適用後に相続税の**特例納税猶予**の適用を受ける場合と、単独で相続税の**特例納税猶予**の適用を受ける場合では、その要件が異なっていますので、ご注意ください。

　このように、後継者が**特例納税猶予**制度の適用を受けた場合、非上場株式等については評価額が100％減額されることとなり、適用対象株式等だけの相続の場合には無税になりますので、事業を承継する後継者への株式の移転が非常に実行しやすくなりました。

81 特例納税猶予制度は後継者にとって非常に有利

Question

「非上場株式等についての贈与税・相続税の特例納税猶予」は、従来からの一般納税猶予と比較すると、後継者に非常に有利になっていますが、どのような措置なのでしょうか。

POINT

① 全株式が対象で100%の評価減で相続時も贈与時も全額納税猶予
② 認定経営革新等支援機関の意見等があれば雇用確保要件が実質撤廃
③ 複数の者から3人までの後継者への株式等の贈与・相続等が対象
④ 令和6年3月31日までの特例承継計画提出と令和9年12月31日までの贈与

Answer

1 猶予対象株式数に上限が無い

一般納税猶予の対象となる株式は、総株主等議決権数の3分の2が限度ですが、「非上場株式等についての特例納税猶予」では総株主等議決権数すべてが対象となります。

2 相続時の納税猶予対象となる株式評価の減額割合

非上場株式等についての相続税の納税猶予制度における猶予税額の計算対象は、一般納税猶予制度においては適用対象株式の相続税評価額の80%に相当する金額に対応する相続税額です。

「相続税の特例納税猶予制度」においては、適用対象非上場株式等の相続税評価額の100%に相当する金額に対応する相続税額が猶予されます。結果として猶予適用後、適用対象非上場株式等の相続等について後継者は無税で取得できることになります。

3 雇用確保要件の実質撤廃

　一般納税猶予制度では、贈与税または相続税の申告期限から5年間の経営承継期間中に一定の要件を満たさなくなると認定が取り消され、猶予税額全額の納税が必要とされています。その要件の一つが雇用確保要件で、5年間平均の従業員数が贈与時または相続時の80％を下回った場合には認定取消しとなり、猶予税額の全額を支払わなければならないのです。

　特例納税猶予制度では、80％を下回った場合でも、認定経営革新等支援機関の所見が記載された「下回った理由を記載した書類」が都道府県庁に提出された場合等には、認定が取り消されないことになりましたので、実質的に雇用確保要件が撤廃されたことになります。（Q97参照）

4 複数の株式所有者からの贈与も可能に

　特例納税猶予制度においては、先代経営者からの贈与（以下「第1種特例贈与」といいます。）を条件に、特例認定承継会社の代表者以外の複数の株主からの贈与等により取得する特例認定贈与承継会社の非上場株式等についても、特例経営承継期間内にその贈与等に係る申告書の提出期限が到来するものに限り、会社が認定を受ければ適用対象（以下「第2種特例贈与等」といいます。）とされます。代表権を有したことがない株主や親族以外の株主から贈与を受けた非上場株式等についても猶予の適用対象となっています。

　一般納税猶予制度においても、平成30年1月1日以後は、先代経営者からの贈与に伴い行われる複数の株主からの非上場株式等の贈与等についても適用対象（以下「第2種特例贈与等」といいます。）となっています。

5 複数の後継者への贈与も対象に

　一般納税猶予制度においては、適用対象となる後継者は筆頭株主である代表者に限られています。**特例納税猶予**制度においては、特例承継計画に記載された代表権を有する後継者で、総株主等議決権数の10％以上を有する上位2名または3名が対象となります。

6　推定相続人以外でも相続時精算課税の適用を受けることが可能に

　相続時精算課税制度の適用対象者は推定相続人（直系卑属に限ります。）と孫に限定されています。ところが、**特例納税猶予**制度においては、推定相続人と孫以外の親族や第三者からの一定の要件を満たした非上場株式等の贈与については、相続時精算課税制度の適用を受け、かつ非上場株式等についての贈与税の**特例納税猶予**制度の適用を受けることができます。

7　特例経営承継期間経過後の減免

　一般納税猶予制度においては、民事再生・会社更生時にはその時点の評価額で相続税を再計算し、超える部分の猶予税額が免除されます。

　特例納税猶予制度においては、上記に加え譲渡時、合併による消滅時及び解散時にも同様の規定が導入され一部免除が行われます。ただし、譲渡と合併による消滅の場合には、原則として相続税評価額の50％を下限として計算します。（Q99参照）

8　特例承継計画の提出

　非上場株式等についての**特例納税猶予**の適用を受けるには、認定経営革新等支援機関の指導及び助言を受けて会社が策定した後継者や承継時までの経営見通し等が記載された「特例承継計画」を、都道府県庁に提出し、知事の確認が必要とされます。

　その提出期間は平成30年4月1日から令和6年3月31日までとなっています。ただし、特例承継計画を提出してから内容の変更をすることもできるうえ、たとえ事情が変わって、非上場株式等の贈与ができなくなったとしても罰則もありません。

　よって、非常に使いやすく、かつ、後継者に有利になった**特例納税猶予**制度の適用を受ける可能性のある場合には、会社は承継計画を策定し、都道府県庁に提出し知事の確認を受けておく必要があるといえるでしょう。

Ⅵ 非上場株式等の特例納税猶予制度

【参考】特例納税猶予と一般納税猶予の比較

	特例措置	一般措置
事前の計画策定	6年以内の特例承継計画の提出 （平成30年(2018年)4月1日から 令和6年(2024年)3月31日まで）	不要
適用期限	10年以内の贈与・相続等 （平成30年(2018年)1月1日から 令和9年(2027年)12月31日まで）	なし
対象株数	全株式	総株式数の最大3分の2まで
納税猶予割合	100%	贈与：100％　相続：80％
承継パターン	複数の株主から**最大3人**の後継者	複数の株主から1人の後継者
雇用確保要件	弾力化	承継後5年間 平均8割の雇用維持が必要
経営環境変化に対応した免除	あり	なし
相続時精算課税の適用	60歳以上の者から18歳以上の者への贈与	60歳以上の者から18歳以上の推定相続人・孫への贈与

（「中小企業経営承継円滑化法申請マニュアル　令和4年4月改訂版」（中小企業庁）を基に作成）

82 特例納税猶予の適用を受けるためには承継計画の提出が必要

Question

非上場株式等の特例納税猶予の適用を受けるには、原則として、都道府県庁に「特例承継計画」の提出の確認を受けるなどの要件があるそうですが、適用を受けるための手続の流れはどうなっているのでしょうか。

POINT

① 「特例承継計画」提出後は特例納税猶予の適用は令和 9 年12月31日までの贈与・相続が対象
② 「特例承継計画」提出前であっても令和 6 年 3 月31日までは特例納税猶予の適用可

1　令和 9 年12月31日までの贈与・相続に特例の適用可

会社が令和 6 年 3 月31日までに「特例承継計画」を提出し都道府県知事の確認書の交付を受けており、特例経営承継受贈者が令和 9 年12月31日までに非上場株式等を贈与により取得し、贈与税の**特例納税猶予**の適用を受けた場合において、贈与者である先代経営者に相続が発生したときには納税猶予額が全額免除され、贈与時点の非上場株式等の相続税評価額を相続財産とみなして相続税が計算されます。

その相続時に都道府県知事の切替確認が認められると、その非上場株式等に対応する相続税額の全額が猶予されます。先代経営者の相続開始の時期が贈与後の10年先であっても20年先であっても、令和 9 年12月31日までにその非上場株式等を贈与さえしておけば、相続税の**特例納税猶予**を適用することができます。

なお、会社が令和 6 年 3 月31日までに特例承継計画を提出し都道府県知事の確認書の交付を受けておけば、非上場株式等を贈与する前であっても、令和 9 年12月31日までに先代経営者に相続が発生した場合においては、相続税の**特例納税猶予**の適用を受けることができますので安心です。

Ⅵ 非上場株式等の特例納税猶予制度

2 「特例承継計画」提出前であっても期間内であれば特例の適用可

　会社が特例承継計画を提出していない場合であって、令和6年3月31日までの間に先代経営者に相続が発生した場合には、相続発生後であっても特例承継計画を提出し都道府県知事の確認書の交付を受け、特例承継会社の認定を受けることができれば、相続等した非上場株式等について相続税の**特例納税猶予**の適用を受けることができます。

　また、令和6年3月31日までの間の非上場株式等の贈与に限り、贈与後であっても特例承継計画を提出し都道府県知事の確認書の交付を受け、特例承継会社の認定を受けることができれば、贈与した非上場株式等について贈与税の**特例納税猶予**の適用を受けることができます。

（1）平成30年4月1日から令和6年3月31日に贈与、事業承継期間後に相続発生

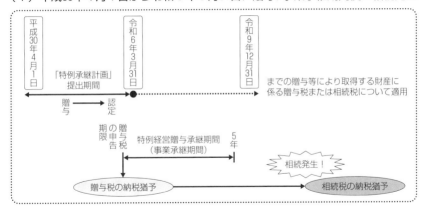

（2）令和6年4月1日から令和9年12月31日に贈与、事業承継期間後に相続発生

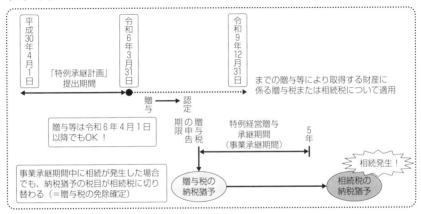

253

83 特例納税猶予の対象となる先代経営者と後継者の要件

Question

　非上場株式等についての特例納税猶予の適用を受けることのできる先代経営者と後継者の要件とは、どのような要件なのでしょうか。また、贈与と相続の要件は異なっているのでしょうか。

POINT

① 先代経営者は50%超の同族株主の筆頭株主で代表権を有していた者

② 後継者が１人の場合は同族株主の筆頭株主で代表権を有している者

③ 後継者が複数の場合は10%以上の株主で代表権を有しているもの

④ 贈与と相続は特例納税猶予の認定要件が異なる点がある

Answer

1　贈与税の特例納税猶予の適用対象者の要件

　原則として、非上場株式等についての贈与税の一般納税猶予と特例納税猶予における適用対象者の要件は、計画書に記載された者及び後継者が複数である場合を除き、同じです。贈与税の特例納税猶予においては、先代経営者（特例贈与者）と後継者（特例経営承継受贈者）について、それぞれ次のように適用要件が定められています。

(1)　先代経営者である特例贈与者の主な要件（第１種特例経営承継）

　①　会社の代表権を有していたこと

　②　贈与時において、会社の代表権を有していないこと（代表権がなければ贈与後においても有給の役員として残留できます。）

　③　代表権を有していたいずれかの時点と贈与直前のどちらにおいても、贈与者及び贈与者と特別の関係がある者が有する議決権数の合計額が総株主等議決権数の50%超であり、かつ、後継者を除いたこれらの者の中で筆頭株主であったこと

　④　既に事業承継税制の適用に係る贈与をしていないこと

⑤ 特例承継計画に記載された先代経営者であること

(2) **後継者である特例経営承継受贈者の主な要件**

先代経営者（特例贈与者）から贈与により、非上場株式等を取得した後継者で、次に掲げるすべての要件を満たしている必要があります。

① 贈与の日において18歳以上であり（先代経営者の親族に限らず、第三者の役員等でも対象者となります。）、かつ、贈与の日まで引き続き3年以上にわたり会社の役員等であること（取締役、監査役、会計参与等）
② 贈与のときにおいて、会社の代表権を有していること
　（代表者はその者以外にいてもかまいません。）
③ 贈与のとき以後において、後継者及び後継者と特別の関係がある者の有する議決権数の合計額が総株主等議決権数の50％超であること
④ 一般措置の適用を受けていない特例承継計画に記載された後継者に限られ、以下のそれぞれの要件を満たしていること
〈後継者が1人の場合〉
　贈与のときにおいて、後継者と特別の関係がある者のうち認定承継会社の議決権数において筆頭株主となること（親族以外の第三者が筆頭株主の場合も可）
〈後継者が2人または3人の場合〉
　贈与のときにおいて、後継者が有する議決権数が10％以上であり、かつ、後継者と特別の関係がある者の中で、他の後継者を除き、認定承継会社の議決権数において最も多くの議決権を有することとなること
⑤ 後継者が、贈与のときから贈与税の申告書の提出期限まで引き続き、贈与により取得した特例認定贈与承継会社の対象株式等のすべてを有していること

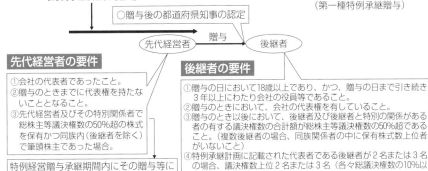

（参考：中小企業庁財務課資料「事業承継税制の概要」に一部加筆）

2 相続税の特例納税猶予の適用対象者の要件

相続税の特例納税猶予においては、先代経営者（特例被相続人）と後継者（特例経営承継相続人等）についてそれぞれ次のように適用要件が定められています。

(1) 先代経営者である特例被相続人の主な要件

① 代表権を有していた者であったこと

（いずれかの時点で会社の代表権を有していればよい。）

② 代表権を有していたいずれかの時点と相続開始直前のどちらにおいても、被相続人及び被相続人と特別の関係がある者の有する議決権数の合計額が総株主等議決権数の50％超であり、かつ、後継者を除いたこれらの者の中で筆頭株主であったこと

③ 既に特例措置の適用に係る贈与をしていないこと

④ 特例承継計画に記載された先代経営者であること

(2) 後継者である特例経営承継相続人等の主な要件

先代経営者から相続または遺贈により、非上場株式等を取得した後継者で、次に掲げるすべての要件を満たしている必要があります。

① 相続開始の直前において会社の役員であったこと

（被相続人が70歳未満で死亡した場合又は特例承継計画に特例後継者として記載されている場合を除く）

② 相続開始の日の翌日から5か月を経過する日（認定申請基準日）において会社の代表権を有しており、特例承継計画に記載された後継者であること

③ 相続開始のときにおいて、後継者及び後継者と特別の関係がある者の有する議決権数の合計額が、総株主等議決権数の50％超であること

④ 特例承継計画に記載された者に限られ、以下のそれぞれの要件を満たしており、一般措置の適用を受けていないこと

〈後継者が1人の場合〉

相続開始のときにおいて、後継者と特別の関係がある者のうち認定承継会社の議決権数において筆頭株主であること（親族以外の第三者が筆頭株主の場合も可）

Ⅵ 非上場株式等の特例納税猶予制度

〈後継者が2人または3人の場合〉
　相続開始のときにおいて、後継者が有する議決権の数が10％以上であり、後継者と特別の関係がある者の中で、他の後継者を除き、認定承継会社の議決権数において最も多くの議決権を有すること
⑤　相続開始のときから相続税申告書の提出期限まで、引き続き相続等により取得した特例認定承継会社の対象株式等のすべてを有していること

3　複数株主から3人の後継者への贈与も特例の対象に（Q84参照）

　一定要件の下、特例認定承継会社の代表者以外の複数の株主から、特例承継計画に記載された3人までの特例経営承継者が、贈与等により取得する特例認定承継会社の非上場株式等についても、特例の対象となります。

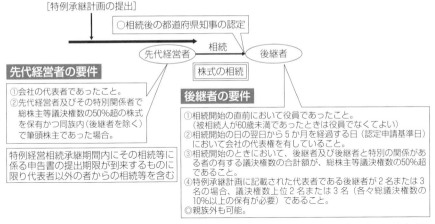

（参考：中小企業庁財務課資料「事業承継税制の概要」に一部加筆）

84 複数株主から3人までの後継者への贈与等も特例対象

Question

非上場株式等の一般納税猶予では1人の後継者への贈与等のみが対象となっていますが、非上場株式等の特例納税猶予制度では対象がどのように拡大されているのでしょうか。

POINT

① 先代経営者からの株式贈与に伴う複数株主から株式贈与も対象
② 特例経営贈与承継期間内の申告期限到来に限り特例の対象に
③ 承継計画に記載されていれば後継者は上位3人までが特例の対象に

Answer

1 先代経営者以外の複数株主からの贈与等も特例の対象に

　非上場株式等の**特例納税猶予**においては、先代経営者から特例認定承継会社の株式等を特例経営承継受贈者が贈与または相続・遺贈（以下「第1種特例贈与等」といいます。）により取得したことを条件に、先代経営者以外のその会社の代表権を有したことがない複数の株主からの贈与または相続・遺贈（以下「第2種特例贈与等」といいます。）により取得するその特例認定承継会社の非上場株式等についても、特例の適用対象となります。

　具体的には先代経営者の配偶者、兄弟等の親族はもちろんのこと、従業員や取引先等の第三者からの贈与または遺贈等についても適用されます。

2 先代経営者以外からの贈与（第2種特例経営承継贈与）の注意点

　特例経営承継受贈者（後継者）が先代経営者以外の複数の株主から贈与等により取得する特例認定承継会社の非上場株式等については、特例経営承継期間内にその贈与等に係る申告書の提出期限が到来するものに限り、非上場株式等の**特例納税猶予**の対象となります。

　特例経営贈与承継期間は、第1種特例経営承継贈与を受けた年の翌年3

258

月15日から5年後の3月15日までとなっています。5年後の3月15日がラストの申告期限ですから、第2種特例経営承継贈与はその前年の12月31日までに行わなければなりません。

また、特例経営承継受贈者が先代経営者から第1種特例経営承継贈与を受けた年中に、先代経営者以外の株主からその非上場株式等の第2種特例経営承継贈与を受けた場合には、贈与を受けた年の翌年の1月15日までにそれぞれの認定申請手続を行い、都道府県知事から特例認定承継会社としてそれぞれ認定を受けた上で、特例経営承継受贈者が贈与税の申告と**特例納税猶予**を受けるための手続を3月15日までに行います。

また、特例経営承継受贈者が先代経営者から第1種特例経営承継贈与を受けた年の翌年以降に他の複数の株主からその非上場株式等の第2種特例経営承継贈与を受けた場合には、会社は都道府県知事に対する認定の手続を、別途贈与の翌年1月15日までに行わなければなりません。ただし、特例経営承継期間は最初にこの特例の適用を受ける贈与税の申告期限から5年間のままです。

3 後継者(特例経営承継者)の注意点

後継者(特例経営承継者)とは、特例認定承継会社の特例承継計画に記載されたその特例認定承継会社の代表権を有する者であって、後継者と特別の関係がある者と合わせてその特例認定承継会社の総株主等議決権数の50%超を有し、かつこれらの者のうち、その特例認定承継会社の議決権を最も多く有する者とされています。

また、その特例承継計画に記載された後継者が2名または3名の場合には、その議決権数において総株主等議決権数の10%以上を有するそれぞれ上位2名または3名の者が対象となります。これらの条件を満たす場合には、親族外の後継者(その者及びその者と特別の関係のある者で総株主等議決権数の50%超を保有していること)であっても適用することができます。なお、特例承継計画に、後継者になる予定者として記載されている者で最大3人までに限定されており、これらの者はその非上場株式等を実際に贈与により取得した時点においては、代表権を有している必要があります。

259

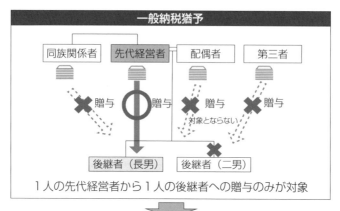

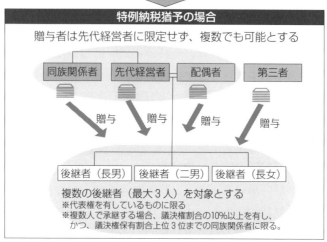

（国税庁資料を加工）

4 特例承継計画に変更が生じた場合

　当初に提出した特例承継計画に記載した「特例後継者」、または「特例代表者が有する株式等を特例後継者が取得するまでの期間における経営の計画」、「特例後継者が株式等を承継した後5年間の経営計画」を変更する場合には変更計画を策定し、認定経営革新等支援機関の指導・助言を記載の上、都道府県知事に提出し変更の確認を受けておくことにより**特例納税猶予**制度の適用を受けることができます。

5 先代経営者から後継者への一定の贈与等であること（第1種）

　非上場株式等についての**特例納税猶予**の適用を受けることができる要件は、先代経営者から特例経営承継受贈者への特例認定贈与承継会社の株式等の贈与が、次の区分に応じ、それぞれに定める贈与であることです。

(1) 後継者が1人の場合

　① 贈与の直前において、先代経営者が有していた議決権株式等の数が、総株主等議決権数の3分の2から後継者が有していた議決権株式等の数を控除した残数以上ある場合には、控除した残数以上の議決権株式等の贈与であり、上限はない。

　② ①以外の場合は、先代経営者が贈与直前において有していた非上場株式等の全ての贈与であること

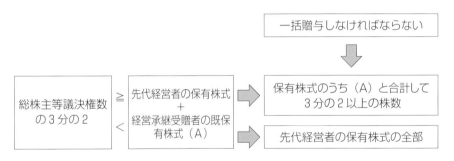

(2) 後継者が2人または3人の場合

　贈与後におけるいずれの後継者の有する議決権株式等の数が総株主等議決権数の10％以上となる贈与であって、かつ後継者及びその特別関係者の中で上位2人または3人以内となる贈与であること

6 一般納税猶予でも贈与者の範囲が拡大

　一般納税猶予制度においても、平成30年1月1日以後の贈与・相続等から、先代経営者から後継者への贈与等に伴い、先代経営者以外の複数の株主から贈与等ができるようになっています。

85 都道府県知事の会社についての認定要件

Question

非上場株式等についての相続税・贈与税の特例及び一般納税猶予制度を適用するには、その会社が都道府県知事の認定を受けることが要件ですが、どのような要件を満たしていればよいのでしょうか。

POINT

① 上場会社・風俗営業会社・大会社でないこと
② 従業員が１人以上、売上がゼロでない事業会社であればよい
③ 資産管理会社は適用除外となることに要注意

Answer

1 対象となる中小企業の範囲

非上場株式等の納税猶予制度の適用対象となる中小企業者は、円滑化法により都道府県知事が認定した次の会社とされています。

⑴ 中小企業基本法上の中小企業の範囲より一部拡大されている

中小企業基本法上の中小企業の範囲は次ページの左表のとおりです。これらの表の資本金または従業員基準のいずれか一方に該当していれば適用されます。

⑵ 会社のみが対象

非上場株式等についての納税猶予の適用対象は円滑化法施行令で定める中小企業者で、会社法上の会社となっていますので、株式会社・有限会社・合同会社・合名会社・合資会社・農業生産法人の株式または出資に限られます。したがって、医療法人、社会福祉法人、弁護士法人、税理士法人、監査法人、NPO法人等の出資持分等は適用対象となりません。

また、平成31年１月１日以後の相続・贈与から、個人の事業用資産についての納税猶予制度が適用されています（Q103参照）。

〈対象となる中小企業者〉

中小企業基本法上の中小企業の定義

	資本金 又は 従業員数	
製造業 その他	3億円以下	300人以下
卸売業	1億円以下	100人以下
小売業	5千万円 以下	50人以下
サービス業		100人以下

政令により範囲を拡大した業種
（網かけ部分を拡大）

	資本金 又は 従業員数	
ゴム製品製造業（自動車又は航空機用タイヤ及びチューブ製造業並びに工業用ベルト製造業を除く）	3億円 以下	900人 以下
ソフトウエア・情報処理サービス業	3億円 以下	300人 以下
旅館業	5千万円 以下	200人 以下

（「中小企業経営承継円滑化法申請マニュアル　令和4年4月改訂版」（中小企業庁）より）

会社……株式会社、特例有限会社、合同会社、合資会社、合名会社、農業生産法人
　（医療法人、社会福祉法人、税理士法人等は対象外）

2　都道府県知事の認定要件

　非上場株式等についての贈与税・相続税の納税猶予の適用を受けるには、その発行会社が都道府県知事の認定を受ける必要があります。認定を受けるためには、申請者である中小企業は非上場会社等でなければなりません。それ以外の要件は次のとおりです。

(1)　中小企業者であること

(2)　贈与または相続のとき以後において、上場会社等または、風俗営業等の規制及び業務の適正化等に関する法律（風営法）上の性風俗関連特殊営業会社に該当しないこと

　なお、バー、パチンコ、ゲームセンター等は風営法の規制対象事業ですが、性風俗関連特殊営業でないので対象となります。

(3)　贈与または相続の日の直前事業年度の開始の日以後において、資産の価額の総額に占める特定資産の価額の合計額の割合が70%以上である会社を「資産保有型会社」と定義し、これに該当しないこと

(4)　贈与または相続の認定申請基準年度において、総収入金額に占める特定資産の運用収入の合計額の割合が75%以上である会社を「資産運用型

会社」と定義し、これに該当しないこと

【認定申請基準日及び認定申請基準年度】

① 贈与認定申請基準日
- ・ 贈与の日が1月1日から10月15日までのいずれかの日である場合には、贈与日の属する年の10月15日をいいます。
- ・ 贈与の日が10月16日から12月31日までのいずれかの日である場合には、その贈与の日をいいます。

| 1月1日から10月15日 | → | 10月15日 |
| 10月16日から12月31日 | → | その贈与の日 |

② 贈与認定申請基準事業年度

贈与の日の属する事業年度の直前の事業年度及び、贈与の日の属する事業年度から贈与認定申請基準日の翌日の属する事業年度の直前事業年度までの各事業年度をいいます。

③ 相続認定申請基準日

相続開始の日から5か月を経過する日をいいます。

④ 相続認定申請基準事業年度

相続の開始の日の属する事業年度の直前の事業年度及び、その相続開始の日の属する事業年度から認定申請基準日の翌日の属する事業年度の直前事業年度までの各事業年度をいいます。

---

(5) 認定申請基準事業年度において、損益計算書上の総収入金額がゼロを超えること。ただし、総収入金額には営業外収益及び特別利益を含めずに判定します。

(6) 贈与または相続のときに常時使用従業員の数が1人以上であること

申請者に常時使用する従業員がいない場合には、認定を受けることができません。なお、従業員としての身分も有する役員（いわゆる使用人兼務役員）も常時使用する従業員に含まれますが、当該役員が従業員としての身分を有することを証する書類（従業員給与が支給されていることがわかる給与明細の写しなど）の提出が必要です。

(7) 特定特別関係会社（その会社の株式の過半数を会社と密接な関係を有する一定の者※が所有しているものをいいます。）が上場会社等、大法人または風俗営業会社に該当しないこと

※ 一定の者とは次のような範囲となっています。
① 認定会社

②　認定会社の代表権を有する者

③　認定会社の代表権を有する者と生計を一にする親族

④　認定会社の代表権を有する者と特別の関係がある者

(8)　後継者である代表者が「特定後継者」であること

(9)　拒否権付種類株式（黄金株）を発行している場合には、その黄金株を後継者以外の者が有していないこと

(10)　基準日における常時使用する従業員の数が贈与または相続のときにおける常時使用従業員の数の80％以上であること（特例納税猶予の場合はこの要件は課されません。）

（一般納税猶予制度のみの要件）

```
──【認定時の判定】──────────────────────
①　贈与時期──┬──1月1日～10月15日

                    10月15日の常時使用する従業員数
                    ─────────────────────  ≧  80％
                    贈与日の常時使用する従業員数

            └──10月16日～12月31日

                    贈与日の常時使用する従業員数
                    ─────────────────────  ≧  80％
                    贈与日の常時使用する従業員数

②　相続時

    相続開始の日以後の5か月経過する日における常時使用する従業員数
    ─────────────────────────────────────────────  ≧  80％
        相続開始の日における常時使用する従業員数
```

3　贈与税と相続税の特例納税猶予の認定要件の違い

　贈与税の**特例納税猶予**と相続税の**特例納税猶予**の認定要件には、先代経営者及び後継者の要件について違いがあります。

　Q83にそれぞれの特例措置について詳しくまとめてありますので、必ずご確認ください。

86 資産保有型会社に該当すれば適用対象とならない

Question

有価証券等を大量に保有しているため「資産保有型会社」と定義される会社は、都道府県知事の認定も、非上場株式等についての納税猶予制度の適用も受けられないそうですが、どのような会社をいうのでしょうか。

POINT

① 資産保有型会社とは帳簿価額に占める特定資産の割合が70%以上
② 特定資産には、原則、特別子会社の株式は除外して判定される
③ 同族関係者等への貸付金や未収入金も特定資産となる

Answer

1 納税猶予の対象外となる「資産保有型会社」の定義

特定資産の占める割合が高い資産保有型会社に該当すると納税猶予の対象外となるため、納税猶予の適用を受けることはできません。

「資産保有型会社」とは、贈与または相続の日の属する事業年度の直前の事業年度から申告書の提出期限までのいずれかの日において、資産の帳簿価額総額に占める特定資産の帳簿価額の合計額の割合が、70%以上となる会社をいいます。

【資産保有型会社】

$$\frac{特定資産＝判定時における①〜⑤の合計額^※}{判定時における資産価額総額^※} \geq 70\%$$

一定の場合は、特別子会社の特別子会社株式または持分を除きます。
※（本人及び同族関係者に支払われた配当及び損金不算入役員給与）

「特定資産」とは、次の①から⑤までの合計をいいます。

① 国債証券、地方債証券、株券その他の金融商品取引法に規定する有価証券と他の持分会社の持分

　ただし、その中小企業者の特別子会社の株式または持分は、その特別子会社が「資産保有型子会社」または「資産運用型子会社」に該当しない場合に限って、有価証券及び持分から除かれます。

② その中小企業が所有している不動産のうち、現に自ら使用していないもの

　中小企業者自身が自らの事務所や工場・店舗として使用している不動産以外のすべてのものが該当します。遊休地が典型的な例ですが、第三者に賃貸している不動産もこれに該当します。従業員社宅は「自己使用」とされますが、役員社宅は第三者賃貸に含まれますので注意する必要があります。結果的に不動産賃貸業を主たる事業とする会社は、原則として資産保有型会社となり、納税猶予の適用対象外となることが多いと思われます。

③ ゴルフ会員権等施設の利用に関する権利

　ゴルフ会員権、スポーツクラブ会員権、リゾート会員権などです。ただし、ゴルフ会員権等の販売業者が販売目的で所有しているものなど事業の用に供することを目的として有するものは除外されますが、接待用で所有しているものについては、営業先の開拓のためであっても特定資産に該当します。

④ 絵画・貴金属等

　絵画、彫刻、工芸品、陶磁器、骨董品などの動産、金、銀、などの貴金属、ダイヤモンドなどの宝石です。

　ただし、これらの資産の販売業者（画廊、骨董品店、宝石店等）が販売目的で所有しているものなど、事業の用に供することを目的として有するものは除外されます。

⑤ 現預金等

　現金や預貯金と同視し得る保険積立金なども原則として該当します。また、代表者及び同族関係者（外国会社を含む）に対する貸付金

や未収金の額も含まれるものとし、預け金や差入保証金なども原則として該当します。

2　ホールディングカンパニーは適用可能

　資産保有型会社の判定において、申請しようとする会社が保有する特別子会社の株式または持分は、その特別子会社が資産保有型会社及び資産運用型会社に該当する場合に限って、特定資産として分子に算入することとされています。結果としていわゆるホールディングカンパニーであっても、特別子会社が資産保有型会社及び資産運用型会社に該当しない限りは、必要な要件を満たすと納税猶予の適用対象となります。

　なお、ここでいう「特別子会社」とは、会社とその代表者及びその代表者の同族関係者が合わせて総株主等議決権数の過半数を有している会社のことをいいますので、会社法上の子会社とは異なります。

①　中小企業者の「特定資産」を判定する際の「有価証券及び持分」は下図のとおりです。

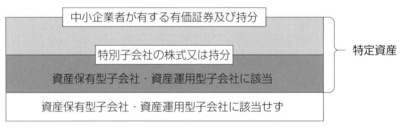

（「中小企業経営承継円滑化法申請マニュアル平成29年4月施行」P71より）

②　中小企業者の特別子会社の「特別特定資産」を判定する際の「有価証券及び持分」は、下図のとおりです。

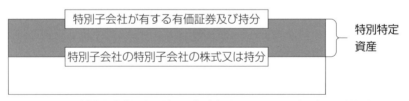

（「中小企業経営承継円滑化法申請マニュアル平成29年4月施行」P71より）

VI 非上場株式等の特例納税猶予制度

3 事業実態がある場合には適用除外

　このように計算式による特定資産の割合が70％以上となり、資産保有型会社に該当する場合であっても、一定の要件を満たして事業実態があると認められた場合には、資産保有型会社に該当しないものとみなされ、特例及び一般納税猶予の適用を受けることができます（Q88参照）。

〈資産保有型会社の判定のための明細表（認定申請書　様式7より抜粋）〉

贈与認定申請基準事業年度（　年　月　日から　年　月　日まで）における特定資産等に係る明細表					
種別		内容	利用状況	帳簿価額	運用収入
有価証券	特別子会社の株式又は持分			(1)　　円	(12)　　円
	資産保有型会社又は資産運用型会社に該当する特別子会社の株式又は持分			(2)　　円	(13)　　円
	特別子会社の株式又は持分以外のもの			(3)　　円	(14)　　円
不動産	現に自ら使用しているもの			(4)　　円	(15)　　円
	現に自ら使用していないもの			(5)　　円	(16)　　円
ゴルフ場その他の施設の利用に関する権利	事業の用に供することを目的として有するもの			(6)　　円	(17)　　円
	事業の用に供することを目的としないで有するもの			(7)　　円	(18)　　円
絵画、彫刻、工芸品その他の有形の文化的所産である動産、貴金属及び宝石	事業の用に供することを目的として有するもの			(8)　　円	(19)　　円
	事業の用に供することを目的としないで有するもの			(9)　　円	(20)　　円
現金、預貯金等	現金及び預貯金その他これらに類する資産			(10)　　円	(21)　　円
	経営承継受贈者及び当該経営承継受贈者に係る同族関係者等（施行規則第1条第12項第2号ホに掲げる者をいう。）に対する貸付金及び未収金その他これらに類する資産			(11)　　円	(22)　　円
特定資産の帳簿価額の合計額	(23)＝(2)＋(3)＋(5)＋(7)＋(9)＋(10)＋(11)　　円	特定資産の運用収入の合計額		(25)＝(13)＋(14)＋(16)＋(18)＋(20)＋(21)＋(22)　　円	

（「中小企業経営承継円滑化法申請マニュアル平成31年4月施行」より）

87 資産運用型会社に該当すれば適用対象とならない

Question

株式や不動産の運用益が収入の大半であり、「資産運用型会社」と定義される会社は、都道府県知事の認定も非上場株式等についての納税猶予制度の適用も受けられませんが、どのような会社をいうのでしょうか。

POINT

① 資産運用型会社とは特定資産の運用収入が75%以上を占める会社
② 総収入金額は売上高、営業外収益、特別利益の合計額
③ 運用収入は配当金、利息、家賃、譲渡収入等が含まれる

Answer

1 資産運用型会社も納税猶予適用除外

特定資産から生ずる収入の額が全体の収入金額の大半になると「資産運用型会社」と定義され、都道府県知事の認定を受けることができず、もちろん納税猶予の適用対象からも除外されます。「資産運用型会社」とは、贈与または相続の日の属する事業年度の直前の事業年度末における、総収入金額に占める特定資産の運用収入の合計額の割合が75%以上である会社をいいます。

総収入金額は、損益計算上の売上高、営業外収益及び特別利益の合計額です。特定資産の運用収入には、特定資産である株式からの配当金、受取利息、受取家賃や特定資産の譲渡収入などが含まれます。なお、特定資産については資産保有型会社（Q86参照）と同じです。

【算定式】

$$\frac{\text{特定資産の運用収入}}{\text{総収入金額【売上高＋営業外利益＋特別利益】}} \geq 75\% \rightarrow \text{資産運用型会社}$$

Ⅵ 非上場株式等の特例納税猶予制度

2 譲渡についての収入金額に要注意

　総収入金額の計算上特に注意しなければならないことがあります。営業外収益及び特別利益の計算をするときには、資産の譲渡によるものについては、譲渡益でなくその資産の譲渡価額に置き換えなければなりません。また特定資産の運用収入の計算上も同様に、特定資産の譲渡については、利益でなく譲渡価額そのものが運用収入となります。

　売買した結果利益が出ていなくても、売買価額そのものが収入金額として期末において「資産運用型会社」かどうかを判定されますので要注意です。

3 事業実態があれば適用除外

　このように計算式による特定資産の運用収入の割合が75％以上となり、資産運用型会社に該当する場合であっても、従業員が常時5人以上いるなど一定の要件を満たして事業実態があると認められた場合には、資産運用型会社に該当しないものとみなされ、納税猶予の適用を受けることができます（Q88参照）。

4 資産管理会社は適用期間を通して判定

　資産保有型会社や資産運用型会社の判定は認定時点だけでなく、納税猶予の適用期間を通して判定され、該当する場合には納税猶予が取り消されることになります。

5 やむを得ない事由による場合（平成31年4月1日以後）

　なお、やむを得ない一定の事由（事業用資産の譲渡や保険金の取得等）が生じたことにより、猶予期間内のいずれかの日に認定承継会社等が資産保有型会社または資産運用型会社に該当した場合においても、資産保有型会社は事由が生じた日から6か月以内の期間に、資産運用型会社はその翌事業年度終了の日までの期間に、これらの会社に該当しなくなった時には納税猶予の取消事由に該当しないものとされますのでご安心ください（Q96参照）。

271

88 従業員数などの実態要件を満たすと適用対象

Question

資産保有型会社または資産運用型会社に該当しても、事業実態があるとみなされれば、これらの会社に該当しないとされ非上場株式等についての納税猶予制度が適用されるそうですが、どんな要件なのでしょうか。

POINT

① 3年以上継続して、自社が事業活動をしていること
② 常時使用する従業員の数が5人以上であること
③ 事務所、店舗等の固定資産を保有または賃貸していること

Answer

1 実態があるとみなされる3つの条件

中小企業者が「資産保有型会社」または「資産運用型会社」に、その特別子会社が「資産保有型子会社」または「資産運用型子会社」の基準に該当する場合であっても、次の(1)から(3)の要件をすべて満たしている場合には、実態があるとみなされ「資産保有型会社」または「資産運用型会社」（以下、2つまとめて、本書では「資産管理会社」といいます。）及びその特別子会社に該当しないものとされます。

(1) 被相続人の死亡の日または後継者に対する贈与の日まで、引き続き3年以上継続して事業活動をしていること

(2) 贈与または相続のときにおいて、資産管理会社の常時使用する従業員の数が、後継者と生計を一にする親族を除き、5人以上であること

(3) 贈与または相続のときにおいて、資産管理会社が(2)の従業員が勤務している事務所、店舗、工場、その他これらに類する必要な固定施設を所有しまたは第三者から賃借していること

2 実態要件を満たすためのポイント

優良資産を多く保有しているため事業活動は賃貸収入や運用収益が大半である中小企業は、非上場株式等についての納税猶予の適用を受けることは困難です。ただし、事業実態があるとみなされれば、資産管理会社に該当せず認定対象となります。その事業実態要件について具体的に説明します。

⑴ 3年以上の自己の名義による自己の計算での事業活動

納税猶予の適用を受けるために、必ず事業実態を備えるべく自社での営業を伴う売上げが必要です。ただし、自社物件の貸付けによる収益が事業活動となりますので、不動産保有会社は賃料を得ることそのものが事業実態とみなされることになり、この点は簡単にクリアできるでしょう。なお、同族関係者などへの資産の貸付けは除かれますのでご留意ください。

⑵ 中小企業者の常時使用する従業員の数が5人以上であること

従業員数の判定が一番のポイントです。

① 70歳未満は厚生年金保険の標準報酬月額決定通知書

70歳未満の常時使用する従業員の数は、厚生年金保険の標準報酬月額決定通知書に氏名がある人の数となります。通知書に記載される人は、短期間雇用労働者や平均的な労働時間が4分の3に満たない者（パートタイマー）及び派遣社員を除いた正社員と役員が対象となります。よって、決定通知書の人数から使用人兼務役員以外の役員の人数を除いた人数で判断します。

② 70歳以上75歳未満は健康保険の標準報酬月額決定通知書

70歳以上75歳未満の常時使用する従業員の数は、健康保険の標準報酬月額決定通知書に氏名がある人の数となります。通知書に記載される人は、⑴と同様、正社員と役員が対象なので、決定通知書の人数から使用人兼務役員以外の役員の人数を除いた人数で判断します。

③ 会社と2月を超える雇用契約を締結している者で75歳以上のもの

このように、社会保険加入等が条件となっている社員が要件ですのでパート等で従業員数を水増しすることはできませんが、反対にいえば、社会保険加入の条件さえ満たす従業員を5人雇用すれば適用対象となるの

です。円滑化法の規定では、この従業員には役員やみなし役員に該当しない親族使用人も含まれています。ただし、経営承継相続人等と生計を一にする親族を含めずに判定することとなりますのでご留意ください。

(3) 事務所、店舗等の固定施設を所有し、賃借していること

その会社が自宅や関連会社の1部屋等で営業している場合には、会社自身が固定施設の賃貸契約をすることが必要です。特に賃料負担者は必ずその適用対象会社であることが重要です。ただし、経営承継相続人と生計を一にする親族が勤務している固定施設は除かれます。

〈申請のための添付書類〉

要件（施行規則第6条第1項第8号）		添付書類（第7条第3項）
施行規則第6条第1項第8号柱書	当該中小企業者の株式等に係る相続税を納付することが見込まれること。	・遺言書の写し、遺産分割協議書の写し、又は、それらが無い場合は、その他の当該株式等の取得の事実を証する書類、相続税の見込額を記載した書類［第4号］
イ	上場会社等又は風俗営業会社に該当しないこと。	・誓約書［第7号］
ロ	資産保有型会社に該当しないこと。	・貸借対照表［第6号］
ハ	資産運用型会社に該当しないこと。	・損益計算書［第6号］
	（施行規則第6条第2項） 一　常時使用する従業員（経営承継相続人及びこれらの者と生計を一にする親族を除きます。）の数が5人以上であること。	・従業員数証明書［第5号］ ・生計を一にする親族ではないことを説明する書類［第11号］
	二　事務所、店舗、工場その他これらに類するものを所有し、又は賃借していること。	・固定施設に係る登記事項証明書、賃貸借契約など［第11号］
	三　当該相続の開始の日まで引き続き3年以上にわたり、次に掲げるいずれかの業務をしていること。	
	イ　商品販売等（経営承継相続人及びその同族関係者に対する資産の貸付けは除きます。）	・商品販売等に係る契約書など［第11号］
	ロ　商品販売等を行うために必要となる資産の所有又は賃借	・事務所などとして使用している不動産の登記事項証明書、賃貸借契約など［第11号］
	ハ　イ及びロに掲げる業務に類するもの	
二	総収入金額（営業外収益及び特別利益を除きます。）が零を超えること。	・損益計算書［第6号］

ホ	常時使用する従業員の数が1人以上（一定の場合には5人以上）であること。		・従業員数証明書［第5号］ ・誓約書［第8号］
ヘ	特定特別子会社が上場会社等、大会社又は風俗営業会社に該当しないこと。		・誓約書［第8号］
ト	代表者が経営承継相続人等（次の(1)〜(7)のいずれにも該当する者）に該当すること。		
		(1)相続又は遺贈により当該中小企業者の株式等を取得した代表者（代表権を制限されている者を除く。）であって、相続開始時以後において、同族関係者と合わせて議決権の過半数を有し、かつ、同族関係者中筆頭である者であること。	・登記事項証明書［第3号］ ・遺産分割協議書、遺言書など［第4号］ ・株主名簿（株式会社）又は定款（持分会社）［第2号］
		(2)削除	
		(3)相続開始直前において、当該中小企業者の役員であったこと（代表者の被相続人が70歳未満で死亡した場合又は特例承継計画に記載された後継者を除く。）。	・登記事項証明書［第3号］ ・戸籍謄本等［第9号］
		(4)相続開始の時以後において、代表者が被相続人から相続又は遺贈により取得した当該中小企業者の株式等のうち納税猶予の適用を受けようとする株式等の全部を有していること。	・認定申請日における株主名簿（株式会社）又は定款（持分会社）［第2号］
		(5)削除	
		(6)代表者の被相続人が、相続開始直前等に、同族関係者と合わせて議決権の過半数を有し、かつ、同族関係者（経営承継相続人となる者を除く。）中筆頭であったこと。	・株主名簿（株式会社）又は定款（持分会社）［第2号］
		(7)当該中小企業者が特別贈与認定中小企業者等である場合にあっては、当該代表者の被相続人が当該特別贈与認定中小企業者等の経営承継贈与者でなかったこと。	・当該贈与にかかる認定書［第11号］
チ	代表者以外の者が拒否権付株式（黄金株）を有していないこと。		・定款［第1号］ ・株主名簿［第2号］ ・登記事項証明書［第3号］
リ	相続認定申請基準日における常時使用する従業員の数が、相続開始時の80%を下回らないこと。		・従業員数証明書［第5号］

（中小企業庁財務課資料「中小企業経営承継円滑化法申請マニュアル平成31年4月改訂」より）

89 非上場株式等についての贈与税の特例納税猶予制度と手続き

Question

円滑化法に基づく都道府県知事の認定を受けた非上場会社等の株式等に係る贈与税の特例納税猶予制度の概要と手続きはどうなっているのでしょうか。

POINT

① 猶予対象株式の贈与税額の全額が納税猶予される
② 相続税の特例納税猶予に切り替えれば無税で株式を相続できる
③ 5年間は毎年、都道府県に報告書、税務署に届出書を提出
④ 5年経過後は3年に1回、後継者が税務署に届出書を提出

Answer

1 非上場株式等についての贈与税の特例納税猶予の全体像

非上場株式等についての贈与税の特例納税猶予は、令和6年3月31日までに、会社が策定した特例承継計画を都道府県庁に提出し知事の確認を受け、先代経営者が後継者に非上場株式等の贈与をした後、会社が都道府県知事の認定を受けることにより、適用を受けることができます。この場合、申告期限までに担保の提供等があれば、原則として贈与者の死亡の日まで、その非上場株式等についての贈与税の納税が猶予されます。

贈与者の相続発生時に、贈与された非上場株式等の贈与時の評価額が新たに相続税の課税対象とされ、一定要件のもと都道府県知事の切替確認を受けることにより、相続税の特例納税猶予を適用することができます。

2 贈与から認定申請、申告までの基本的な手続

贈与後は、贈与の日の属する年の翌年の1月15日が都道府県庁への認定申請期限となっており、特例承継計画の都道府県知事の確認書を添付して、

会社が認定申請を行います。

認定申請基準日は贈与の日が1月1日〜10月15日の場合には10月15日、贈与の日が10月16日〜12月31日の場合はその贈与の日となっており、その日以後、「受贈者が代表者であること」、「会社が資産保有型会社・資産運用型会社でないこと」、等を判定します。よって、認定申請基準日以前には申請することはできません。

贈与税の納税猶予の適用を受けるためには、贈与を受けた年の翌年2月1日から3月15日までに、上記により交付される知事の認定書の写しとその他の必要書類を添付し、受贈者の住所地の所轄税務署長に贈与税の申告書等を提出しますが、相続時精算課税制度の適用を受ける場合には、その旨を明記する必要があります。

3 特例経営承継期間5年間の基本的手続

特例経営承継期間（認定の有効期間）とは、贈与税の申告期限（すなわち3月15日）の翌日から5年間を経過する日までの期間をいいます。この期間においては、毎年3月15日を報告基準日とし、その日を基準とした事業継続の状況等についての「年次報告書」を、会社は報告基準日の翌日から3か月以内（6月15日まで）に都道府県庁に提出しなければなりません。

猶予適用者である後継者は、都道府県庁からこの報告時に交付される「要件に該当する旨」の確認書とその他必要書類を添付して、この特例を受ける旨や会社の経営に関する事項等を記載した「継続届出書」を、報告基準日の翌日から5か月以内（8月15日まで）に、毎年継続して税務署に提出しなければなりません。

4 5年経過後の届け出

5年間の特例経営承継期間の経過後は認定機関が終了しますので、会社は都道府県庁への報告は必要ありません。ただし、納税猶予を受けている後継者は猶予が継続している間は、3年毎に1回、報告基準日の翌日から3か月以内（6月15日まで）に税務署に、引き続きこの特例を受ける旨や一定の事項等を記載した「継続届出書」を提出しなければなりません。

贈与税の特例納税猶予と相続時精算課税の賢い併用

Question

非上場株式等を贈与した場合、親族に限らず特例納税猶予制度と精算課税制度を併用することができますが、メリットとリスクはどうなっているのでしょうか。

POINT

① 贈与税の納税猶予取消しで猶予贈与税額と利子税の納付が必要
② 贈与時に納税猶予と相続時精算課税を併用すると相続税で精算
③ 併用すると贈与価額で相続税課税されるため有利になることも

Answer

1 贈与税の納税猶予が取り消された場合の問題点

非上場株式等についての贈与税の納税猶予制度の適用を受ける納税者のリスクは、「経営承継期間（5年間）」に一定の要件に該当し認定が取り消された場合には、その日から2か月経過する日をもって贈与税の猶予期限が確定し、高額の猶予税額と猶予税額に対応する利子税を納付しなければならないことです。

2 精算課税制度との併用はリスクが少ない

このリスクを軽減するために、一定の非上場株式等を贈与した場合に相続時精算課税制度を選択した場合でも、一般納税猶予制度を併用して適用することができるようになっています。さらに、**特例納税猶予**制度においては、子や孫以外の第三者であっても、**特例納税猶予**と相続時精算課税を併用して適用することができるようになりました。

非上場株式等を贈与し暦年課税を選択した場合には、贈与税の特例及び一般納税猶予の適用後に、もし認定を取り消され猶予期限が確定した②の

Ⅵ 非上場株式等の特例納税猶予制度

場合には、非常に高額な税負担（約1億300万円）となります。（下図参照）

　しかし、贈与時に相続時精算課税制度を選択しておけば、猶予期限確定後に負担する贈与税が軽減されるとともに、相続時に贈与時の価額で相続したとみなされて相続税額が計算され精算されます。もし、株式評価額が贈与時と相続時において同額であるならば、相続により非上場株式等を取得した①の場合の相続税額負担額と、贈与税の納税猶予の適用後に猶予期限が確定した③の場合の贈与税と相続税の負担合計額が同額となります。これで、非上場株式等の贈与税の納税猶予の適用を受けても、税額が大きく増加するというリスクはなくなりました。

　さらに、収益力が高く内部留保も多額な非上場会社等が贈与後も順調に成長し株式評価額が上昇した場合でも、贈与時の価額で相続税が計算される上、相続時に納税猶予を再び適用することができます。この相続時精算課税制度と贈与税の納税猶予制度の併用による非上場株式等の贈与は、相続税負担の面では非常にメリットの多い方法といえるでしょう。

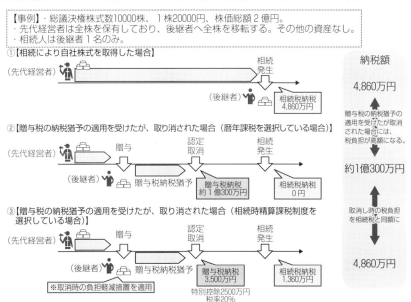

（「経済産業省 平成29年度 経済産業関係税制について」一部改編）

91 贈与者の相続時に免除、相続税の特例納税猶予へ

Question

贈与税の特例納税猶予の適用を受けた場合、先代経営者が亡くなったときには、納税猶予されていた贈与税額や猶予対象となっていた非上場株式等の相続税上の取扱いはどうなるのでしょうか。

POINT

① 贈与者が死亡した場合、特例納税猶予額は免除
② 贈与時の価額により先代経営者から相続したとして課税される
③ 猶予対象株式等につき相続税の特例納税猶予を適用できる

Answer

1 先代経営者に相続が発生した場合に、猶予額が免除

後継者が特例対象受贈非上場株式等に対する贈与税全額の特例納税猶予の適用を受けていた場合においては、その先代経営者の相続の発生により、後継者は特例猶予贈与税額が免除されます。

この贈与税の**特例納税猶予**の対象であった非上場株式等については、相続の発生時において、先代経営者から後継者が相続または遺贈により取得したものとみなされます。この場合、相続税の課税価格に算入すべき特例対象受贈非上場株式等の評価額は贈与により取得したときの価額とされており、他の相続財産と合算して相続税を計算します。

2 相続税の特例納税猶予への切替え

代表者である後継者は、2の規定により**特例納税猶予**の対象であった非上場株式等について相続税が課税された場合、円滑化法に基づき、会社が一定の適用要件を満たしていることについて相続税の**特例納税猶予**に関する「都道府県知事の切替確認」を受けることができた場合には、後継者が

280

納付すべき相続税額のうち、特例対象受贈非上場株式等に係る課税価格の100％に対応する相続税の全額が猶予されます（Q94参照）。

後継者が相続税の申告期限までに、相続税の**特例納税猶予**を受ける旨を記載した相続税の申告書及び一定の書類を税務署に提出するとともに、納税が猶予される相続税額及び利子税の額に見合う担保の提供等をした場合に限り、この特例が適用されます。

なお、担保については、特例の適用を受ける非上場株式等のすべてを提供することでもかまいません。また、株券不発行会社については「質権設定を承諾する旨の書類」の提出等でよいとされています。

3　特例認定会社についての切替時における都道府県知事の確認

贈与時に認定された会社は、先代経営者である贈与者の相続が開始した場合において相続開始時に次のいずれにも該当する場合に限り、都道府県知事の確認を受けることができます。非上場株式等の贈与税の**特例納税猶予**から相続税の**特例納税猶予**への切替えには、この継続確認書を添付して相続税の**特例納税猶予**の申告書を提出することが必要です。

なお、贈与税の**特例納税猶予**の適用を受けるときには中小企業者でなければなりませんが、相続税の**特例納税猶予**への切替時には中小企業者要件はありませんので、成長企業にとっては安心です。

① 　上場会社または性風俗関連特殊営業会社に該当しないこと

　　（なお、先代経営者である贈与者からの株式等の贈与に係る贈与税の申告書の提出期限の翌日から同日以後5年を経過する日の翌日以後に贈与者が死亡した場合には、その相続開始の時に会社及び特定特別関係会社が非上場会社であることとする要件は不要）

② 　「資産保有型会社」に該当しないこと

③ 　直前事業年度において「資産運用型会社」に該当しないこと

④ 　直前事業年度における総収入金額が零でないこと

⑤ 　常時雇用する従業員の数が一人以上であること

⑥ 　その中小企業者の特定特別子会社（会社及びその代表者と、代表者と生計を一にする親族が50％超の議決権を有する場合のその会社）が上場

会社または性風俗営業会社に該当しないこと

　（なお、特例経営承継期間5年経過後は上場会社に該当してもよい。）

⑦　後継者が次のいずれにも該当する者であること

　イ　会社の代表者（代表権を制限されている者を除く。）であること

　ロ　相続開始のときにおいて、後継者及びその特別関係者と合わせて、その認定会社の総株主等議決権数の50％を超える数を所有

　ハ　後継者が1人の場合

　　　相続開始のときにおいて、後継者と特別の関係がある者のうち認定承継会社の議決権数において筆頭株主であること

　　　（親族以外の第三者が筆頭株主の場合は可）

　　　後継者が2人または3人の場合

　　　相続開始のときにおいて、後継者が有する議決権の数が10％以上であり、後継者と特別の関係がある者の中で他の後継者を除き、認定承継会社の議決権数において最も多くの議決権を有すること

⑧　会社が拒否権付種類株式（黄金株）を発行している場合には、その種類株式を後継者以外の者が有していないこと

4　先代経営者である贈与者の死亡時の注意点

　非上場株式等についての贈与税の**特例納税猶予**から相続税の**特例納税猶予**への切替時の適用要件は、このように贈与のときの特例適用要件とほぼ同じですので、贈与税の**特例納税猶予**の適用要件を満たしたまま、贈与者の死亡時まで事業を継続しているなら心配はいりません。ただし、事業継続要件は贈与税の申告期限後5年間（特例贈与経営承継期間）しか要求されていませんので、申告期限から5年たったため、相続開始時においては**3**の確認のための要件を満たさなくなっていることもあります。この際には相続税の納税猶予の適用を受けることができないため、通常の相続税がかかってくることになります。特に気をつけたいのは、次の点です。

　①　後継者たる受贈者がすでに代表権を有していない場合

　②　他の親族に相続が発生し、後継者以外に筆頭株主がいる場合

　いつ先代経営者に相続が発生するかわかりませんので、やむを得ない事

Ⅵ 非上場株式等の特例納税猶予制度

情がない限り、贈与税の**特例納税猶予**の適用を受けている後継者は申告期限後5年経過したとしても、代表権を有しておく、筆頭株主でいる等の先代経営者に相続が発生した時点で都道府県知事の切替確認に必要とされる要件は満たしておくように、常日頃から気をつけておきましょう。

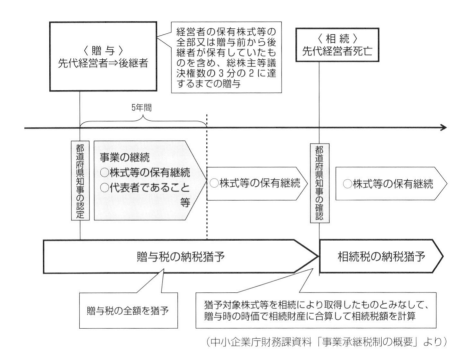

（中小企業庁財務課資料「事業承継税制の概要」より）

92 一般納税猶予から再贈与による特例納税猶予へ

Question

一代目経営者の存命中に、一代目からの自社株式の贈与につき一般納税猶予の適用を受けている二代目の私が、三代目の後継者に自社株式を承継させた場合に、特例納税猶予の適用を受けることができるのでしょうか？

POINT

① 承継期間経過後は三代目への再贈与時に特例納税猶予の適用も可
② 承継期間内のやむを得ない場合、再贈与時に特例の適用も可
③ 三代目は一代目の相続時に相続税課税、納税猶予切替えで無税に
④ 二代目の猶予適用対象外株式等の同時贈与も特例適用対象に

Answer

1 再贈与時の非上場株式等の特例納税猶予制度の取扱い（免除対象贈与）

一代目経営者から非上場株式等についての贈与税の一般納税猶予の適用を受けている二代目後継者（経営承継受贈者）は、一般納税猶予から**特例納税猶予**に切り替えることはできません。しかし、一代目経営者が健在な間に三代目後継者が育っている場合には、二代目から三代目に思い切って自社株式を贈与すれば、この**特例納税猶予**の適用を受けることができます。

令和6年3月31日までに、会社が特例承継計画を都道府県庁に提出し知事の確認を受け、令和9年12月31日までに二代目後継者から三代目後継者に自社株式を贈与して会社が認定を受けると、三代目後継者は**特例納税猶予の適用**を受けることができます。ただし原則として、二代目後継者の経営贈与承継期間（贈与税の申告期限から5年間）が経過するまでは、非上場株式等についての贈与税の特例納税猶予の適用を受けることができませんので、ご注意ください。

284

2 5年間経過後の二代目から三代目への再贈与

経営贈与承継期間（5年間）経過後に、一代目経営者（贈与者）が亡くなるまでに、贈与税の一般納税猶予を受けている二代目後継者（経営承継受贈者）から三代目後継者に特例受贈非上場株式等を一括贈与した場合において、三代目が贈与税の**特例納税猶予**の適用を受けたときには、二代目が適用を受けていた贈与税の猶予税額が免除されます。

そして、一代目の相続が発生したときに三代目が二代目に代わり、特例受贈非上場株式等を二代目が一代目から贈与により取得したときの価額により、一代目から遺贈により取得したものとみなされて相続税が課税されますが、1親等の血族でないため、2割加算の対象となります。

なお一代目の相続時において会社が切替確認を受けることができれば、三代目はその特例受贈非上場株式等については、相続税の**特例納税猶予**の適用を受けることができ、評価額は100％減額されますので、自社株式についての相続税は無税となります。

3 猶予適用対象外の株式等の同時贈与も特例適用に

また2の贈与を行う際に、二代目後継者が所有していた贈与税の納税猶予の適用対象外だった非上場株式等（一般納税猶予の対象外である一代目からの3分の2以上の贈与株式や元々自分が所有していた株式等）も一緒に贈与して、贈与税の**特例納税猶予**の適用を受けることができます。

これらの非上場株式等については二代目からの株式等の贈与につき**特例納税猶予**の適用を受けていますので贈与税は無税となり、一代目経営者の相続時には無関係であり、二代目の相続が発生したときに特例非上場株式を三代目が贈与により取得したときの価額により、二代目から遺贈により取得したものとみなされ相続税が課税されます。

なお、二代目の相続においても会社が切替確認を受けることができれば、三代目はその自社株式等については相続税の納税猶予を適用することができますので、結果として納税猶予の適用を受けることができた自社株式等はすべて無税で相続等できることになるのです。

4　5年以内のやむを得ない事由による後継者への再贈与

(1) 経営贈与承継期間（5年間）内の対応

　5年以内に、贈与税の納税猶予を受けている二代目が三代目へ、特例受贈非上場株式等を贈与した場合には、原則として贈与税の納税猶予が打ち切られます。しかし、5年以内に、身体障害等のやむを得ない理由により、二代目が認定承継会社の代表者でなくなった場合に限り、納税猶予を受けている二代目から三代目にその非上場株式等を贈与し三代目が贈与税の納税猶予制度の適用を受けた場合においては、2と同様の取扱いがされ、二代目が適用を受けていた贈与税の猶予税額が免除されます。

(2) 経営相続承継期間（5年間）内の対応

　相続税の納税猶予制度についても同様に、5年以内に、身体障害等のやむを得ない理由により二代目が認定承継会社の代表者でなくなった場合に限り、相続税の納税猶予を受けている二代目が三代目に特例相続非上場株式等を贈与し、三代目が贈与税の**特例納税猶予**制度の適用を受けた場合においては、2と同様の取扱いがされ、二代目経営者が適用を受けていた相続税の猶予税額が免除されますので、安心です。

〈再贈与時の特例納税猶予〉

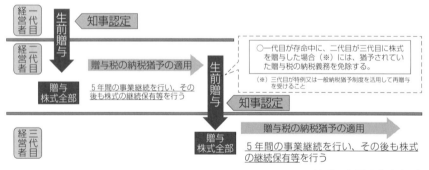

（出典：経済産業省資料）

Ⅵ 非上場株式等の特例納税猶予制度

〈一般納税猶予から特例納税猶予への乗換え〉

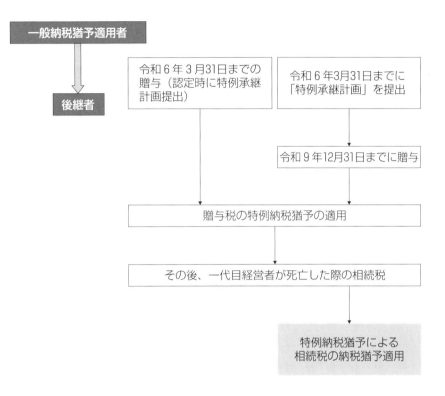

93 非上場株式等についての
相続税の特例納税猶予制度と手続き

Question

円滑化法に基づく都道府県知事の認定を受けた非上場会社の株式等に係る相続税の特例納税猶予制度の概要と手続きはどうなっているのでしょうか。

POINT

① 猶予対象株式の相続税額の全額が納税猶予される
② 5年間毎年、都道府県に報告書、税務署に届出書を提出
③ 5年経過後は3年に1回、後継者が税務署に届出書を提出

Answer

1 非上場株式等についての相続税の特例納税猶予の全体像

非上場株式等についての相続税の特例納税猶予は、令和6年3月31日までに、会社が策定した特例承継計画を都道府県庁に提出し知事の確認を受け、先代経営者から特例経営承継相続人等（後継者）が非上場株式等を相続等により取得後、会社が都道府県知事の認定を受けることにより、適用を受けることができます。申告期限までに担保の提供等をすれば、原則として後継者の死亡の日まで、その非上場株式等についての相続税の納税が全額猶予されます。

2 相続開始から認定申請、申告までの基本的な手続

非上場株式等についての相続税の特例納税猶予の適用を受けるためには、相続開始の日から8か月を経過する日までに、特例承継計画の都道府県知事の確認書を添付して、会社が都道府県庁へ認定を申請しなければなりません。認定申請基準日は相続開始の日から5か月を経過する日となっており、その日以後に、「後継者が代表者であること」、「会社が資産保有

型会社・資産運用型会社でないこと」等を判定します。よって、認定申請基準日以前には申請することはできません。

　また、後継者である納税者は相続税の納税猶予の適用を受けるためには、相続開始の日から10か月を経過する日までに、上記により交付される知事の認定書の写しとその他の必要書類を添付し、被相続人の住所地の所轄税務署長に相続税の申告をする必要があります。

3　特例経営承継期間5年間の基本的手続

　特例経営承継期間（認定の有効期間）とは、相続税の申告期限（相続開始の日から10か月を経過する日）の翌日から5年を経過する日までの期間をいいます。この期間においては、申告期限の翌日から1年を経過するごとの日を報告基準日とし、その日を基準とした事業継続の状況等についての「年次報告書」を、会社は報告基準日の翌日から3か月以内に都道府県庁に提出しなければなりません。

　猶予適用者である後継者は、この報告時に交付される「要件に該当する旨」の確認書とその他の必要書類を添付して、報告基準日から5か月以内に所轄税務署長に、引き続きこの特例を受ける旨や会社の経営に関する事項等を記載した「継続届出書」を毎年継続して提出しなければなりません。

4　5年経過後は3年に1回の届出

　相続税の申告期限の翌日から5年（特例経営承継期間）を経過後は、認定期間が終了しますので、会社は都道府県庁への報告は必要ありません。

　ただし、納税猶予を受けている後継者は猶予を継続している間は、相続税の申告期限の翌日から5年を経過する日の翌日から3年を経過するごとの日を報告基準日とし、その翌日から3か月以内に税務署長に、引き続きこの特例を受ける旨や一定の事項等を記載した「継続届出書」を提出しなければなりません。

94 非上場株式等の相続税の 特例納税猶予額の計算方法

Question

自社株式の評価額が非常に高いので、非上場株式等についての相続税額が100％猶予される特例納税猶予制度の適用を検討しています。適用を受けた場合、どのように計算するのでしょうか。

POINT

① **本来の相続税額から後継者が取得した特例対象株式につき評価額を100％減額して計算した税額との差額が猶予税額である**
② **後継者のみが本来の相続税額から猶予税額を控除した額を納税する**
③ **後継者以外の相続人の相続税額は減少しない**

Answer

1 非上場株式等の相続税の納税猶予額の計算

まずわかりやすいように、ステップ1、2、3と順を踏まえて、計算方法を理解しましょう。

2 後継者の納付すべき相続税額の計算方法

後継者以外の相続人等が取得した財産の価額は変わらないものとしたうえで、後継者（特例経営承継相続人等）が特例対象非上場株式等だけを相続したものとして計算した相続税の総額のうち、特例対象非上場株式等に対応する後継者の相続税額が非上場株式等の相続税の**特例納税猶予**税額となります。後継者が納付すべき相続税額は通常の後継者の相続税額から**特例納税猶予**税額を控除した金額となります。

具体的には次のような手順で計算します。

Ⅵ 非上場株式等の特例納税猶予制度

(1) ステップ1　通常の相続税額の計算を行う

① 通常の後継者の相続税額

相続税の課税財産の合計額から基礎控除額を差し引いた金額を、実際に相続した割合ではなく法定相続分によって取得したものとみなして相続税の総額を計算し、これを実際に各人が取得した財産の割合であん分して、各人の相続税額を算出します（今までどおりの計算です。）。

後継者の課税価格に対応する部分が通常の後継者の相続税額です。

② 後継者以外の相続人の相続税は確定

この段階で後継者以外の相続人の相続税額は確定します。つまり、後継者以外の相続人等の相続税には、非上場株式等の100％減額による相続税の減少効果はありません。同じ納税猶予制度である農地の場合には、農地を相続しない相続人の相続税額も減少する点と大きく異なります。

(2) ステップ2　後継者の特例納税猶予額を計算する

後継者が取得した財産が特例対象非上場株式等（A）のみであると仮定して、他の相続人の取得財産と合算して相続税の総額を計算します。相続税の総額のうち（A）に対応する後継者の相続税を計算します。この金額が後継者の納税が猶予される相続税となります。

なお、後継者が負担した債務や葬式費用の金額がある場合には、まず特例対象非上場株式等以外の財産から控除し、残額があれば特例対象非上場株式等の額から差し引くこととなります。

(3) ステップ3　特例納税猶予を適用した後継者の相続税額

通常の後継者の相続税(1)から後継者の納税が猶予される相続税(2)を控除した金額が、後継者が申告期限までに納付すべき金額となります。

291

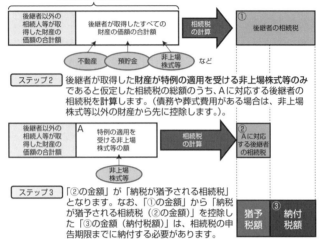

（参考：国税庁資料「非上場株式等についての相続税・贈与税の納税猶予及び免除（事業承継税制）のあらまし 平成30年4月」）

　一般納税猶予については、後継者が取得した財産が一般納税猶予の適用を受ける非上場株式等の20％のみであると仮定した相続税の総額のうち、その部分に対応する後継者の相続税の額を「②の金額」から控除した残額が「猶予税額」となり、「①の金額」からその「猶予税額」を控除した残額が「納付税額」となります。

3　ケース１による計算例

　次のような前提条件の事例で、非上場株式等はすべて**特例納税猶予**の適用対象であると仮定して計算します。

〈ケース１〉配偶者はいないものとする・子２人（後継者X、他の相続人Y）

	非上場株式　1億円 その他の財産　2億円
	合　計　　　3億円

後継者X	非上場株式1億円 その他財産 5,000万円
相続人Y	その他財産 1億5,000万円

① 通常の相続税額の計算

この例では、実際の相続による分割も法定相続分どおりとなっています。各人の相続税額はそれぞれ3,460万円ということになり、相続人Yの税額は3,460万円で確定します。

② 納税猶予税額の計算

後継者Xが特例対象非上場株式だけを相続したと仮定し、これにYの1億5,000万円の財産を加算して相続税を計算します。相続税の総額は4,920万円となり、これを全体の財産に対するXの特例対象非上場株式の評価額であん分します。Xの相続税額は1,968万円になり、この金額が特例納税猶予の適用によりXの納税が猶予される相続税額となります。

③ 各人の納付税額

後継者Xの納付税額は3,460万円から猶予税額1,968万円弱を差し引いた1,492万円ということになります。

相続人Yの納付税額は3,460万円で変わりありません。

4　ケース2による計算例

次に、以下のような前提条件の事例で、非上場株式はすべて**特例納税猶予**の適用対象であると仮定し計算しましょう。

〈ケース2〉
　前提条件　配偶者はいないものとする・子2人（後継者X、他の相続人Y）

非上場株式	7億円
その他の財産	3億円
合　計	10億円

後継者X	非上場株式7億円 その他財産 1億円
相続人Y	その他財産 2億円

上記の前提条件では、通常の相続税額は相続人Yについては7,900万円となり、後継者Xは3億1,600万円となります。2で説明した方法で後継者Xの特例適用納税猶予税額の計算をしますと、猶予税額が約2億6,833万円となり、通常の相続税額から猶予税額を差し引いた約4,767万円が納付税額となります。

2億円を相続した相続人Yの納付税額7,900万円と比較しますと、後継者Xは非上場株式を含めて8億円もの財産を相続したにもかかわらず、納付税額はかえって少なく、他の相続人にはほとんどメリットはありませんが、後継者にとっては非常に有利な制度といえるでしょう。

〈3億円と10億円の比較表〉

			ケース1	ケース2
財産		非上場株式	1億円	7億円
		その他財産	2億円	3億円
		合　計	3億円	10億円
相続財産	X	非上場株式	1億円	7億円
		その他財産	0.5億円	1億円
		計	1.5億円	8億円
	Y	その他財産	1.5億円	2億円
		合　計	3億円	10億円
相続税額	X	総　額	3,460万円	3億1,600万円
		納税猶予額	約1,968万円	約2億6,833万円
		納付税額	約1,492万円	約4,767万円
	Y		3,460万円	7,900万円
	合　計		6,920万円	3億9,500万円
	納付合計		4,952万円	約1億2,667万円

5　非上場株式の評価額が大きいと猶予税額も多額になる

　ケース1では財産総額3億円、そのうち非上場株式の評価額は1億円となっており、後継者の通常の相続税が3,460万円、特例猶予税額が約1,968万円となり、**特例納税猶予**の減税効果はそれほど高くありません。

　しかし、**ケース2**のように、財産総額10億円と多額で、そのうち非上場株式の評価額が7億円と財産に占める割合が高くなっている場合には、後継者の通常の相続税額が3億1,600万円、特例猶予税額が約2億6,833万円と**特例納税猶予**の減税効果は非常に高くなっています。

　ケース2のように相続財産が多額で、かつ、非上場株式の占める割合が高い先代経営者に相続が発生すると、**特例納税猶予**制度の適用を受けた場合の節税効果は非常に高いため、非上場株式等についての相続税の納税猶予を受けるかどうかは非常に重要な判断といえるでしょう。

Ⅵ 非上場株式等の特例納税猶予制度

〈相続税の納税猶予制度の概要〉

全額納税猶予‼

[後継者の要件]
①相続開始の日から5か月経過日までに会社の代表者になっていること。
②被相続人の死亡の直前に役員であること。
③後継者と同族関係者で発行済議決権株式総数の50%超の株式を保有かつ同族内で筆頭株主となる場合。
④特例承継計画に記載された代表者である後継者が2名又は3名の場合、議決権数上位2名又は3名（各々総議決権数の10%以上の保有が必要）

[特例承継計画の提出]

○相続後の都道府県知事の認定

先代経営者 ──相続→ 後継者

株式の相続

[先代経営者の要件]
○会社の代表者であったこと。
○先代経営者と同族関係者で発行済議決権株式総数の50%超の株式を保有かつ同族内で筆頭株主であった場合。

特例承継期間内にその贈与等に係る申告書の提出期限が到来するものに限り代表者以外からの贈与等を含む

[事業継続要件]
○5年間の事業継続。具体的には
・代表者であること
・5年間平均で雇用の8割以上を維持。⇒**実質廃止**（一人未満は切り捨てて判定）

厚生年金保険及び健康保険加入者をベース

・相続した対象株式の継続保有。

組織再編を行った場合であっても、実質的な事業継続が行われているときには認定を継続

[認定対象会社の要件]
○総収入金額が零でないこと
○従業員数が零でないこと
○資産管理会社に該当しないこと　等。

「有価証券、不動産、現預金等の合計額※が総資産額の70%を占める会社」及び「これらの運用収入の合計額が総収入金額の75%以上を占める会社」（事業実態のある会社は除く。）等
※その後の資産管理会社の判定においては、この「合計額」に、過去5年間に、後継者と同族関係者に支払われた配当等を加える。

★資産管理会社に該当しないための要件（実態要件）
①被相続人の死亡の日まで、引き続き3年以上継続して事業を行っていること
②相続の時において、常時使用する従業員の数が、後継者と生計を一にする親族を除き、5人以上であること
③相続の時において、②の従業員が勤務している事務所等の固定施設を所有又は第三者から賃貸していること

会社

（相続後）認定

都道府県知事

[認定基準]
先代経営者、後継者及び会社に係る要件等に該当しているか否か。

事業継続期間（5年間）

事業継続のチェック

※会社は事業継続期間（贈与税の申告期限後5年間）は毎年1回、都道府県の担当課に報告書を提出

後継者は事業承継期間は毎年1回、事業承継期間後は3年に1回、税務署に継続届出書を提出

その後は、対象株式を継続保有していれば、猶予が継続され、次の場合に相続税の猶予税額を免除する。
○経営者が死亡した場合
○会社が破産又は特別清算した場合
○対象株式の時価が猶予税額を下回る中、当該株式の譲渡を行った場合（ただし、時価を超える猶予税額のみ免除）
○次の後継者に対象株式を一括贈与した場合

・民事再生計画の認可決定等があった場合には、その時点における株式等の価額に基づき納税猶予額を再計算し、その再計算後の納税猶予額を継続
・対象株式を譲渡、対象会社が合併により消滅、一定の経営環境変化により対象会社が解散したとき等も同様に猶予税額との差額を減免

[担保提供について]
株券不発行会社については「質権設定を承諾する旨の書類」の提出により担保提出は不要

（参考：中小企業庁財務課資料「事業承継制度の概要」に一部加筆）

295

95 親族外承継による 贈与税・相続税の特例適用のリスク

Question

今では、直系血族でなくとも後継者が相続税や贈与税の特例納税猶予制度を適用できることになりましたが、どのような点に注意すればよいのでしょうか？

POINT

① 親族以外に非上場株式を贈与・遺贈した場合も特例納税猶予可

② 直系血族以外でも特例納税猶予適用により精算課税も適用可

③ 後継者以外には特例適用による減税効果はなく累進税率が波及

Answer

1 親族外承継に相続税の納税猶予の適用が可能に

従前は、親族外へ自社株式を承継させようとしても、高い相続税評価額に対して相続税や贈与税が課税されるうえ、1親等の血族でないため相続税額は通常の税額に対して2割が加算されるなど、高額な税金のことを考えると事業承継に踏み切れませんでした。

しかし、今では子や孫等には、非上場株式等についての相続税・贈与税の一般納税猶予制度と、相続時精算課税制度の併用適用が認められています。さらに、子や孫等以外の親族や第三者の後継者であっても、**特例納税猶予**を適用する場合に限り、相続時精算課税制度の適用が認められています。

よって、親族外承継であっても、贈与税は無税で相続時に相続税がかかることになっています。さらに、遺贈を受けた場合や贈与税の**特例納税猶予**から相続税の**特例納税猶予**に切り替えた場合には、非上場株式等についての相続税は課税されないことになり、非常に有利になりました。

2　相続人には自社株式の評価額を加えた累進税率がかかるので要注意

　後継者にとってはありがたい納税猶予制度ですが、他の相続人にとっては困ったことが生じます。なぜなら、遺贈にせよ、贈与税の**特例納税猶予**から相続時に相続税の**特例納税猶予**に切り替えたとしても、非上場株式等の評価額が100％減額されるのは、納税猶予を受けることのできる後継者に限定されているからです。よって、後継者以外の相続人にとっては減額されない高い評価である非上場株式等と他の財産を合算して相続税の総額を計算することになり、思いもよらぬ高額な相続税を負担しなければならないのです。

　次の事例のように、その他の財産が3億円、非上場株式が3億円という場合には、6億円の財産総額をもとに相続税の総額が計算されます。親族外後継者が贈与税の**特例納税猶予**の適用を受けずに贈与を受けた、あるいは譲渡で株式が生前に移転していた場合には、相続人にかかる相続税の計算はその他の財産3億円に対してだけです。事例の表のように3億円のその他財産に対して相続人は6,920万円の相続税ですみます。しかし、非上場株式が相続財産に含まれ総財産が6億円となった場合、相続人にかかる相続税は9,855万円になり、なんと2,935万円も増えてしまいます。

　先代経営者が自社株式を親族外の後継者に渡した結果、後継者でない相続人には何の見返りもないにもかかわらず、相続税だけが大幅に増えることになります。高額な相続税負担が予想されるなら、親族外の後継者の納税猶予を選択せずに生前に株式を賢く贈与や移転をすることをおすすめします。

前提条件
- ・相続人　子2人
- ・経営承継者＝親族外へ自社株式を遺贈
- ・財産評価額　その他の財産　3億円
  - 自社株式　　　　3億円
  - 総財産価格　　　6億円

相続税		その他の財産のみの場合	自社株式の遺贈がある場合	負担増
相続人の2人の相続税額の合計額		6,920万円	9,855万円	2,935万円
経営継承者			9,855万円^(注)	
	納税猶予税額		△9,855万円	
	差引納税額		0万円	

（注）　別途2割加算あり

96 租税回避を防ぐための措置と救済措置

Question

非上場株式等に係る納税猶予制度の適用にあたっては、租税回避行為の防止が大きな問題点となっていましたが、どのような租税回避防止規定と救済措置があるのでしょうか。

POINT

① 資産管理会社は適用期間を通じて判定、該当すれば適用除外
② やむを得ない事由により該当しても一定期間内に戻れば継続可
③ 3年以内の現物出資財産が70%以上あれば不適用

Answer

1 資産管理会社の適用除外

富裕層の資産管理等を行う非上場会社の株式等についての納税猶予による租税回避行為を防止するため、資産保有型会社と資産運用型会社（両者を合わせて資産管理会社という）と定義づけ、それらに該当すると非上場株式等の納税猶予制度の適用を受けることはできません（Q86・87参照）。

なお、贈与又は相続時の適用判定時には考慮する必要はありませんが、贈与税又は相続税の申告期限後の猶予適用期間を通しての資産管理会社等の判定においては、贈与又は相続発生日以後の過去5年間の特例後継者及びその特別関係者に対して支払われた配当の金額と、損金の額に算入されなかった過大役員給与等に相当する金額が、判定の計算式の分母・分子である特定資産及び総資産の額に加算されます。

2 一定事由によるものであり期限内に該当しなくなれば適用継続

5年間の経営承継期間後は、「代表権の維持」や「全株式の保有義務」等は解除され一安心ですが、会社が資産管理会社に該当した場合には猶予

税額の全額を、利子税とあわせて納付しなければなりませんでした。

この救済措置として、次のやむを得ない一定の事由が生じたことにより、猶予期間内のいずれかの日に認定承継会社等が資産管理会社に該当した場合においても、資産保有型会社は事由が生じた日から6か月以内の期間に、資産運用型会社はその翌事業年度終了の日までの期間に、資産管理会社に該当しなくなった時には納税猶予の取消事由に該当しないものとされ、納税猶予が継続されます。

① 資産保有型会社の一定の事由

認定承継会社の事業活動のために必要な資金の借入れ、その事業の用に供していた資産の譲渡又はその資産について生じた損害に起因した保険金の取得、その他事業活動上生じた偶発的な事由でこれに類するもの

② 資産運用型会社の一定の事由

認定承継会社の事業活動のために必要な資金を調達するために特定資産を譲渡したこと、その他事業活動上生じた偶発的な事由でこれに類するもの

3 3年以内に現物出資等があった場合の不適用

税法においては現物出資等について、租税回避行為に対する不適用規定を設けています。

贈与又は相続の開始前3年以内に、認定会社が後継者及び同族関係者からの現物出資又は贈与により取得した資産がある場合において、贈与又は相続があった時における認定会社の資産価額合計額に対する現物出資等資産の価額合計額の割合が70%以上である場合には、その会社の株式については非上場株式等についての特例納税猶予を適用することはできません。

その他、後継者もしくは先代経営者またはこれらの同族関係者の贈与税又は相続税の負担が不当に減少する結果となると認められる場合にも、非上場株式等についての納税猶予制度は適用できませんのでご注意ください。

97 経営承継期間（申告期限後5年間）内に納税猶予期限が確定する要件

Question

非上場株式等の納税猶予を受けると贈与税または相続税の申告期限の翌日から原則として5年間は一定の要件を継続しなければ、納税猶予期限が確定し、税金を払う必要があるそうですが、どのような要件でしょうか。

POINT

① 申告期限後5年間は経営承継期間として継続要件がある

② 特例納税猶予の場合は、従業員数8割確保の要件も実質撤廃

③ 資産管理会社要件は一定事由の下緩和、持株比率要件は要注意

Answer

1　5年間は経営承継要件が求められている

非上場株式等の納税猶予（一般及び特例）を適用した場合、申告期限から5年間、または後継者の死亡の日のいずれか早い日までを「経営承継期間」とし、一定の「事業継続」と「全株保有」が継続適用の要件となっており、きちんと要件が継続されているか確認するため、5年間毎年、都道府県庁への報告及び税務署長への届出を行うことが義務付けられています。5年間、この厳しい要件を継続していれば納税猶予は継続されます。

しかし、先代経営者（贈与者）の死亡に伴い贈与税の納税猶予から相続税の納税猶予に切り替わった場合に限り、贈与税の申告期限から5年間経営承継要件をクリアしている場合には、先代経営者の相続税の納税猶予への切替えに際して、相続税の申告期限から5年間の「経営承継」と「全株保有」要件は求められません。非上場株式等の納税猶予の適用を受ける後継者にとっては、相続時か贈与時のいずれか1回、5年間がんばって経営承継要件を充足すればよいといえるでしょう。

2 納税猶予の期限の確定

「経営承継期間」中に以下に説明する要件に該当した場合には、経営承継要件が満たされていないとして、その該当した日から2か月経過する日をもって贈与税または相続税の猶予期限が確定し、猶予税額と猶予税額に対応する利子税の納付が必要となりますので、ご注意ください。

⑴ 後継者が代表者でなくなった場合

後継者は贈与税または相続税の申告期限後、最低でも5年間は代表者を続ける必要があります。もっとも、不慮の事故などで身体障害手帳の1級の交付を受けた、要介護5の認定を受けたなどの下図の理由で代表者を務められなくなった場合には、代表者を退任しても猶予が継続されます。

〈代表者を退任しても継続される場合〉

以下の場合は認定継続	
精神障害者保健福祉手帳の交付	1級に限る
身体障害手帳の交付	1級又は2級
要介護認定	要介護5の認定
上記に類すると認められること	

また、このようなやむを得ない理由により、二代目後継者が代表者でなくなった場合において、適用を受けている非上場株式等を三代目後継者に贈与し、その三代目後継者が贈与税の納税猶予の適用を受けた場合には、二代目経営者の相続税または贈与税の納税猶予額が免除されます。

⑵ 基準日の常時使用従業員数の5年平均が8割未満になった場合

① 一般納税猶予の場合

贈与または相続の日における「常時使用する従業員の数」を分母に、相続税の申告期限から1年経過後の報告基準日の従業員数を分子として計算し、判定日における5年間平均で常時使用従業員割合が8割（一人未満の端数があるときは端数を切り捨てた人数）を下回った場合、納税猶予の適用期限が確定することとなります。

なお、「常時使用する従業員の数」とは、次の㋐～㋩の合計人数から使用人兼務役員以外の役員を差し引いた人数です。ただし、後継者と生計を一にする親族については従業員数から除外して判定します。

㋐ 厚生年金保険の標準報酬月額決定通知書（70歳未満）の被保険者

ロ　健康保険の標準報酬月額決定通知書（70歳以上75歳未満）の被保険者

ハ　2か月を超える雇用契約を締結している75歳以上の者

②　**特例納税猶予**の場合

　　特例納税猶予制度では上記①の雇用確保要件を満たさない場合でも、特例認定承継会社は認定の有効期限から翌日から4か月以内に、雇用確保要件を満たせない理由について認定経営革新等支援機関の所見が記載されている報告書を都道府県庁に提出すれば納税猶予の取消しはありません。

　　また、その理由が、経営状況の悪化である場合または認定経営革新等支援機関が正当なものと認められないものと判断した場合には、その認定経営革新等支援機関による経営力向上に係る指導及び助言を受けた旨の記載がある報告書を提出すれば、猶予の取消しはありません。

　　このように、雇用確保要件はよほどのことがない限り実質的に撤廃されたといえます。納税猶予制度の適用が敬遠されていた大きな理由の一つが雇用確保要件でしたが、この要件が実質的に撤廃されたことによりリスクが少なくなり、**特例納税猶予**制度は利用しやすくなったといえます。

(3)　**同族株主の持株比率が50％以下となった場合**

　後継者及びその特別関係者で総株主等議決権数の過半数を保有し続けなければならないという、持株比率要件があります。50％以下となった場合には猶予の期限が確定します。

(4)　**後継者が同族関係者間で筆頭株主等でなくなった場合**

　後継者が単独の場合、後継者とその特別関係者の中で筆頭株主であること、複数の場合、議決権上位2人または3人であることという持株比率要件がありますが、これを満たさなくなった場合も納税猶予の期限が確定します。他の同族株主間で相続や贈与により議決権株式の移動があった場合、筆頭株主や上位2人または3人が後継者以外の同族株主になってしまうケースもありますので、持株状況には常に留意が必要です。

(5)　**株式等の一部の譲渡または贈与をした場合**

適用対象株式等の全株保有継続が要件ですので、たとえ1株であろうとも売却や贈与した場合には納税猶予の期限が確定します。

⑹ **株式等の全部の譲渡等をした場合（一定の適格株式交換等を除く。）**

⑺ **会社分割・組織変更等があった場合で、金銭その他の資産の交付を受けた場合**

⑻ **会社が解散または解散したとみなされた場合**

「経営承継期間」の間に会社が解散やみなし解散した場合には納税猶予の期限が確定します。ここでいうみなし解散は、破産手続開始の決定または特別清算開始の命令があった場合をいいますので、民事再生法の適用開始や会社更生法の適用開始は含みません。ただし、これらの適用により代表権を制限された場合には猶予期限が確定します。

⑼ **会社が資産管理会社に該当することとなった場合**

申告書の提出日の直前事業年度を通して、資産保有型会社や資産運用型会社に該当していなかったため納税猶予の適用を受けた場合において、「経営承継期間」のみならず、5年経過後においても会社が資産管理会社に該当すると猶予期限が確定します。

具体的には、「次の①及び③の合計額に対する②及び③の合計額の割合が100分の70以上である会社」が資産保有型会社とされ、該当した場合、納税猶予期限が確定します。

① 会社の資産の帳簿価額の総額

② 会社の特定資産（有価証券、不動産、ゴルフ会員権、絵画や貴金属等、現金、預貯金等）の帳簿価額の合計額

③ 過去5年間（贈与または相続開始の日以前の期間を除く、経営承継期間）において、会社の後継者及びその特別関係者に支払われた剰余金の配当等または給与（法人税法34条及び36条の過大役員給与等の規定により損金算入されない額に限ります。）の金額

【経営承継期間中の判定】

$$\frac{②特定資産の帳簿価額＋③過去5年間の配当または給与の金額等}{①資産の帳簿価額の総額＋③過去5年間の配当または給与の金額等}$$

ただし、やむを得ない一定の事由が生じたことにより、猶予期間内のいずれかの日に認定承継会社等が資産保有型会社または資産運用型会社に該当した場合においても、資産保有型会社は事由が生じた日から6か月以内の期間に、資産運用型会社はその翌事業年度終了の日までの期間に、これらの会社に該当しなくなった時には納税猶予の取消事由に該当しないものとされます（Q96参照）。

⑽　総収入金額がゼロとなった場合

　総収入金額がゼロか否かを判定する際には、営業外収益や特別利益を含まずに判定します。

⑾　資本金または準備金の額の減少をした場合

⑿　納税猶予の適用をやめる届出書を提出した場合

⒀　会社が適格合併を除き、合併により消滅した場合

⒁　会社が適格交換を除き、株式交換により他の会社の完全子会社になった場合

⒂　会社が上場会社等または性風俗営業会社に該当した場合

⒃　特定特別子会社が性風俗営業会社になった場合

⒄　円滑な事業の運営に支障を及ぼすおそれのある場合

　①　拒否権付き種類株式を後継者以外の人が有することとなった場合

　②　納税猶予対象株式を議決権制限株式に変更した場合

　③　定款の変更により後継者の有している議決権の制限をした場合

　④　贈与者である先代経営者が代表者に復活したこと

⒅　5年間の報告・届出を怠った場合や虚偽の報告をした場合

　贈与税または相続税の申告期限後の5年間は毎年1回、贈与税または相続税の申告期限の翌日から1年を経過する日を報告基準日とし、報告基準日から3か月以内に会社は都道府県の担当課に報告書を提出し、報告基準日から5か月以内に後継者は、引き続き非上場株式等の納税猶予の特例を受ける旨や会社の経営に関する事項等を記載した継続届出書を税務署長に届け出なければなりません。これらを怠ったり、虚偽の報告をした場合には、納税猶予の期限は確定します。

⒆　その他、贈与税・相続税の負担を不当に減少させる結果となる場合に

は、認定そのものを取り消すこととされています。

3 5年間の注意事項

　非上場株式等の納税猶予の適用を受けたからには猶予税額が確定し、猶予税額を利子税と併せて納付しなければならないことが一番のリスクです。よって、「経営承継期間」中は期限確定事由に該当しないように、細心の注意を払ってください。

　特に、雇用要件は後継者がいくら頑張っても経済動向により、外れることも起こり得ますので、一般納税猶予を適用している方は要注意です。なお、**特例納税猶予**において雇用確保要件は実質撤廃されていますので安心ですが、筆頭株主等の要件は他の親族の思いもよらぬ事態で外れてしまうこともありますので、十分気をつけたいものです。ただし、認定会社が大会社や上場会社となり中小企業者でなくなったとしても期限確定事由には該当しませんので、成長企業にとっては安心です。

　また、資産管理会社に該当したとしても、一定の期間内に元に戻れば納税猶予を継続できるので、少し安心できます。

　要件の継続に不安をお持ちの方は、贈与時に精算課税と納税猶予の双方を併用適用されるとよいでしょう。しかし、納税猶予を適用しない方がかえって事業承継がうまくいくこともありますので、贈与時や相続時だけでなく将来も見据えて、しっかり判断してください。

98 経営承継期間（申告期限後5年間）経過後の猶予期限確定と利子税

Question

納税猶予適用後5年を経過した後、経営承継要件はなくなるそうですが、どのようになるのでしょうか。また、猶予期限が確定し猶予税額を納付するときの利子税については、どのようになっているのでしょうか。

POINT

① 経営承継期間（申告期限後5年）経過後は事業継続要件は解除

② 資産管理会社に該当した場合等でも一定の事由で継続可

③ 5年間の経営承継期間経過後は5年間の利子税は免除

Answer

1 申告期限後5年経過すれば事業継続要件などは解除

非上場株式等の納税猶予を適用した場合、申告期限から5年間の（一般及び特例）「経営承継期間」経過後は事業継続要件をすべて満たしていなくても、一定要件を継続する限りは納税猶予が継続されます。主な継続要件の取扱いをまとめると次のようになります。

2 経営承継期間後に納税猶予の期限が確定する場合

経営承継期間後においても納税猶予の適用を継続している間に、後継者が株式等を譲渡したり、認定会社が資産管理会社に該当することとなった場合には、該当した日から2か月を経過する日に猶予期限が確定し、納税猶予額の全額または一部を納付しなければなりません。ただし、一定の事由により資産管理会社に該当した場合で、一定期間内に該当しなくなった場合には引き続き納税が猶予されます。

その場合、期限が確定した猶予税額と合わせて利子税を納付しなければなりません。なお、経営承継期間の5年が経過した後に、納税猶予税額の

Ⅵ 非上場株式等の特例納税猶予制度

全部または一部に期限確定事由が生じた場合には、納付すべき利子税のうち経営承継期間である5年間の利子税は免除されますので安心です。

◆ **納税が猶予されている相続税を納付する必要がある主な場合**

(1) 下表の**「A」に該当した場合**には、納税が猶予されている相続税の<u>全額</u>と利子税を併せて納付します。
　　この場合、この制度の適用は終了します。

(2) 下表の**「B」に該当した場合**には、納税が猶予されている相続税のうち、譲渡等した部分に対応する相続税と利子税を併せて納付します。

(注) 譲渡等した部分に対応しない相続税については、引き続き納税が猶予されます。

納税猶予税額を納付する必要がある主な場合	（特例）経営承継期間内	（特例）経営承継期間の経過後
この制度の適用を受けた非上場株式等についてその一部を譲渡等（**免除対象贈与**を除きます。）した場合	A	B
後継者が会社の代表権を有しなくなった場合	A（※1）	C（※2）
会社が資産管理会社に該当した場合（一定の要件を満たす会社を除きます。）	A（※5）	A（※5）
一定の基準日（※4）における雇用の平均が、「相続時の雇用の8割」を下回った場合	C（※2、3） （一般措置はA）	C（※2）

「（特例）経営承継期間」とは、この制度の適用に係る相続税の申告期限の翌日から、次の①、②のいずれか早い日と後継者の死亡の日の前日の早い日までの期間をいいます（以下同じです。）。
① 後継者の最初のこの制度の適用に係る相続税の申告期限の翌日以後5年を経過する日
② 後継者の最初の「非上場株式等についての贈与税の納税猶予及び免除」の適用に係る贈与税の申告期限の翌日以後5年を経過する日

※1 やむを得ない理由（下記参照）がある場合を除きます。

　2 **「C」に該当した場合**には、引き続き納税が猶予されます。

　3 円滑化省令では、下回った理由等を記載した報告書※を都道府県知事に提出し、確認を受けることとされています。
　　なお、その報告書及び確認書の写しは、継続届出書に添付することとされています。

　4 雇用の平均は、（特例）経営承継期間の末日に判定します。

　5 資産管理会社に該当したとしても、一定の事由によるものであり、一定期間内に該当しなくなった場合は引き続き猶予可

※ 認定経営革新等支援機関の意見が記載されているものに限ります。

「やむを得ない理由」とは、次に掲げる事由のいずれかに該当することになったことをいいます。
① 精神保健及び精神障害者福祉に関する法律の規定により精神障害者保健福祉手帳（障害等級が1級である者として記載されているものに限ります。）の交付を受けたこと
② 身体障害者福祉法の規定により身体障害者手帳（身体上の障害の程度が1級または2級である者として記載されているものに限ります。）の交付を受けたこと
③ 介護保険法の規定による要介護認定（要介護状態区分が要介護5に該当するものに限ります。）を受けたこと
④ 上記①から③までに掲げる事由に類すると認められること

（国税資料を加工）

99 猶予適用後に納税猶予額が免除される場合

Question

非上場株式等についての納税猶予は期限が確定していませんが、どのような場合に猶予税額が免除されるのでしょうか。また経営環境の変化による特例納税猶予の免除措置とは、どのような制度なのでしょうか。

POINT

① **先代経営者または二代目経営者が死亡した場合には免除される**

② **民事再生、会社更生による譲渡・破産・清算等でも免除**

③ **特例では経営環境の変化等による売却・合併消滅・解散等でも免除**

Answer

1 贈与税の納税猶予額が免除される場合

贈与税の納税猶予の適用を受ける二代目経営者又は先代経営者が次のいずれかに該当する場合には、猶予贈与税額は免除されます。この場合、二代目経営者またはその相続人は、その該当日から6か月を経過する日までに免除届出書を所轄税務署長に提出しなければなりません。

⑴ 先代経営者が死亡する以前に二代目経営者自身が亡くなった場合

この場合、猶予対象株式が二代目経営者の相続税の課税対象になり、この相続時に一定の適用要件を満たしていれば、三代目経営者が非上場株式等の相続税の納税猶予の適用を受けることができます。

⑵ 贈与者である先代経営者が死亡した場合

この場合、二代目経営者が猶予対象株式等を先代経営者から相続等により取得したとみなされ相続税が課税され、相続時に都道府県知事の切替確認を受け一定の適用要件を満たしていれば、二代目経営者は非上場株式等の相続税の納税猶予の適用を受けることができます。

⎯⎯⎯⎯⎯⎯⎯⎯⎯⎯⎯⎯⎯⎯⎯⎯⎯⎯⎯⎯⎯⎯ Ⅵ 非上場株式等の特例納税猶予制度

(3) 先代存命中に二代目から三代目への免除対象贈与の場合（Q92参照）

① 経営承継期間経過後において、二代目経営者が三代目経営者に特例受贈非上場株式等を一括贈与し、三代目経営者が贈与税の納税猶予を受けた場合

② 経営承継期間内においても、二代目経営者が身体障害等のやむを得ない理由により、会社の代表者でなくなった場合に限り、二代目経営者が三代目経営者に特例受贈非上場株式等を一括贈与し、三代目経営者が贈与税の納税猶予を受けた場合

2　相続税の納税猶予額が免除される場合

相続税の納税猶予の適用を受ける二代目経営者等が次のいずれかに該当する場合には、それぞれに応じた猶予相続税額は免除されます。この場合、二代目経営者またはその相続人は、その該当日から6か月を経過する日までに免除届出書を所轄税務署長に提出しなければなりません。

(1) **二代目経営者自身が亡くなった場合**

→猶予相続税額

この場合、猶予対象株式等が二代目経営者の相続税の課税対象になり、この相続時に一定の必要要件を満たしていれば、三代目経営者が非上場株式等の相続税の納税猶予の適用を受けることができます。

(2) **経営承継期間経過後に、二代目経営者が猶予対象株式等につき贈与税の納税猶予を適用する免除対象贈与を三代目経営者にした場合**

→猶予相続税額のうち、この贈与税の猶予対象株式等のうち相続税の猶予対象株式等に対応する部分の相続税額

この場合、その贈与のときに一定の適用要件に該当した場合には、贈与を受けた三代目経営者が非上場株式等の贈与税の納税猶予の適用を受けることができます。

(3) **経営承継期間内のやむを得ない理由による免除対象贈与の場合（Q92参照）**

→猶予相続税額

経営承継期間内においても、身体障害等のやむを得ない理由により、二

309

代目経営者が会社の代表者でなくなった場合に限り、二代目経営者が三代目経営者に特例受贈非上場株式等を一括贈与し、三代目経営者が贈与税の納税猶予を受けた場合

3 その他の猶予税額が免除される場合

　非上場株式等の納税猶予の適用を受けている後継者または認定会社が次のいずれかに該当することとなった場合には、次に計算する猶予税額の一部が免除されます。この場合、後継者はその該当日から2か月以内に免除申請書を所轄税務署長に提出しなければなりません。

⑴　経営承継期間経過後に一括譲渡時価が猶予税額を下回る場合

　経営承継期間経過後において、後継者が非上場株式等の全部について、同族関係者以外の者へ譲渡した場合や、民事再生法の再生計画もしくは会社更生法の更生計画に基づき非上場株式等を消却するために譲渡した場合において、その非上場株式等の時価が納税猶予税額を下回るときは、その差額分の納税猶予税額は免除されます。時価が譲渡対価の額より低い場合は、譲渡対価の額とされます。

⑵　経営承継期間経過後に認定会社が破産または清算した場合

　経営承継期間経過後に、認定会社について破産手続開始の決定や特別清算開始の命令があった場合には、後継者は解散直前の納税猶予税額の全額について免除されます。

　申告期限5年以内なら猶予税額全額納付しなければならないのですが、5年経過後は会社が債務超過状態に陥り、株主たる後継者に分配される会社財産がない場合には、猶予税額の全額について免除されるのです。

　是非5年間は何が何でも会社が自己破産や破産をしないように、しっかりと経営してください。

⑶　経営承継期間経過後に合併で消滅した場合

　経営承継期間経過後に、認定会社が合併により消滅した場合において、存続会社の株主が同族関係者以外のものであって、合併に際し存続会社の株式の交付がない場合に限り、合併直前における非上場株式等の時価が納税猶予税額を下回るときは、その差額分の納税猶予税額は免除されます。

310

時価が合併対価の額より低い場合は、合併対価の額とされます。

⑷ 経営承継期間経過後に株式交換で完全子会社になった場合

経営承継期間経過後に、認定会社が株式交換により他の会社の完全子会社となった場合において、他の会社の株主が同族関係者以外のものであって、交換に際し他の会社の株式等の交付がない場合に限り、交換直前におけるその非上場株式等の時価が納税猶予税額を下回るときは、その差額分の納税猶予税額は免除されます。時価が交換対価の額より低い場合は、交換対価の額とされます。

4 特例納税猶予における譲渡・合併による消滅・解散時の減免制度

⑴ 贈与・相続後の株式評価額下落リスク

一般納税猶予制度では、贈与または相続等のときの株式評価額により納税猶予額が算定され、経営環境の変化に関わらず猶予額は一定とされています。もし譲渡や合併・解散した場合、贈与等をした後の会社の経営状態や業界全体の景況の変化によって、株式評価額が大きく変動し贈与等時の株式評額との間に乖離が生じる可能性があります。

⑵ 譲渡・合併による消滅・解散時

一般納税猶予制度においては、民事再生や会社更生のときにその時点の株式評価額で相続税を再計算し、超える部分の猶予税額を免除する手当のみがされています。

特例納税猶予制度では、経営環境の変化を示す一定の要件を満たす場合には、譲渡、合併による消滅、解散時においても、さらに同様の免除制度が設けられました。特例においては、経営環境の変化とそれに伴う株式評価の変化に応じて、見直して課税を行う制度とすることで、将来への不安やリスクがより軽減されています。

⑶ 譲渡または合併の場合は評価額の50%が下限

特例納税猶予制度においては、解散の場合には、その時点の相続税評価額で計算されますが、譲渡または合併の場合は譲渡または合併の対価で計算し、その時点の相続税評価額の50%が下限となります。

ただし、実際の売却価格が50%未満の場合、50%評価額まで免除し、2

年後譲渡した事業が継続され雇用が半数以上維持されている場合には、残額の猶予税額が免除されます。

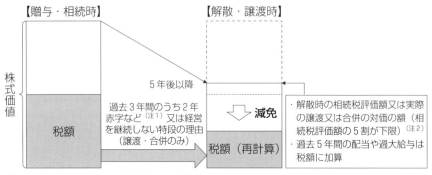

（注1）その他、過去3年間のうち2年売上減、有利子負債≧売上の6か月分以上、類似業種の上場企業株価が前年度から減少のいずれかでも認める。
（注2）実際の売却価格が5割未満の場合、一旦5割分まで免除し、2年後、譲渡した事業が継続され雇用が半数以上維持されている場合には、残額を減免。

（出典：税制調査会資料）

(4) 経営の環境の変化を示す一定の要件

経営環境の変化を示す一定の要件とは、次のいずれか（特例認定承継会社が解散をした場合にあっては、⑤を除く。）に該当する場合をいいます。
① 直前の事業年度終了の日以前3年間のうち2年以上、特例認定承継会社の経常損益金額が赤字である場合
② 直前の事業年度終了の日以前3年間のうち2年以上、特例認定承継会社の営業外収益及び特別利益以外の総収入金額が、その年の前年に比して減少している場合
③ 直前の事業年度終了の日の特例認定承継会社の有利子負債の額が、その日の属する事業年度の売上高の6か月分に相当する額以上である場合
④ 特例認定承継会社の事業が属する業種に係る上場会社の株価（直前の事業年度終了の日以前1年間の平均）が、その前年1年間の平均より下落している場合
⑤ 特例後継者が特例認定承継会社における経営を継続しない特段の理由があるとき

ただし、特例認定承継会社の非上場株式等の譲渡等が直前の事業年度終了の日から6か月以内に行われたときは上記①から③までについて、その

譲渡等が同日後1年以内に行われたときは上記④について、それぞれ「直前の事業年度終了の日」を「直前の事業年度終了の日の1年前の日」とした場合にそれぞれに該当するときについても、「経営環境の変化を示す一定の要件を満たす場合」に該当するものとされます。

5　過去5年間の配当や過大役員給与等は免除されない

上記の3、4のすべての場合において、譲渡・破産・合併・株式交換等や解散等があった日以前5年以内に、後継者及びその特別関係者に対して、会社から支払われた剰余金の配当及び過大役員給与等に相当する額は加算しなければなりません。

6　「免除申請書」の提出と通知

納税猶予額が免除される1または2の事由が生じた場合には、「免除届出書」を提出すればよいだけです。免除される3、4の事由が生じた場合には「免除申請書」を税務署長へ提出し、申請期限から6か月以内に、税務署長から免除した税額を書面により通知されることにより、納税猶予されている贈与税又は相続税の全部又は一部について、その納付が免除されます。

また、贈与税の納税猶予額の免除を受けた場合、二代目が精算課税を選択していたとしても、その権利・義務を三代目を承継する必要はありませんので、ご安心ください。

〈X社の株価総額の推移（イメージ図）〉

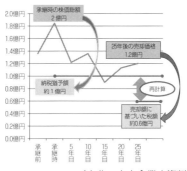

（出典：中小企業庁資料）

個人の事業用資産についての納税猶予制度

100 個人版事業承継税制のあらまし

Question

非上場株式等についての納税猶予制度と同様に「個人事業者の事業用資産についての納税猶予制度（個人版事業承継税制）」があるそうですが、その概要はどうなっているのでしょうか？

POINT

① 「承継計画」を令和6年3月31日までに都道府県知事に提出
② 令和10年12月31日までの贈与・相続等に係る税額を猶予
③ 対象は宅地等400m²、建物800m²、減価償却資産等
④ 先代事業者等以外の生計一親族からの贈与・相続も適用対象

Answer

1 「承継計画」の提出と贈与・相続の期間

　個人事業者の円滑な事業承継の実現に対応するため、「個人版事業承継税制」として、「非上場株式についての納税猶予制度」と同様の構造である「個人事業者の事業用資産についての納税猶予制度」が期間限定で創設ています。

　対象者は、平成31年4月1日から令和6年3月31日までに、認定経営革新支援機関の指導・助言を受けて作成した特定事業用資産の承継前後の経営見直し等が記載された「承継計画」を都道府県に提出し、都道府県知事の確認を受けた後継者とされています。

　確認を受けた後継者である受贈者又は相続人等が特定事業用資産を贈与又は相続等により取得し、経営承継円滑化法の認定を受けた場合には、その特定事業用資産に係る贈与税・相続税の全額につき、一定要件のもと納税を猶予し、後継者の死亡等により猶予されている贈与税・相続税の納付が免除される制度です。特定事業用資産を贈与又は相続等により取得する

316

時期は平成31年1月1日から令和10年12月31日までに限定されています。

「個人事業者の事業用資産についての贈与税の納税猶予制度」の適用を受けている場合には、贈与者が死亡したときに猶予贈与税額が免除され、贈与時点の特定事業用資産の評価額が相続税の課税対象となります。この贈与者の死亡時に都道府県知事の切替確認を受けることにより、「個人事業者の事業用資産についての相続税の納税猶予制度」の適用を受けることができれば、特定事業用資産に対応する相続税額の全額が猶予されるのです。

2　特定事業用資産の範囲

個人事業者の事業用資産についての納税猶予制度の対象となる「特定事業用資産」とは、先代事業者（贈与者・被相続人）の事業の用に供されていた次の資産で、先代経営者の贈与又は相続開始の年の前年分の事業所得に係る青色申告書（正規の簿記の原則による複式簿記で65万円控除の適用を受けているもの）の貸借対照表に計上されていたものをいいます。ここでいう「事業」の範囲からは不動産貸付業等が除かれます。

(1)　宅地等（400m²まで）

事業の用に供されていた土地又は土地の上に存する権利で、建物又は構築物の敷地の用に供されているもののうち、棚卸資産に該当しないもの

(2)　建物（床面積800m²まで）

事業の用に供されていた建物で棚卸資産に該当しないもの

(3)　(2)以外の減価償却資産で次のもの

①　固定資産税の課税対象とされる償却資産（工作機械等の機械・装置、診療機器等の器具・備品、船舶等）

②　自動車税等において、営業用の標準税率が適用される自動車等

③　乳牛等・果樹等の生物、特許権・実用新案権等の無形固定資産

なお、宅地等のうち納税猶予の対象となる面積は上記のとおりですが、経営承継円滑化法の認定上は面積制限がありません。事業の用以外に供されていた部分があるときは、事業の用に供されていた部分に限られます。

317

特例（受贈）事業用資産の範囲

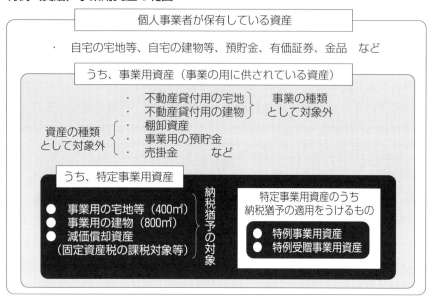

3　事業用資産としている代表者以外の所有者からの贈与・相続も可能

　先代事業者が配偶者の所有する土地の上に建物を建て、事業を行っている土地など、先代事業者と生計を一にする配偶者その他の親族等が所有する上記(1)から(3)までの資産も、特定事業用資産に該当します。

　ただし、贈与・相続等の開始の日の属する年の前年分の事業所得に係る青色申告書の貸借対照表等に計上されているものに限られます。また、この生計一親族等からの特定事業用資産の贈与・相続等については、先代事業者からの贈与・相続等の開始の日から1年を経過する日までにされたものに限定されています。

4　適用すると考えられる対象者

　個人事業の経営者から事業を承継するにあたって、特定事業用資産の全ての贈与を受け、若しくは相続等によって取得をする場合に適用されるため、個人で事業を行っている病院・診療所、個人立学校、税理士、不動産仲介業、旅館業、町工場などが適用対象と考えられます。もちろん、これ

Ⅶ 個人の事業用資産についての納税猶予制度

ら以外の様々な個人事業も対象となります。

●個人版事業承継税制と法人版（特例措置）の比較

	法人版（特例措置）	個人版
事前の計画策定	5年以内の特例承継計画の提出 ［平成30年（2018年）4月1日から 令和6年（2024年）3月31日まで］	5年以内の個人事業承継計画の提出 ［平成31年（2019年）4月1日から 令和6年（2024年）3月31日まで］
適用期限	10年以内の贈与・相続等 ［平成30年（2018年）1月1日から 令和9年（2027年）12月31日まで］	10年以内の贈与・相続等 ［平成31年（2019年）1月1日から 令和10年（2028年）12月31日まで］
対象資産	非上場株式等	特定事業用資産
納税猶予割合	100％	100％
承継パターン	複数の株主から最大3人の後継者	原則、先代一人から後継者一人 ※一定の場合、同一生計親族等からも可
贈与要件	一定数以上※の株式等を贈与 すること ※後継者一人の場合、原則2/3以上など	その事業に係る特定事業用資産 のすべてを贈与すること
雇用確保要件	あり（特例措置は弾力化）	雇用要件なし
経営環境変化に 対応した減免等	あり	あり ※後継者が重度障害等の場合は免除
円滑化法認定 の有効期限	最初の申告期限の翌日から5年間	最初の認定の翌日から2年間

（「個人版事業承継税制の前提となる経営承継円滑化法の認定申請マニュアル　令和4年4月
改訂版」（中小企業庁）を基に作成）

101 贈与税の納税猶予の概要

Question

後継者が先代事業者から事業用資産を贈与してもらった場合、贈与税の納税猶予の適用を受けることができれば、贈与税がかからないと聞いたのですが、どのような制度なのでしょうか。

POINT

① 贈与の期間は平成31年1月1日から令和10年12月31日まで
② 承継計画に記載された特例事業受贈者への贈与
③ 贈与の日まで引き続き3年以上事業に従事していた後継者

Answer

1 個人事業の贈与税の納税猶予の概要

認定経営革新等支援機関の所見が記載された「個人事業承継計画」を策定し、令和6年3月31日までに都道府県知事の確認を受けた特例事業受贈者が、令和10年12月31日までの間に、先代事業者等から贈与により特定事業用資産の全てを取得し、事業を継続していく場合には、担保の提供を条件に、その特例事業受贈者が納付すべき贈与税額のうち、贈与により取得した特定事業用資産（特例受贈事業用資産）の課税価格に対応する贈与税の納税が猶予されます。

2 先代事業者等である贈与者の主な要件

贈与者が先代事業者（第一種）である場合の要件は、廃業届出書を提出していること又は贈与税の申告期限までに提出する見込みであり、贈与の日の属する年、その前年及び前々年に青色申告書を提出していることです。

贈与者が先代事業者以外（第二種）の場合は、先代事業者の贈与又は相続開始の直前において、先代事業者と生計を一にする親族であり、先代事業者からの贈与又は相続後に特定事業用資産の贈与をしていることです。

3　先代事業者以外からは第一種贈与等があった日から１年以内

　先代事業者と生計を一にする配偶者その他の親族等からの特定事業用資産の贈与又は相続等は、先代事業者から最初の贈与又は相続等（第一種）があった日から１年を経過する日（かつ、平成31年１月１日から令和10年12月31日）までの贈与又は相続等（第二種）に限定されます。

4　後継者である特例事業受贈者の主な要件

　承継計画に記載された次の主な要件を満たす受贈者が、特例事業受贈者として贈与税の納税猶予の適用を受けることができます。

①　贈与の日において18歳以上

②　経営承継円滑化法の中小企業者で円滑化法の認定を受けていること

③　贈与の日まで引き続き３年以上にわたり特定事業用資産に係る事業（同種・類似の事業等を含む）に従事していたこと

④　贈与税の申告期限において開業届出書（事業開始から１か月以内）を提出し、青色申告の承認（業務開始日から２か月以内）を受けていること

⑤　事業が資産管理事業及び性風俗関連特殊営業に該当しないこと

5　資産管理事業とは

　資産管理事業とは、有価証券、自ら使用していない不動産、現金・預金等の特定資産の保有割合が、特定事業用資産の事業に係る総資産の総額の70％以上となる事業（資産保有型事業）や、これらの特定資産からの運用収入が特定事業用資産に係る事業の総収入金額の75％以上となる事業（資産運用型事業）をいい、納税猶予の適用対象外となります。

6　推定相続人及び孫以外の特例事業受贈者の相続時精算課税の適用

　特例事業受贈者が贈与者の直系卑属である推定相続人以外の者であっても、その贈与者がその年１月１日において60歳以上である場合には、相続時精算課税の適用を受けることができますのでご安心ください。

102 贈与税の納税猶予の期限確定、免除、死亡時の取扱い

Question

個人の事業用資産の贈与について納税猶予の適用を受けた場合、免除までに取り消されないか心配です。猶予継続や取消し、免除、さらには先代事業者が死亡したときの要件はどうなっているのでしょうか。

POINT

① 事業継続や事業用資産の継続保有が猶予継続の要件

② 事業廃止や資産管理業に該当などの確定事由により猶予税額を納付

③ 先代事業者や後継者等の死亡により贈与税の納付は免除

④ 免除対象贈与・破産手続き開始決定・障害者に該当の場合も免除

⑤ 贈与者の死亡時には相続財産になるが相続税の納税猶予の適用可

Answer

1　個人事業の贈与税の納税猶予の申告期限と猶予期間中

個人版事業承継税制の適用を受けるためには、贈与を受けた年の翌年の1月15日までに、後継者は都道府県知事に対し円滑化法の認定申請を行う必要があります。

認定を受けた後継者は贈与を受けた年の翌年2月1日から3月15日までに、受贈者の住所地の税務署長に個人の事業用資産についての贈与税の納税猶予の適用を受ける申告書を提出しなければなりません。

2　特例受贈事業用資産の継続保有と継続届出書の提出

贈与税の申告後も引き続き、この制度の適用を受ける特定事業資産（特例事業用受贈資産）を保有し、継続届出書に一定の書類を添付して3年ごとに税務署へ提出すること等により、納税猶予が継続されます。

ただし、この制度の適用に係る事業を廃止するなど次の3、4に掲げる

一定の場合（確定事由）には、期限が確定し納税が猶予されている贈与税の全部又は一部について利子税と併せて納付しなければなりません。

なお、継続届出書の提出がない場合には、猶予贈与税額の全額と利子税の納付が必要になります。

3　贈与税の全額と利子税の納付が必要となる場合

(1)　事業を廃止した場合（やむを得ない事由がある場合や破産手続開始の決定があった場合を除く）

(2)　資産管理事業又は性風俗関連特殊営業に該当した場合

(3)　特例受贈事業用資産に係る事業について、その年のその事業に係る事業所得の総収入金額がゼロとなった場合

(4)　青色申告の承認が取り消された場合

4　贈与税の一部と利子税の納付が必要となる場合

特例受贈事業用資産が事業の用に供されなくなった場合には、納税が猶予されている贈与税のうち、その事業の用に供されなくなった部分に対応する贈与税と利子税を合わせて納付しなければなりません。もちろん事業の用に供されなくなった部分以外の部分に対応する贈与税については引き続き納税が猶予されます。

ただし、次の場合には納税猶予は継続されます。

(1)　特例受贈事業用資産を陳腐化等の事由により廃棄した場合において、税務署にその旨の書類等を提出したとき

(2)　特例受贈事業用資産を譲渡した場合において、その譲渡があった日から1年以内にその対価により新たな事業用資産を取得する見込みであることについて税務署長の承認を受けたとき（取得に充てられた対価に相当する部分に限る。）

(3)　特定申告期限の翌日から5年を経過する日後の会社の設立に伴う現物出資により、全ての特例受贈事業用資産を移転した場合において、その移転につき税務署長の承認を受けたとき。

なお、特定申告期限とは、後継者の最初の個人事業用財産についての

納税猶予制度の適用に係る贈与税の申告期限又は相続税の申告期限のいずれか早い日をいいます。

5　贈与税の猶予税額の免除

先代事業者等である贈与者の死亡等の**6**に掲げる事由があった場合には、「免除届出書」・「免除申請書」を提出することにより、その死亡等があったときにおいて納税が猶予されている贈与税の全部又は一部についてその納付が免除されます。

6　猶予される贈与税の納付が免除される事由

(1)　先代経営者等である贈与者が死亡した場合（**9**参照）

(2)　後継者である特例事業受贈者が死亡した場合

(3)　特定申告期限の翌日から5年を経過する日後に、特例受贈事業用資産の全てについて「免除対象贈与」を行った場合

(4)　事業継続できなかったことにつき、やむを得ない理由がある場合

(5)　破産手続開始の決定などがあった場合

(6)　事業の継続が困難な一定の事由が生じた場合において、特例受贈事業用資産の全ての譲渡・事業の廃止をしたとき

7　免除対象贈与とは

この納税猶予の適用を受けている特例受贈事業用資産が次の後継者に贈与され、次の後継者が「個人の事業用資産についての贈与税の納税猶予及び免除」の適用を受ける場合の贈与をいい、特例事業受贈者がこの免除対象贈与を行えば猶予税額は免除されます。

8　継続できないやむを得ない理由とは

後継者の猶予税額が免除されるやむを得ない理由とは、次のいずれかに該当することとなったことをいいます。

①　精神保健及び精神障害者福祉に関する法律の規定により精神障害者保健福祉手帳（障害等級が1級）の交付を受けたこと

② 身体障害福祉法の規定により身体障害者手帳（身体上の障害の程度が1級又は2級）の交付を受けたこと
③ 介護保険法の規定による要介護認定（要介護状態区分が要介護5）を受けたこと

9　贈与者の死亡時には贈与時の価額を相続財産に加算

　贈与者が死亡した場合には猶予されている贈与税の納付が免除されます。納税猶予及び免除の適用を受けた特例受贈事業用資産は、贈与者から相続等により取得したものとみなして、贈与の時の価額により他の相続財産と合算して相続税を計算します。その際、経営承継円滑化法に基づき、後継者がこの制度の適用要件を満たしていることについての都道府県知事の「円滑化法の確認」を受け、一定の要件を満たす場合には、その特例受贈事業用資産について、個人事業用資産についての相続税の納税猶予の適用を受けることができます。円滑化法の確認を受けるためには、相続開始後8か月以内に申請を行う必要があります。

　なお、納税猶予の適用を受ける場合には、相続税の申告期限までに、個人の事業用資産についての相続税の納税猶予の適用を受ける旨を記載した相続税の申告書及び一定の書類を税務署へ提出するとともに、納税が猶予される相続税額及び利子税の額に見合う担保を提供しなければなりません。

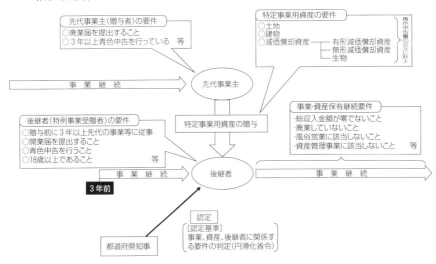

103 個人の事業用資産についての相続税の納税猶予の概要

Question

後継者が先代事業者から事業用資産を相続した場合に、相続税の納税猶予の適用を受けることができれば、相続税がかからないと聞いたのですが、どのような制度なのでしょうか。

POINT

① 相続等の期間は平成31年1月1日から令和10年12月31日まで
② 承継計画に記載された特例事業相続人等が相続等により全てを取得
③ 特定事業用宅地等について小規模宅地等の特例を適用していない

Answer

1 個人事業の相続税の納税猶予の概要

認定経営革新等支援機関の所見が記載された「個人事業承継計画」を策定し、令和6年3月31日までに都道府県知事の確認を受けた特例事業相続人等が、令和10年12月31日までの間に、先代事業者等から相続等により特定事業用資産の全てを取得し、事業を継続していく場合には、担保の提供を条件に、その特例事業相続人等が納付すべき相続税額のうち、相続等により取得した特定事業用資産の課税価格に対応する相続税の納税が猶予されます。

2 先代事業者等である被相続人の主な要件

被相続人が先代事業者(第一種)である場合の要件は、相続開始の日の属する年、その前年及び前々年に青色申告書を提出していることです。

被相続人が先代事業者以外(第二種)の場合は、先代事業者の相続開始又は贈与の直前において、先代事業者と生計を一にする配偶者その他の親族等であり、先代事業者からの贈与又は相続後に開始した相続に係る被相

続人であることです。この場合、先代事業者からの贈与又は相続開始の日から1年を経過する日までの相続に限ります。

3 後継者である特例事業相続人等の主な要件

承継計画に記載された次の主な要件を満たす相続人等が、特例事業相続人等として相続税の納税猶予の適用を受けることができます。なお、承継計画に記載できる相続人等は最大3人までと考えられます。

① 経営承継円滑化法の中小企業者で円滑化法の認定を受けていること

② 相続開始の直前においてその特定事業用資産に係る事業（同種を含む）に従事していたこと（被相続人が60歳未満で死亡した場合には不要）

③ 相続税の申告期限までに特定事業用資産に係る事業を引き継ぎ、特定事業用資産の全てを有し自己の事業用に供していること

④ 相続税の申告期限において開業届出書（事業開始から1か月以内）を提出し、青色申告の承認（死亡の日から4か月以内等）を受けていること

⑤ 特定事業用資産に係る事業が、資産管理事業及び性風俗関連特殊営業に該当しないこと（Q101参照）

⑥ 先代事業者等から相続等により財産を取得した者が、特定事業用宅地等について小規模宅地等の特例の適用を受けていないこと

4 猶予税額の計算

猶予税額の計算方法は、非上場株式等についての相続税の納税猶予制度の特例と同様となっています。ただし、事業のための債務は特定事業用資産の価額から控除して計算することとされています。

5 認定の申請期限・有効期限

都道府県知事への認定の申請期限は被相続人の相続開始の日の翌日から8か月を経過する日となります。また、認定の有効期限は円滑化法の認定を受けた日の翌日から2年を経過する日となります。

なお、非上場株式等の納税猶予制度と異なり、本制度においては年次報告の提出を要しないものとされています。

104 相続税の納税猶予の期限確定や免除の要件と取扱い

Question

個人の事業用資産の相続について納税猶予の適用を受けた場合、相続税はかかりませんが、免除までに取り消されないか心配です。取消しや免除の要件と取扱いはどうなっているのでしょうか。

POINT

① 事業廃止や資産管理業に該当、青色申告の取消し等は猶予取消し

② 後継者の死亡、5年経過後の免除対象贈与、破産等は猶予税額免除

③ やむを得ない理由による事業の譲渡や廃止等は一部猶予税額免除

Answer

1 相続税の全部又は一部と利子税の納付が必要な場合（Q102参照）

相続税の申告後も引き続き、この制度の適用を受ける特定事業用資産を保有し、継続届出書に一定の書類を添付して3年ごとに税務署へ提出すること等により、納税猶予が継続されます。

ただし、この制度の適用に係る事業の廃止、資産管理業に該当、総収入金額がゼロ、青色申告の承認取消し、青色申告の承認申請の却下等、一定の場合（確定事由）には、納税が猶予されている相続税の全部又は一部について利子税と併せて納付しなければなりません。原則として、相続税の納付が必要となる事由は贈与税の納税猶予の取消し事由と同じです。

なお、継続届出書の提出がない場合には、猶予されている相続税の全額と利子税を納付する必要があります。

2 相続税の猶予税額の免除（Q103参照）

後継者である相続人等の死亡等があった場合には、「免除届出書」・「免除申請書」を提出することにより、その死亡等があったときに納税が猶予

されている相続税の全部又は一部についてその納付が免除されます。

　猶予される相続税の納付が免除される主な事由としては、後継者の死亡、5年経過後の免除対象贈与、事業を継続できないやむを得ない理由の発生、破産手続き開始の決定等、一定の場合です。原則として、相続税の納付が免除となる事由は贈与税の納税猶予の納付免除の事由と同じです。

3　事業の継続が困難な事由が生じた場合の納税猶予額の免除について

　次に示す事業の継続が困難な一定の事由が生じた場合には、特例事業用資産の全部の譲渡等をしたとき又はその事業を廃止したときには、その対価の額を基に相続（贈与）税額等を再計算し、再計算した税額と過去5年間の必要経費不算入対価等の合計額が当初の納税猶予税額を下回る場合には、その差額が免除されます。なお、再計算した税額は納付しなければなりません。

納税猶予額の免除の概要

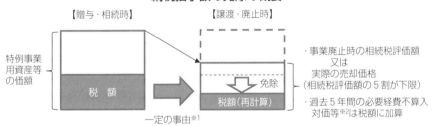

※1　特例事業用資産等に係る事業について、①直前3年中2年以上その事業に係る事業所得の金額が0未満の場合、②直前3年中2年以上その事業に係る総収入金額が前年を下回る場合、③後継者が心身の故障等によりその事業に従事できなくなった場合。
　2　「必要経費不算入対価等」とは、後継者の親族など、特別関係者が当該事業に従事したことその他の事由により後継者から支払を受けた対価又は給与であって、所得税法第56条又は第57条の規定により、その事業に係る事業所得の金額の計算上必要経費に算入されるもの以外のものをいいます。

（出典：国税庁HP）

105 事業用債務の取扱い・租税回避防止措置・法人成りの継続適用等

Question

個人版事業承継税制を適用する場合に、事業用債務や小規模宅地等の特例との適用関係はどうなっているのでしょうか。また、資産管理事業や法人成りしたときにはどうなるのでしょうか。

POINT

① 事業用債務の額は特定事業用資産の価額から控除
② 小規模宅地等の相続税課税価格の特定事業用宅地等の特例と選択
③ 法人成り時には一定の要件で継続適用

Answer

1 債務がある場合の取扱い

特例事業相続人等が特定事業用資産とともに事業用債務の額(明らかに事業用でない債務の額を除く)を引き継いだ場合には、特定事業用資産の価額から事業用債務の額を控除して猶予税額の計算を行うこととなります。

2 租税回避行為防止措置(Q101参照)

非上場株式等の納税猶予制度の資産管理会社要件に準じ、資産管理事業を適用対象外とする租税回避行為防止措置が設けられています。資産保有型事業(事業外資産の保有割合が70%以上)及び資産運用型事業(運用収入割合が75%以上)を資産管理事業といいますが、納税猶予適用中にこれらに該当すると納税猶予が取り消され、猶予税額と経過期間に対応する利子税の納付が必要となります。

ただし、一定のやむを得ない事情により資産保有型事業に該当した場合において、その該当した日から一定の期間内に該当しなくなったとき、又は一定のやむを得ない事情により資産運用型事業に該当した場合には、資

330

産管理事業に該当しないものとみなし、納税猶予が継続します。

3　個人版事業承継税制と小規模宅地等の特例との適用関係

　先代事業者等（被相続人）に係る相続等により取得した宅地等について小規模宅地等の特例の適用を受ける者がある場合には、その適用を受ける小規模宅地等の区分に応じ、個人の事業用資産についての相続税の納税猶予（個人版事業承継税制）の適用が次のとおり、制限されます。

	適用を受ける小規模宅地等の区分	個人版事業承継税制の適用
イ	特定事業用宅地等	適用を受けることはできません。
ロ	特定同族会社事業用宅地等	「400m²－特定同族会社事業用宅地等の面積」が適用対象となる宅地等の限度面積となります※1。
ハ	貸付事業用宅地等	「$400m^2 - 2 \times (A \times \frac{200}{330} + B \times \frac{200}{400} + C)$」が適用対象となる宅地等の限度面積となります※2。
ニ	特定居住用宅地等	適用制限はありません※1。

※1　他に貸付事業用宅地等について小規模宅地等の特例の適用を受ける場合には、ハによります。
　2　Aは特定居住用宅地等の面積、Bは特定同族会社事業用宅地等の面積、Cは貸付事業用宅地等の面積です。

　個人版事業承継税制と小規模宅地等の特例の主な違いを次の図表できちんと理解し、どちらを選択すべきか慎重に検討してください。

【参考】個人版事業承継税制と小規模宅地等の特例（特定事業用宅地等）の主な違い

	個人版事業承継税制	小規模宅地等の特例
事前の計画策定等	５年以内の個人事業承継計画の提出 平成31年４月１日から 令和６年３月31日まで	不要
適用期限	10年以内の贈与・相続等 平成31年１月１日から 令和10年12月31日まで	なし
承継パターン	贈与・相続等	相続等のみ
対象資産	・宅地等（400m²まで） ・建物（床面積800m²まで） ・一定の減価償却資産	宅地等（400m²まで）のみ
減額割合	100％（納税猶予）	80％（課税価格の減額）
事業の継続	終身	申告期限まで

4 法人成りの継続適用

　特例事業相続人等が、相続税の申告期限から５年経過後に特定事業用資産を現物出資し、会社を設立した場合には、当該認定相続人が当該会社の株式等を保有していることその他一定の要件を満たすときには、納税猶予が継続されます。贈与の場合においても同様の取扱いが規定されています。

会社法の賢い活用による
いろいろな対策

106 中小企業のための会社制度

Question

　中小企業は公開会社に義務づけられているような厳しい制度ではなく、取締役会の有無や自己株式の取得等について、事業承継にとってメリットがある会社法上の制度を選べます。どのように会社法を活用すればよいでしょうか。

POINT

① すべての株式について譲渡制限がなかったら非公開会社
② 非公開会社は「定款自治」により公開会社より柔軟性が高い
③ 非公開会社は事業承継に役立つ機関設計等を活用できる

Answer

1　会社に関する法律を一本化したのが会社法

　商法が改正され、会社法が施行されて15年以上経過しています。会社法は民法と同様にひらがな口語体で書かれており、会社に関する法律が一本化されているため、体系的で読みやすい法律です。

　また、大企業だけでなく中小企業など会社全体に対して、会社運営に関するさまざまな事項について選択の機会を与えています。これらは定款に定めることにより選択することができますので、いまや定款による「自治」の時代となっています。この会社法をいかに上手に活用できるかが、事業承継に成功する1つの方法です。真剣に取り組んでください。

2　会社の形態の変化

　会社法では、有限会社法が廃止され株式会社制度に一本化されています。ただし、既存の有限会社については「特例有限会社制度」が適用され、引き続き「有限会社」の商号使用が認められるなど、これまでの実態と名前を変えないで、株式会社として存続しています。

334

また、合資会社、合名会社はそのまま存続しており、合同会社（日本版LLC）という会社類型と共に、これら３類型をもって、所有と経営が一致する「持分会社」とされています。この合同会社ですが、有限社員のみで構成され、かつ組織の内部自治を認めた会社組織で、LLP（有限責任事業組合）とともに、創業やジョイントベンチャーなどで活用されています。

　事業承継や相続税対策としての内輪だけで経営する予定の会社ならば、有限責任であるうえに、組織の内部自治が認められ、株主の意向だけで業務執行できますので、合同会社は便利な会社形態といえるでしょう。

			所有と経営の関係		
			所有と経営が分離（物的組織）※組織の規律が厳格	所有と経営が一致（人的組織）※組織の内部自治が認められる	
出資者（構成員）と会社債権者との関係	全構成員有限責任		株式会社・有限会社※会社法で有限会社は株式会社に統合	合同会社（日本版LLC）有限責任の人的会社	LLP（有限責任の組合制度）
	無限責任	最低１人以上の無限責任構成員		合資会社	投資事業有限責任組合
		全構成員無限責任		合名会社	民法組合

←――――――― 法人格あり ―――――――→←― 法人格なし ―→

3　公開会社、非公開会社の定義

　会社法上、「公開会社」「非公開会社」の会社の区分の定義は株式譲渡制限の有無により、次のようになります。

定　義	会社法上の用語
すべての種類の株式に譲渡制限がある会社	公開会社でない株式会社*
一部の種類の株式に譲渡制限がある会社	公開会社
すべての種類の株式に譲渡制限がない会社	

　＊今後、会社法上は「非公開会社」といいます。

4 株式譲渡制限会社（非公開会社）

会社法で定める株式譲渡制限会社は非公開会社といわれ、株式会社でありながら、かつての有限会社に準じた簡易な規制を選択することができます。

株式譲渡制限会社とは、①すべての株式の譲渡について、②会社の承認を必要とする旨の定めを、③定款においている株式会社のことです。すべての株式の譲渡を制限している会社ですので、種類株式を用いて一部の株式のみ譲渡制限している場合には、株式譲渡制限会社に該当しません。

また、会社の譲渡承認は原則として取締役会の承認となっていますが、定款で定めれば代表取締役だけでも可能です。ただし、取締役会を設置しない会社においては、株主総会の承認が必要です。なお、株式の譲渡制限の定めを定款に置くためには、株主総会の特殊決議（議決権を有する株主の過半数、かつ当該株主の議決権の3分の2以上の賛成）が必要となっています。

事業承継が必要な非公開の中小企業にとっては、この株式の譲渡制限は自社株式の分散を防ぐ切り札なのですから、"自社の定款がどうなっているか"をしっかりと確認しておきましょう。

5 「大会社」と「大会社でない会社」

会社法では次表のように「大会社」とそれ以外の会社に区分されています。

会社の区分	定　義
大会社	資本の額が5億円以上または負債総額200億円以上
大会社以外（中小会社）	上記以外 会社法施行前の参考 中会社＝資本の額が1億円超5億円未満かつ負債総額が200億円未満 小会社＝資本の額が1億円以下かつ負債総額が200億円未満

よって、会社法のもとでの株式会社は次の5つに分類されています。

①公開会社の大会社　②公開会社の非大会社　③非公開会社の大会社
④非公開会社の非大会社　⑤特例有限会社

Ⅷ　会社法の賢い活用によるいろいろな対策

　なお、大会社に該当すれば、会計監査人の設置が強制されるうえ、必ず監査役を設置しなければなりません。さらに公開会社であれば、監査役会の設置も強制されますので、ご注意ください。

6　会社法の機関設計とその他の規定

　今まで説明したように、従前と平成18年5月1日の会社法施行後は大きく異なっています。図表で主な変更点を比較してみましょう。

〈主な変更の比較〉

		従前		H18．5．1～
		株式会社	有限会社	株式会社
最低資本金制度		1,000万円	300万円	なし
機関	取締役会・監査役	必須	任意	非公開会社：任意
	取締役の数	3人以上	1人以上	取締役会あり：3人以上 取締役会なし：1人以上
	任　期	取締役2年 監査役4年	制限なし	原則：取締役2年 監査役4年 非公開会社：10年まで定款で延長可能
	その他	―	―	「会計参与」を新設
その他	社債・新株予約権	発行可能	発行不可	発行可能
	決算公告	必須	なし	必須
	会計監査人	大会社（※） ：必須 中会社（※） ：任意	なし	大会社：必須 その他の会社：任意
	「複数議決権」など議決権についての特別な定款規定	規定不可	規定可能	非公開会社：規定可能

※大会社：資本の額が5億円以上、または負債総額200億円以上の株式会社。
　中会社：資本の額が1億円超かつ負債総額200億円未満の株式会社であった。

　古い歴史の会社は今でも、かつての商法で規定された会社運営をしているのではないでしょうか。一度ご確認ください。
　会社法における非公開会社の柔軟性をどう活かすかが、まさに事業承継に必要とされていることなのです。

107 機関設計は自社にとって
最適な組み合わせを選択する

Question

かつては会社の機関設計は取締役会及び監査役の設置義務等の厳格な定めがありましたが、会社法では選択の幅が大きくなっています。将来の事業承継を踏まえれば、どのような選択をすればよいのでしょうか。

POINT

① 従前は取締役会等の機関設計には厳格な定めがあった
② 今では非公開会社については最低の機関設計のみを規定
③ 取締役１人のみの株式会社も可能、事業承継には要注意！

Answer

1 会社法における機関のルール

① 株主総会 ：すべての株式会社で必ず設置。

② 取締役 ：すべての株式会社で最低１人は必要。

ただし、取締役会を設置する株式会社では３人以上。

③ 取締役会 ：非公開会社では任意設置。

それ以外の株式会社では必ず設置。

④ 監査役 ：非公開会社では任意設置。

ただし、取締役会を設置する会社では原則設置。

⑤ 監査役会 ：大会社（非公開会社、委員会設置会社を除く）では必ず設置。取締役会がない場合には設置できない。

⑥ 委員会 ：監査役を設置する会社では設置できない。

⑦ 会計監査人：大会社では必ず設置。大会社以外の会社では任意設置。

⑧ 会計参与 ：すべての株式会社で任意設置。大会社以外の非公開会社が取締役会を設置する場合には、会計参与を設置すれば、監査役に代えることができる。

338

VII 会社法の賢い活用によるいろいろな対策

2　中小企業の機関設計のパターン例

①	株主総会	取締役				
②	株主総会	取締役		監査役		
③	株主総会	取締役		監査役	会計監査人	
④	株主総会	取締役				会計参与
⑤	株主総会	取締役		監査役		会計参与
⑥	株主総会		取締役会			会計参与
⑦	株主総会		取締役会	監査役		
⑧	株主総会		取締役会	監査役		会計参与
⑨	株主総会		取締役会	監査役	会計監査人	
⑩	株主総会		取締役会	監査役	会計監査人	会計参与

◀非公開会社のみ可能！（①〜⑥）

◀従前の中小企業の機関設計は基本的にこれのみだった！（⑦）

3　中小企業の機関設計をどう考えるか

　かつては中小企業の機関設計のパターンは、原則株主総会、取締役会、監査役を設置するというものでした（2表の⑦参照）。大会社でも中小会社でも、基本的には選択の自由がありませんでした。今ではいろいろなパターンを選択することができるようになっています。

　特に、非公開会社では取締役会を置かないこともできますし（2表①〜⑤参照）、監査役を置かないこともできます（2表①、④、⑥参照。ただし⑥の機関設計は大会社は不可）。一番簡易な方法は、株主総会以外については取締役1人のみの機関設計をすることです。また、会計参与や会計監査人を必要に応じて設置することができ、企業の発展段階に応じて、さまざまな機関設計をすることができます。

　会社の規模、後継者など人材の状況、従業員のモチベーションなどさまざまな事項を検討し、事業承継を念頭に置いて慎重に判断してください。

108 取締役会を置くかどうかは 株主総会決議に影響がある

Question

　会社法では、取締役会や監査役を設置するかどうかは会社の選択自由とされています。取締役会を設置するかどうかについて判断するとき、事業承継も踏まえればどういう点に注意すればよいのでしょうか。

POINT

① 取締役会非設置会社では、取締役会決定事項は株主総会で決議

② 取締役会非設置会社での総会招集通知は期限短縮、口頭でも可

③ 株式譲渡承認や利益相反取引も株主総会決議事項になるので要注意

Answer

1　取締役会を設置しない会社の株主総会

　公開会社は必ず取締役会を設置することとなっているため株主総会の権限は一定までに制限されており、招集手続も厳格なものとなっています。非公開会社においては取締役会を設置しない機関設計も認められており、この取締役会を設置しない会社（取締役非設置会社）では従前は取締役会で決定していた事項について、株主総会で決議することになっています。

　よって、取締役会非設置会社では株主総会の決議事項が拡大されており、その招集手続が簡素化されています。ただし、取締役会を置かない場合には、株主総会に大きな権限が与えられますので、株主が分散してさまざまな意見が噴出する場合には、株主総会で決議することが困難になることもあります。

2　取締役会の機動性を選ぶか、手続の簡素化を選ぶか

　取締役会非設置会社では、株主総会の決議事項だけで株式会社の組織・運営・管理・その他株式会社に関する一切の事項を決定することになりま

340

す。100％が生計一である親族等が出資者である会社にとっては取締役会も株主総会も一緒なので、わざわざ費用と手間のかかる取締役会は不要でしょう。しかし、すでに株式が分散している会社や、将来相続等で分散が予想される会社では、十分な注意が必要です。

なぜなら取締役会設置会社の場合、譲渡制限株式の譲渡承認、株式無償割当増資、役員との競業・利益相反取引等の基盤となる事項については取締役会の承認でよかったのですが、定款変更により取締役会を非設置とすると、いずれも株主総会の決議が必要となるからです。

3　株式が分散している会社は、取締役会を設置するのも一考

例えば、オーナー社長が生前贈与で自分の株式を子に贈与する場合や、自己所有不動産の会社への売却、反対に会社所有不動産の買取り、会社との金銭貸借等について、取締役会を設置しない会社の場合には株主総会の決議が必要とされます。

一方、Q112で説明していますが、取締役会設置会社では、定款で定めておけば、例えば株式譲渡承認については代表取締役の決定だけで行うこともできる等、機動的な運営をすることができます。

株式の集中している会社においては取締役会を置かなくても、何の不安もなく運営が簡易で機動性が増しますが、株式の分散している会社においては、重要事項について株主総会の決議がすべてに必要とされるのですから、かえって手数がかかり煩雑な事態が生じることも予想されます。

次ページの図表を参考にして、どういう決議に影響があるかよく検討し、将来の事業承継も見据えたうえで、取締役会非設置会社に機関変更すべきかどうか判断してください。

341

		取締役会設置会社	取締役会非設置会社
株主総会	株主総会の権限	法定事項のほか、定款で定めた事項に限り、決議することができる	法定事項のほか、会社の組織・運営・管理その他一切の事項について決議することができる
	書面投票等を行わない株主総会における招集通知の発出期限	公開会社…2週間前 非公開会社…1週間前	定款をもって1週間からさらに短縮が可能
	書面投票等を行わない株主総会における招集通知の方法	書面または電磁的方法	限定なし
	株主の議題提案権の行使要件	①総株主の議決権の1%以上または300個以上の議決権（定款による引下げ可）が必要 ②総会の日の8週間前までに行うことが必要	制限なし
	株主の議案提案権の行使要件	同上	総会の日の8週間前まで
	招集通知に示されない議題に関する決議	不可	可
	議決権不統一行使の事前通知	必要（会社法313②）	不要
	定時総会の招集通知の際における計算書類等の提供	必要	不要
機関の設計	機関設計	監査役か会計参与のいずれかの設置が必要（中小会社）	監査役の設置は任意
	取締役の員数	3名以上	1人以上
	代表取締役の選定	必要	任意
	業務執行権限	代表取締役及び業務執行取締役	各取締役

Ⅷ 会社法の賢い活用によるいろいろな対策

		取締役会設置会社	取締役会非設置会社
業務執行の決定	譲渡制限株式、譲渡制限新株予約権の譲渡承認機関（会社法139①、265①）	取締役会（定款による別段の定めは可能）	株主総会（定款による別段の定めは可能）
	取締役の競業取引及び利益相反取引の承認機関	取締役会	株主総会
	取締役の競業取引及び利益相反取引の事後報告	必要（会社法365②）	不要
	株式の譲渡制限	自由	発行するすべての株式につき、譲渡制限が必要
	中間配当の実施	可能	不可

343

109 株主総会の決議要件と定款変更

Question

　会社法を賢く活用し事業承継に役立てたいので、株主総会の特別決議により定款変更をするつもりですが、今まで正式に株主総会を開催したことがありません。どう対処すればよいでしょうか。

POINT

① **招集期限の短縮など、株主総会を招集しやすくなった**
② **定款変更には株主総会の特別決議が必要である**
③ **属人的種類株式に伴う定款変更は決議要件が非常に厳しい**

Answer

1　定款変更のためには株主総会の招集が不可欠

　会社法の活用により、事業承継のために事前に手を打つ方法がいろいろあります。定款を変更すれば、会社が自由に決めることのできる範囲を拡大することができるからです。ただし、定款を変更することは、そう簡単ではありません。株主総会決議が必要なのに、株主総会さえ開いていない会社があるからです。

　まずは株主総会の招集手続から説明します。非公開会社は、原則として、総会日の1週間前には、書面または電磁的方法により、会議の目的を記載し計算書類及び監査報告書を添付して、株主総会の招集を通知しなければなりません。

　ただし、取締役会非設置会社は、定款に定めれば通知期限を1週間前より短縮でき、口頭や電話でも通知可能なうえ、招集通知への会議の目的の記載、計算書類及び監査報告書の添付も不要と手続を簡略化できます。

　反面、株主は1株であっても、株主総会でいつでも緊急に議題を提案できるのですから、経営陣にとってはちょっと怖い点です。

344

2 定款変更には株主総会の特別決議が必要

株主総会の決議要件については、次のとおりです。

---

① **普通決議**（取締役の選任・解任、決算の承認等）

・定款に定める場合を除き、総株主の議決権の過半数を有する株主の出席、出席株主の議決権の過半数の賛成により成立

---

② **特別決議**（定款変更、合併等、自己株式の取得、新株発行、相続人への売渡し請求、会社または指定買取人による買取決議、事業譲渡及び解散、役員の責任免除等）

・定款に定める場合（総議決権の3分の1以上）を除き、総株主の議決権の過半数を有する株主の出席、出席株主の議決権の3分の2以上の賛成により成立

---

③ **特殊決議**（株式譲渡制限のための定款変更等）

・議決権を有する株主の過半数、かつ当該株主の議決権の3分の2以上の賛成により成立

---

④ **属人的種類株式に関する決議**

・総株主の過半数、かつ総株主の議決権の4分の3以上の賛成により成立

このように定款や仕組みを変更するには、多数の株主の賛成が必要です。出席できない場合には、委任状で出席扱い・賛成票とできます。これらも活用して、まず、株主総会対策をしっかりする必要があります。

3 株主総会の決議事項の要件については要注意！

会社法の下では「株主総会」が最高の意思決定機関ですので、重要決議事項については、成立要件・決議要件等を理解しておくことは大切なことです。特に決議要件については十分に理解しておき、会社が新株を発行する際には、その株式について議決権を付与するかどうか等を適切に判断する必要があります。定款を変更しようとする場合には、すでに株主が分散している会社や少数株式を保有する経営陣に好意的でない株主がいる会社については、株主総会を開催する前に株主の整理をしておくことが事業承継対策の前提となるでしょう。

110 分散した少数株主の権利にも要注意

Question

相続税対策として株式を分散してきた結果、少数株主が多数います。少数株主にもいろいろな権利があるそうですが、後継者としてはどのようなことに注意すればよいのでしょうか。

POINT

① 少数株主要件には議決権基準に加え、株式数基準が設けられている
② 1株でも所有していれば代表訴訟権等の単独権があるので要注意
③ 会社法に則った会社運営が少数株主対策となる

Answer

1 少数株主にもいろいろな権利がある

かつての相続税対策は自社株式を分散することでした。家長や社長の権勢が大きかった時代には、何の問題もありませんでした。しかし、株式市場が発達し、誰もが株式というものの価値を知るようになった今、株主としての権利を主張され後継者が困ることもよくあります。事業承継を考えるなら、少数株主や単独株主（1株株主）の権利についても、しっかり理解しておく必要があります。なぜなら、少数でも所有していると、株主は株主代表訴訟権や取締役解任請求権、帳簿閲覧権等さまざまな権利を有することになるからです。

2 少数株主権に株式数基準が加わった

かつては、少数株主権の行使要件は議決権を基準としており、議決権がなければ後継者も安心でした。今では、株主の議決権の有無にかかわらず少数株主権を株主であれば当然に認められるものとそうでないものとに区分し、株主に認められるべき権利については少数株主権として認められる要件に議決権基準のみならず、株式数基準が設けられています。

Ⅷ 会社法の賢い活用によるいろいろな対策

〈少数株主権の要件〉

議決権数・株式数の要件	株主の権利
総株主の議決権の1％以上又は300個以上	提案権（303・305）
総株主の議決権の1％以上	総会検査役選任請求権（306）
総株主の議決権の3％以上又は発行済株式総数の3％以上	帳簿閲覧権（433）、検査役選任請求権（358）
総株主の議決権の3％以上	取締役等の責任軽減への異議権（426Ⅴ）
総株主の議決権の3％以上又は発行済株式総数の3％以上	取締役等の解任請求権（854・479）
総株主の議決権の3％以上	総会招集権（297）
総株主の議決権の10％以上又は発行済株式総数の10％以上	解散判決請求権（833）
総株主の議決権の6分の1以上	簡易合併等の反対権（796Ⅳ等）

　このように少数株主にも認められている数多くの権利がありますので、後継者と意見が合わない少数株主から、突然取締役解任請求をされたり、帳簿閲覧を要求されることもあり得ます。ただし、少数株主の場合には決議には影響がありませんので、経営方針に大きなリスクは生じません。

　ただ、少数株主だからといって安心であると断定することはできないことや、好意的でない少数株主がいれば会社運営にいろいろと手間暇がかかることにご注意ください。

111 所在がわからない株主の株式

Question

会社設立当時、創業者が知人たちに出資をしてもらっていたのですが、その方々も亡くなり今や所在もわからない株主が何名かいます。このような株主の所有株式を処分することはできないのでしょうか。

POINT

① 所在不明株主の株式は一定要件のもと他の人に売却できる

② 競売や市場価格による売却、会社自身による取得が可能

③ 中小会社も会社法に定められた手続により処分することが重要

④ 円滑化法改正により、1年で所在不明株主の株式を取得可に

Answer

1 所在不明者の株式は一定要件のもと売却することができる

一般的に株主名簿に記載はあるものの会社が連絡を取れなくなり、所在が不明になってしまっている株主を「所在不明株主」といいます。会社がその所在不明株主の株式を処分したいと思っても、かつては「NO」でした。しかし今では、一定の手続を経れば、その株式の処分は「OK」となっています。つまり、所在不明株主の株式の競売又は売却（自社による買取りを含みます。）の手続きができるのです。この制度によって、所在不明株主の株式に係る会社の管理コストを低減することができるようになりました。

中小会社においても、よく株主の所在がわからなくなってしまっている例があります。このような所在不明株主が突然現れて、株式の買取りや会社の重要な事項に反対する議決権の行使をされてしまったら、会社の安定経営に問題が発生してしまいます。事業承継を円滑に進めるためにも、早いうちにこれらの所在不明株主の株式を処分する対策をとっておく必要があるでしょう。

2 競売や売却、会社の買受けによって処分する

　所在不明株主の所有株式の処分は、原則として競売によるものとされます。この他、市場価格のある株式の場合はその価格をもって売却し、市場価格のない株式については裁判所の許可を得て競売以外の方法により売却することができます。しかし、市場価格のない株式など買受人が見つかりにくい場合もあるため、会社法も取締役会の決議により、会社がその株式を買い受けることを認めています。この場合は自己株式の取得の特例に該当するため、株主総会の決議は不要とされています。

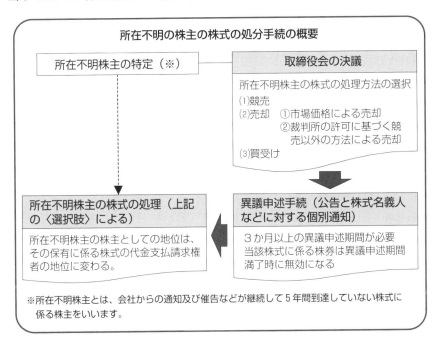

3　5年以上通知が届かない等の要件の充足が必要

　安心して事業承継させるために、このように所在不明株の株式を自社で買い取ろうとしても、その株式の処分のためには中小会社にとって"厄介な要件"があるのです。それは、『5年間継続してその株主に対する通知が到達せず、5年間剰余金の配当を受領していないこと』です。中小会社では、通知していないケースが多いのではないでしょうか。このような場

合は、要件を満たすために新たにきちんと通知することが必要で、どのような小さな規模の会社であっても、常日頃から「会社法」を意識して経営しておくことが事業承継に成功するポイントなのです。

4　円滑化法により5年間が1年間に期間短縮

ただし、「5年」という期間の長さが、事業承継の際の手続利用のハードルになっているとして、非上場会社のうち事業承継ニーズの高い株式会社に限り、都道府県知事の認定を受けることと一定の手続保障を前提に、この「5年」を「1年」に短縮する特例（会社法特例）が令和3年8月2日から施行されています。

会社法上、所在不明株主の所有株式を買い取る場合、株式会社は利害関係人が一定期間（3か月以上）内に異議を述べることができる旨等を官報等により公告し、所在不明株主等に個別催告する「意義申述手続き」を行う必要があります。さらに、この会社法特例を活用する場合には、これに先行してこの特例措置によることを明示した異議申述手続を行う必要があります（二重の手続保障）。

なお、会社法特例の対象となる非上場株式の売却（自社による買取りを含みます。）については、「裁判所の許可」が必要であり、裁判所における手続きを経て具体的な手続きを進める必要があります。なお、株式の競売の場合にも裁判所における手続きが必要となります。

Ⅷ 会社法の賢い活用によるいろいろな対策

手続きの例

所在不明株主に関する会社法の特例（経営承継円滑化法）

- 一般的に、株主名簿に記載はあるものの会社が連絡が取れなくなり、所在が不明になってしまっている株主を「**所在不明株主**」といいます。
- 会社法上、株式会社は、所在不明株主に対して行う通知等が**5年以上**継続して到達せず、当該所在不明株主が継続して**5年間**剰余金の配当を受領しない場合、その保有株式の**競売**又は**売却**（自社による**買取り**を含みます。）の手続が可能です。他方で、「5年」という期間の長さが、事業承継の際の手続利用のハードルになっているという面もありました。
- そこで、この点を踏まえ、非上場の中小企業者のうち、事業承継ニーズの高い株式会社に限り、都道府県知事の認定を受けることと一定の手続保障※1を前提に、この「**5年**」を「**1年**」に短縮する特例（会社法特例）を創設することとなりました。

手続の例：株式会社が所在不明株主から非上場株式を買い取る場合

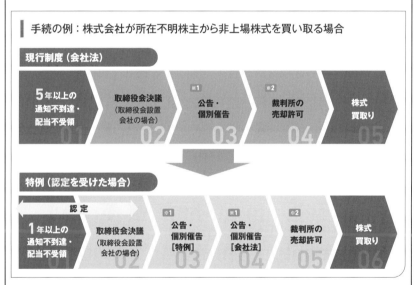

※1 異議申述手続

会社法上、株式会社が、利害関係人が一定期間（3か月以上）内に異議を述べることができる旨等を官報等により公告し、所在不明株主等へ個別催告する必要があります。会社法特例を活用する場合には、これに先行して、特例措置によることを明示した異議申述手続を行う必要があります（二重の手続保障）。

※2 裁判所における手続

会社法特例の対象となる非上場株式の**売却**（自社による**買取り**を含みます。）については、「**裁判所の許可**」が必要であることから、裁判所における手続を経ることとなります。そのため、以下の裁判所のホームページも参照しながら、具体的な手続を進める必要があります。

東京地方裁判所民事第8部（商事部）ホームページ
「所在不明株主の株式売却許可申立事件についてのQ&A」
https://www.courts.go.jp/tokyo/saiban/dai8bu_osirase/hisyokaryo_osirase/syozaifumeikabunusibaikyakukyokaQA/index.html

なお、株式の**競売**の場合にも裁判所における手続が必要となります。

（出典：中小企業庁資料を加工）

5 会社法特例利用のための円滑化法の認定要件

経営承継円滑化法における会社法特例を利用するためには、非上場会社が以下の2要件を満たし、都道府県知事の認定を受ける必要があります。なお、認定の有効期限は原則2年です。

(1) 経営困難要件

申請者の代表者が年齢、健康状態その他の事情により、継続的かつ安定的に経営を行うことが困難であるため、会社の事業活動の継続に支障が生じている場合であることです。

例えば、以下のいずれかに該当する場合、要件を満たします。

① 代表者の「年齢」が満60歳を超えている場合
② 代表者の「健康状態」が日常業務に支障を生じさせている場合
③ 「その他の事情」が認められる場合
・代表者以外の役員や幹部従業員の病気や事故等
・外部環境の急激な変化による突然の業績悪化等

ただし、以上の具体例に該当しなくとも、個別具体的な事情を総合的に考慮して認定が相当であると判断されることがあります。

(2) 円滑承継困難要件

一部株主の所在が不明であることにより、その経営を事業後継者に円滑に承継させることが困難であることです。

① 認定申請日時点において事業後継者が定まっている場合
所在不明株主の保有株式の議決権割合
(A) 株式譲渡の手法：1/10超かつ「1-要求される割合」超
(B) 株主総会特別決議に基づく手法等：1/3超

② 認定申請日時点において事業後継者が未定の場合
所在不明株主の保有株式の議決権割合
(C) 原則：1/3超
(D) 例外：1/10超かつ特例適用分が経営株主等と加算して9/10以上

Ⅷ 会社法の賢い活用によるいろいろな対策

1　経営困難要件	例えば、以下のいずれかに該当する場合、要件を満たし得ます。
申請者の代表者が年齢、健康状態その他の事情により、継続的かつ安定的に経営を行うことが困難であるため、会社の事業活動の継続に支障が生じている場合であること	◆ 代表者の「年齢」が満60歳を超えている場合 ◆ 代表者の「健康状態」が日常業務に支障を生じさせている場合 ◆ 「その他の事情」が認められる場合 　・代表者以外の役員や幹部従業員の病気や事故 等 　・外部環境の急激な変化による突然の業績悪化等 ただし、以上の具体例に該当しなくとも、個別具体的な事情を総合的に考慮して認定が相当であると判断することがあります。
2　円滑承継困難要件	❶ **認定申請日時点において株式会社事業後継者が定まっている場合** 所在不明株主の保有株式の議決権割合 (A) **株式譲渡の手法：1/10超** かつ **「1－要求される割合」超** (B) **株主総会特別決議に基づく手法等：1/3超**
一部株主の所在が不明であることにより、その経営を当該代表者以外の者（株式会社事業後継者）に円滑に承継させることが困難であること	❷ **認定申請日時点において株式会社事業後継者が未定の場合** 所在不明株主の保有株式の議決権割合 (C) **原則：1/3超** (D) **例外：1/10超** かつ **特例適用分が経営株主等と加算して9/10以上**

（出典：中小企業庁資料を加工）

6　会社法特例のポイント

　この特例は非常に切羽詰まった会社に適用されるものであり、手続きが煩雑であるため通常の会社が適用できるケースは少ないと思われます。そう考えると、特例を使わず、通常の会社法の手続きの適用を考えるべきでしょう。所在不明株主に早速株主総会の通知、配当の通知を送り、5年間届かないことを立証して、会社が買い取ることがベストと思われます。

112 株式の譲渡制限の活用により紛争を防止する

Question

今では一部の株式についてのみ譲渡を制限できたり、譲渡制限株式について定款で特別に定めれば代表取締役の承認だけでも譲渡できるなど、さまざまな手法があります。これらの制限方法を賢く活用して、事業承継に役立てたいと思っています。どうしたらいいでしょうか。

POINT

① 全株式でなく、株式の一部だけ譲渡制限できる
② 譲渡承認機関は原則として取締役会または株主総会
③ 定款の特別な定めにより、承認機関や先買権者を指定することも可

Answer

1 譲渡制限株式の制度と譲渡制限の定め方

　会社法においては、非公開会社の場合、定款に定めることを条件として、すべての株式または一部の種類株式について、会社の承認を必要とする形で株式の譲渡を制限することができます。

　譲渡制限株式とは、その株式を譲渡しようとする場合には会社の承認を必要とすることを定款で定めた株式のことです。譲渡を承認する機関は、原則として、取締役会非設置会社では株主総会、取締役会設置会社では取締役会が務めることになります。会社法においては、株式の譲渡制限について定款で特別な事項を定めることが認められるなど、柔軟な制度設計が可能となっています。ただし、旧有限会社については従前の規定を承継しているため、株主間の譲渡については承認の必要がないものとされています。よって、譲渡制限株式であっても株主間では自由に譲渡（贈与も含む）でき、突然持株割合が変わってしまうこともありますのでご注意ください。

354

2 譲渡の承認の決定または指定買取人による買取り

1で説明したように、株式がむやみに分散しないように、非公開会社では一般的に株式に譲渡制限を付けています。譲渡制限を付けておけば相続や合併など一般承継の場合を除き、会社にとって好ましくない者に株式が移ることを防げるからです。ただし、オーナー社長から子である後継者に株を移転させるような場合でも、原則として取締役会または株主総会の承認が必要とされていますので、オーナー経営者にとっては何かと手数がかかり不便です。そこで、会社法では、次のような特別な定めをすれば、譲渡制限についても会社独自の規定を設けることができます。

①すべての株式でなく、一部の種類株式についての譲渡制限
②株主間の譲渡について承認を要しないこと
③従業員等特定の者に対する譲渡は承認を要しないこと
④譲渡を承認しない場合、先買権者をあらかじめ指定しておくこと
⑤取締役会設置会社において、承認機関を代表取締役とすること

など

株式会社	（旧）有限会社
原則として取締役会の承認が必要（取締役会を設けない会社は「株主総会」の承認） ※定款で特別な定めをすることができる　　　　　　　（会社法139条） 《例》 　○株主間の譲渡は承認不要とする 　○承認機関を「代表取締役」にする 　○先買権者を指定する　　　　など	○株主以外へ譲渡 　株主総会の承認が必要 ○株主間の譲渡 　承認不要 ※有限会社においては従前の規定のままであるので要注意

将来の事業承継のためには株主の整理を容易に進められるよう、定款で特別な定めを置き、事前に準備をしておけば安心です。現状の株主構成、後継者を誰にするかなどをよく検討し、どのような株式譲渡制限の制度にするべきかを決めておく必要があるでしょう。

113 株式の譲渡制限にかかる手続は迅速に

Question

譲渡制限のある株式については自由に譲渡できませんが、譲渡するためにはどのような手続が必要なのでしょうか。また、発行会社はそれにつき、どのように対処しなければならないのでしょうか。

POINT

① 譲渡制限とは「譲渡（名義書換え）」に会社の承認が要る
② 否決すれば発行会社か指定買取人が買い取らなければならない
③ 売買契約は一方的に撤回ないし解除はできない

Answer

1 譲渡承認の請求があった場合

会社法では定款による株式譲渡制限を認めていますが、同時に、そのような譲渡制限がある場合でも、株式の譲渡を希望する株主には投下資本の回収を認めています。

例えば、株主Aがその持株を譲渡して株式の名義人をBにしたいと思った場合には、発行会社に対してその譲渡の承認を求めることになります。もし、会社が承認をしない場合にはその株式の発行会社による買取り、または指定買取人（先買権者ともいいます）による買取りを求めることができます。会社が譲渡を承認せず、例えばCを買取人と指定したような場合、CがAに対してその株式の買取りを通知すると、A・C間で売買契約が成立することになります。

売買価格についてA・C間で合意できないときは、当事者または会社の申立てにより裁判所が価格を決定することになります。裁判所は一切の事情を考慮して売買価格を定めますが、株式の評価をどのような基準で行うべきかさまざまな考え方がされています。また、いったん成立した売買契約をその後一方的に撤回ないし解除することは認められていません。

〈株式の譲渡制限にかかる手続〉

| 株主からの承認の請求
（会社法136） | 株主と共同してなされる株式取得者からの承認の請求（会社法137） |

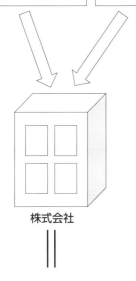

株式会社

譲渡等承認請求の要件（会社法138）
※以下を明らかにしなければならない！
●136条請求
①譲渡制限株式の数
②株式を譲り受ける者の氏名・名称
③譲渡等の承認をしない場合において、当該株式会社または指定買取人が当該株式を買い取ることを請求する時は、その旨
●137条請求
①譲渡制限株式の数
②株式取得者の氏名・名称
③譲渡等の承認をしない場合において、当該株式会社または指定買取人が当該株式を買い取ることを請求する時は、その旨

承認するか否かの決定（会社法139）
⇒・株主総会（取締役会設置会社においては取締役会）の決議によらなければならない。ただし、定款に別段の定めがある場合はこの限りではない。
・決定後、会社は当該決定の内容について通知しなければならない。

承認

※請求の日から2週間以内に会社が通知をしなかった場合は、承認したものとみなされる。

みなし承認!!

否決（会社法140）
⇒当該会社は、自らまたは買い取り人を指定して当該譲渡等承認請求に係る譲渡制限株式を買い取らなければならない。
◎・対象株式を買い取る旨
 ・会社が買い取る株式の数
  ※総会決議事項
  ※承認請求者は原則議決権を行使できない
◎・買取人の指定
  ※総会決議事項（取締役会設置会社では取締役会決議）定款に別段の定めがある場合は、この限りではない

114 譲渡承認をしなかった場合の対処方法

Question

会社に買取請求があった場合には会社は買取拒否できますが、譲渡請求があった場合には、承認をしなければ必ず何らかの対処をする必要があると聞いています。どのように対処すればよいのでしょうか。

POINT

① 譲渡を承認しなければ発行会社等が買い取らなくてはならない

② 会社は自己が買い取らず、買取人を指定することもできる

③ 一定の期限までに通知や供託をしなければならないので要注意

Answer

1 承認しない場合には会社が買い取らなければならない

株式会社は譲渡承認の請求を受けた場合において、承認をしない旨を決定したときは、その譲渡制限株式を買い取らなければなりません。なお、これらの事項の決定は株主総会の特別決議によらなければなりません。

また、買取りを決定したときは、譲渡承認請求者にこれらの事項を通知するとともに、純資産額に株数を乗じた金額を供託し、かつ、その供託書面を交付しなければなりません。これらの手続を一定期間内にしなかった場合には、承認したものとみなされます。

2 買取人を指定することもできる

また、株式会社は自己が買い取らない場合には、対象株式の全部または一部を買い取る者を指定することができます。この指定は、株主総会（取締役会設置会社にあっては、取締役会）の決議によらなければなりません。ただし、定款に代表取締役が買取人を指定するなど別段の定めがある場合には、この限りではありません。

また、1と同様、この指定買取人は買取りを決定したときは、譲渡承認

358

Ⅷ 会社法の賢い活用によるいろいろな対策

請求者に通知すると共に供託し、かつ、その供託書面を交付しなければなりません。これらの手続きを一定期間内にしなかった場合には、承認したものとみなされるのも同様です。

3 供託すべき金額

供託しなければならない金額は、1株当たりの純資産額に対象株式数を乗じて得た額とされています。この1株当たりの純資産額は、算定基準日における①資本金、②資本準備金、③利益準備金、④剰余金、⑤最終事業年度末日の評価・換算差額に係る額等の合計額から、⑥自己株式等の帳簿価額の合計額を引いた資産額を、株式数（自己株式を除く）で割った金額とされています。

・株式会社が買い取る場合（会社法141条）

①譲渡等承認請求者への通知
②「1株あたり純資産額×対象株式数」の額を本店所在地の供託所へ供託
＋
当該供託を証する書面の交付

●承認をしない旨の決定通知から40日以内に①の通知をしない場合（指定買取人が通知をした場合を除く）は、会社は承認をしたものとみなされます。

・指定買取人が買取る場合（会社法142条）

①譲渡等承認請求者への通知
・指定を受けた旨
・買い取る株式の数
②「1株あたり純資産額×対象株式数」の額を本店所在地の供託所へ供託
＋
当該供託を証する書面の交付

●承認をしない旨の決定通知から10日以内に①の通知をしなければなりません。

・譲渡等承認請求者の対応

①上記書面の交付から1週間以内に株券を供託しなければならない
＋
遅滞なく、供託した旨を通知しなければならない
②供託をしなかった場合は、当該売買契約を解除できる

115 自己株式の売買価格は原則協議により決定

Question

譲渡承認を求められ承認しなかったため、会社もしくは会社の指定買取人が自己株式を買い取ることとなった場合の売買価格は、どのように決定することになっているのでしょうか。

POINT

① 売買価格は株式会社と承認請求者との協議による
② 両者は裁判所に売買価格の決定の申立てをすることができる
③ 申立てがない場合には1株当たりの純資産額を基準とする

Answer

1　買取りの通知があった場合の売買価格の決定

　株主総会または取締役会等で、株式の譲渡が承認されない場合における株式会社による自己株式の買取価格については、原則として会社と譲渡承認請求者との協議で定めることとされています。

　ただし、協議がうまくいかない、または協議をしたくない場合等には、発行会社または譲渡承認請求者は買取りの通知があった日から20日以内に、裁判所に対し、売買価格の決定の申立てをすることができます。裁判所は譲渡承認請求のときにおける株式会社の資産状態その他一切の事情を考慮して価格の決定をしなければなりません。

　裁判所への申立てには期間が定められていますが、当事者の協議が行われたことは要件ではありませんので、協議を行わずに売買価格決定の申立てをすることもできます。この場合、その申立てにより裁判所が定めた額が対象株式の売買価格となります。これは、協議が拒否された場合等に期間がきたから申立てができなければ不都合なうえに、協議をせずに売買価格の決定の申立てが行われる場合は、通常、当事者に協議をする意思がない場合が多いものと考えられるからです。

VIII 会社法の賢い活用によるいろいろな対策

2　協議が不調で、価格決定の申立てもなかった場合

　株式会社と承認請求者との協議も整わず、20日以内に売買価格決定の申立てもされないときは、1株当たり純資産額に対象株式数をかけた金額が売買価格となりますのでご注意ください。また、この確定売買代金については、供託した金額から充当されます。

〈算式〉

　　　1株あたり純資産額＝<u>基準純資産額</u>^(注1)÷<u>基準株式数</u>^(注2)×<u>株式係数</u>^(注3)

（注1）　基準純資産額

① 資本金の額	⑦ 自己株式および自己新株予約権の帳簿価額の合計額
② 資本準備金の額	
③ 利益準備金の額	
④ 剰余金の額	基準純資産額
⑤ 最終事業年度の末日における評価・換算差額等に係る額	
⑥ 新株予約権の帳簿価額の合計額	

（注2）　基準株式数

　① 種類株式発行会社

　　各種類の株式（自己株式を除く）×種類株式に係る株式係数の合計額

　② ①以外の会社

　　発行済株式（自己株式を除く）の総数

（注3）　株式係数

　① 種類株式発行会社

　　定款である種類の株式について株式係数として定めた数

　　（定めていない場合は、1）

　② ①以外の会社　　1

361

116 期限が過ぎると譲渡承認したとみなされる

Question

譲渡承認を求められ、どうするか取締役会でもめている間に、3週間経ってしまいました。このような場合、または株式会社が指定の日までに供託資金を用意できなかった場合には、どのようになるのでしょうか。

POINT

① 承認請求の日から2週間以内に通知しなければならない

② 40日以内に買い取る旨の通知と供託をしなければならない

③ 通知や供託を期間内にできなかった場合は承認とみなされる

Answer

1 承認の通知をしなかった場合

譲渡承認の請求がされた場合、株式会社が承認しなくても、一定の場合には、株式会社が譲渡を承認したものとみなして、譲渡等承認請求者が投下資本の回収を確保することが認められています。

具体的には、次の場合です。

① 譲渡承認の請求の日から2週間以内に、株式会社が譲渡を承認するか否かについて譲渡等承認請求者に通知をしなかったとき

② 株式会社が譲渡を承認しない旨の通知をしてから40日以内に、対象株式を買い取る旨等を譲渡等承認請求者に通知しなかったとき（株式会社の不承認の通知から10日以内に指定買取人が通知した場合を除く）

③ 株式会社が譲渡を承認しない旨の通知をしてから40日以内に、対象株式を買い取る旨等を譲渡等承認請求者に通知をしたが、その期間内に供託を証する書面を交付しなかったとき（承認しない旨の通知から10日以内に指定買取人が指定を受けた旨等を承認請求者に通知した場合を除く）

④ 指定買取人が、株式会社が譲渡を承認しない旨の通知をしてから10日

362

以内に買取人として指定を受けた旨等を譲渡等承認請求者に通知をしたが、当該期間内に供託を証する書面を交付しなかったとき
⑤　譲渡等承認請求者が株式会社または指定買取人との間の売買契約を解除したとき

2　期間を定款で変更することもできる

　ただし、これらの場合においても通知等が必要な期間については、定款でこれを下回る期間を定めることができます。

〈譲渡制限株式の譲渡承認等の手続〉

① 会社による買取りの場合

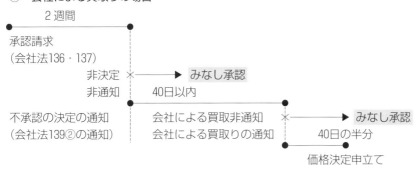

② 指定買取人による買取りの場合

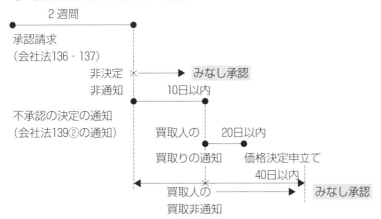

363

117 自己株式を取得する場合の注意点

Question

事業承継に備えて、あちこちに分散している株式を自社で買い戻そうと思っています。自己株式の取得方法はいろいろあるそうですが、どのような点に注意すればいいのでしょうか。

POINT

① 自己株式の取得は、いつでも、何度でも、誰からでも可能に
② 株主総会の承認により、譲渡人を指定しない方法でも取得可
③ 自己株式の取得は剰余金の分配となっており、財源規制に注意

Answer

1 自己株式の取得はいつでも、何度でも

かつては株式が市場で取引されていない会社は、自社の株式を自ら取得する場合（金庫株ともいわれます）、あらかじめ必要事項を年1度の定時株主総会において決議しておくことが必要とされていました。今では自己株式取得の決議が臨時株主総会でも可能となり、譲渡人（会社に株式を売却する相手）を指定しない方法も新設されるなど、自己株式の取得方法が多様化されています。つまり、株主総会決議さえあれば、いつでも、何度でも取得することができるのです。

2 譲渡人を指定しない方法

上場会社等では譲渡人を指定せずに会社が自己株式を取得できる方法を採ることが多いようです。この方法による場合、株主総会で普通決議をして、取締役会に①取得株式の数、②交付金銭等の内容と時価総額、③株式を取得することができる期間を委任します。決議後は会社は取締役会決議を経て、全株主に対して1株の買受価格などの条件を通知し、これに応じた株主から自己株式を取得することができます。

364

3　特定の譲渡人からの自己株式の取得

あらかじめ会社に株式を売却する譲渡人を指定し、その譲渡人から株式を直接取得する「相対取引」で自己株式を取得する場合は、株主総会の特別決議（議決権の過半数の出席かつ出席株主の3分の2以上の賛成）において、①取得する株式の数、②交付金銭等の内容と時価総額、③株式を取得することができる期間、④譲渡人となる株主（譲渡人以外の株主は自己を譲渡人に加えることを請求できます。）を定めて取締役会に委任する必要があります。よって、株式が分散している場合には、特定の人からのみ高額で買い取ることは非常に困難でしょう。

4　財源規制に注意

自己株式の取得は、株主に金銭等を交付して行うため、会社法では剰余金の分配とされ、株主への配当と同様の財源規制が行われています。したがって、剰余金の分配可能額を超えて自己株式の取得を行うことはできません。よって、純資産額が300万円未満である等、財源規制に抵触する場合には、剰余金があっても自己株式を取得することはできません。

5　事業承継における自己株式の活用

今では、定時株主総会・臨時株主総会を問わず自己株式の取得を決議できるので、自己株式の取得の判断はいつでもできるようになっています。ただし、特定の株主から取得する旨の決議をする場合には、他の株主は自己を売主に加えるよう会社に請求することができます。

株主を特定しない決議をする場合であっても、会社は株主全員に取得する株式の種類・数・取得価格・申込期日等を通知しなければなりませんので、結局全株主平等に譲渡の機会を与えることになります。資金繰りのために、後継者が自社株式を会社に買ってもらいたくとも、他の人の株まで買い取らなければならない事態となり、結果として会社に買い取ってもらえないことも想定できます。このような場合には、相続発生後に、相続により取得した株式に限り特別に取り扱われる自己株式として、買い取ってもらう方法を選択するとよいでしょう（Q119、120参照）。

118 他の株主は自己を売り主に追加請求できる

Question

株式会社が特定の者から自己株式を取得する場合において、他の株主はどのような権利があるのでしょうか。また、売り主追加請求権を制限するために、事前に手を打っておく方法はあるのでしょうか。

POINT

① 特定の者から自己株式を取得するには株主総会の特別決議が必要

② 他の株主は自己を売り主に追加することを請求できる

③ 株主全員の同意により定款に定めれば追加請求できない

Answer

1 特定の株主からの取得手続

特定の株主から会社に買い取ってほしい希望があった場合、株主総会の特別決議により、その株主のみに具体的な自己株式取得の通知をすること（通知を受けた株主のみが譲渡しの申込みをすることができる。）により、その株主からのみ会社が自己株式を買い取ることができます。ただし、その特別決議に際しては、他の株主は売り主として自己をも加えるよう請求（売り主追加請求）することができることになっています。これが大問題で、同族株主だけが高く買い取ってもらうことが不可能ともいえるのです。

取得を予定している株式数以上の売渡請求がされることとなった場合の取扱いについては、株主総会の決議の際に他の株主は自己を売り主に追加請求することができることとされているだけです。その申込数は問題となっていませんが、株主平等の原則から、具体的な取得の際においては、申込総数をあん分して取り扱わなければなりません。

また、種類株式発行会社にあっては、取得する種類株式の株主のみに売り主追加請求権があり、取得の手続きは株式の種類ごとに行われることも明確になっています。

Ⅷ 会社法の賢い活用によるいろいろな対策

〈合意による自己株式の取得手続の概要〉

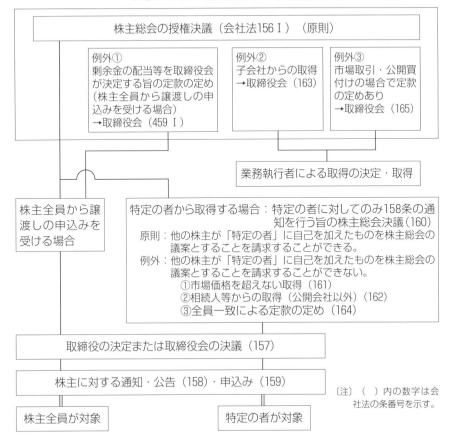

（出典：相澤哲 編著『立案担当者による新・会社法の解説』（商事法務））

2 定款で他の株主に売り主追加請求を認めないこともできる

　特定の株主からの取得の場合であっても、定款に定めれば、他の株主が自己を売り主に追加したものを株主総会の議案とすることができないようにすることができます。ただし、この定款の定めを設けるには、株主全員の同意を得なければなりません。株主全員の同意を事前に得ておけば、特定の株主からのみ自己株式を買い取ることができるのですから、相続や贈与等により株式が分散する前に定款変更をしておくとよいでしょう。

119 相続株式の買取りについては追加請求できない

Question

　非公開会社が相続人等から、相続した自己株式を合意により取得する場合には、通常の自己株式の買取りとは異なり、非常に有利になっているそうですがどのような制度なのでしょうか。

POINT

① **非公開会社は特別決議により相続人等から相続株を買い取る**

② **①の場合のみ、他の株主は自己を売り主に追加請求できない**

③ **株主総会等で議決権を行使した場合は除かれる**

Answer

1　相続人等からの取得の場合（会社法162）

　非公開会社が相続人その他の一般承継人から、相続・遺贈その他の一般承継により取得した株式を合意により取得する場合に限り、通常の自己株式の買取りとは異なり、他の株主は自己を売り主として追加することを請求できません。よって、株式会社は、当該相続人その他の一般承継人のみから自己株式を取得することもできるのです。

通常の自己株式の買取り	相続株式等の買取り
通常の自己株式を取得する場合 ↓ ・株主総会の特別決議は必要 ・他の株主は、自己を売り主に追加するよう請求できる	相続・合併等で取得した株主から自己株式を取得する場合 ↓ ・株主総会の特別決議は必要 ・他の株主は、自己を売り主に追加するよう請求することはできない

2 決議事項の株主への通知

株式会社が、株主総会の特別決議に基づき、相続人等からその相続株式を取得するときは、取締役会設置会社は取締役会決議等、取締役会非設置会社は株主総会等により、所定の事項を決議し、相続人等にその内容を通知しなければなりません。

3 議決権行使をすれば特則が適用されない

会社法においては、相続等から1年以内などという相続株式の買取りの期間制限は設けられていません。ただし、相続人等が株主総会等において承継した株式につき議決権を行使した場合、相続人等は株式を手放さずに株主としてとどまることを選択したことになりますから、この特則は適用されません。

通常1年に1回は株主総会が開催されますので、遺産分割でもめていない限り、結果として1年以内にこの特則が適用されないこととなる場合が多いでしょう。

4 相続のときがビッグチャンス

同族関係者が会社に自己株式を買ってもらいたくとも、他の人も売主になるよう請求できるのですから、なかなか同族株主としての価額で買ってもらうわけにはいきません。ところが相続等で取得した非上場株式等に限り、特定の相続人等が他の人に遠慮なく、自分だけが株式を買い取ってもらうことができるのです。相続人にとっては非上場株式等を現金化できるビッグチャンスといえるでしょう。

事業継承者以外の相続人が取得した非上場株式等についても、相続後に会社に同族株主としての価額で買ってもらえる最後のチャンスだと説明して、株主を後継者に固める対策に協力してもらってはいかがでしょうか。

120 発行会社への売却は配当課税、相続株式は譲渡課税

Question

　発行会社に自己株式を買い取ってもらった場合、資本等の額を超える部分は「みなし配当」となりますが、相続株式等に限り税務上の取扱いは譲渡となることもあるそうですが、どのような特例なのでしょうか。

POINT

① **発行会社への株式売却は資本の払戻しとみなし配当とされる**

② **相続株式等に限り譲渡所得となることもある**

③ **納税負担から考えるとベストチャンスといえる**

Answer

1　発行会社への売却は譲渡所得にならない

　発行会社へ株式を売却した株主の税務上の取扱いは、株式を発行会社に金銭で引き取ってもらったのですから、譲渡とはならず、資本の払戻しとみなし配当に該当することになります。資本の払戻しに該当すれば課税は生じず、配当とみなされる部分についてのみ課税されることになります。

　オーナー経営者等で譲渡した年に役員報酬等の高額な所得がある場合には、自社株式を買い取ってもらうと、配当控除があるといっても、最高で50％近くの思わぬ税負担に驚くことにもなりかねません。自己株式として買い取ってもらう場合には、株主の税負担にも注意したいものです。

2　相続株式等に限り税制上の優遇措置もある

　非上場会社等のオーナーに相続が発生すると、相続人は非上場株式等に課された相続税の納税資金に苦慮するところです。そこで、相続人が取得した非上場株式等を発行会社に買い取ってもらうことにより、相続税の納税資金を手当てしているケースが時々見受けられます。

　ところが、このような自己株式の買取りが「みなし配当」となり総合課

税で株主に課税されると、多額の払戻しの場合には思わぬ所得税等の負担で相続税が払えなくなってしまうことも考えられます。

そこで、相続により取得した非上場株式等を発行会社に譲渡した場合に限り、みなし配当課税ではなく、譲渡代金に対する「譲渡所得課税」とみなされ、譲渡利益（払戻金額－取得価額）に対し一律20.315％（所得税15.315％・住民税5％）の税率で課税されることになっています。

相続により取得した非上場株式等を発行会社に買い取ってもらう方法は、有利に納税資金が確保できるビッグな対策といえるでしょう。

〈自社株式を発行会社に売却した場合の取扱い〉

①**原則**：相続以外で取得した非上場株式等を発行会社に譲渡した場合、配当所得となる

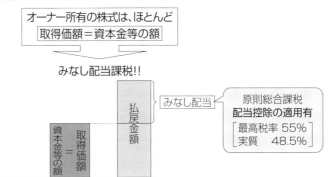

②**相続等により取得した非上場株式等を発行会社に譲渡した場合、譲渡所得とみなされる**（みなし配当課税なし）

期間要件 ⇒ 次の期間内に発行会社に譲渡すること

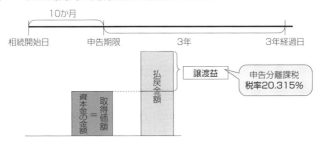

121 申告期限後3年以内の自社株は譲渡課税と取得費加算

Question

相続税の申告期限から3年以内に発行会社に自己株式を買い取ってもらった場合、譲渡所得となり、かつ相続税の取得費加算の特例の適用があるそうですが、どのような特例なのでしょうか。

POINT

① 相続税の申告期限3年以内の発行会社への株式売却が対象

② 譲渡所得となり相続税の取得費加算の特例もある

③ 特例の適用には納税者と発行会社が届出書を税務署に提出

④ 自己株式の買取財源の規制があり、かつ買取資金の確保が重要

Answer

1 相続税の取得費加算の適用ができる

相続又は遺贈による財産の取得をした個人でその相続又は遺贈について納付すべき相続税額のあるものが、相続のあった日の翌日から相続税の申告期限から3年以内に、相続税の課税価格に算入された非上場株式等を発行会社に譲渡した場合において、一定の手続の下で、その譲渡対価の額がその譲渡した株式に係る資本等の金額を超えるときは、その超える部分の金額については、みなし配当課税を行わずに譲渡所得の金額の計算をする特例があり、譲渡利益（払戻金額－取得価額）に対し一律20.315％（所得税15.315％・住民税5％）の税率で課税されることになっています。

さらに譲渡所得となりますので、「相続財産を譲渡した場合の譲渡所得の取得費加算の特例」を適用できることとなっています。次の算式でわかるように、譲渡した株式等にかかる相続税が加算の対象となります。ただし、加算される金額はこの加算をする前の譲渡所得金額が限度となります。

Ⅷ 会社法の賢い活用によるいろいろな対策

株式等を譲渡した場合の加算額（代償金がある場合は別途）

相続税額 × $\dfrac{その相続人が譲渡した相続株式等の相続税評価額}{その相続人の相続税の課税価格＋債務控除額}$

---

2 相続株式等に限り、相続人のみが買い取ってもらえる

　今では、非公開会社が相続人等から、相続・遺贈によって取得した株式を合意により取得する場合に限り、他の株主は自己を売主に追加するよう請求できないこととなっています。相続等で取得した非上場株式等に限り、特定の相続人が他の人に遠慮なく発行会社に買い取ってもらえるのですから、非上場株式等を現金化したい人にとっては、1の税金の特典とも併せるとベストチャンスといえるでしょう。

3 関連会社に売却し、その後金庫株を取得するときは要注意

　自己株式を金庫株として発行会社に買い取ってもらうことは、相続取得以外は、みなし配当となり総合課税されますので、多額になる場合は得策ではありません。持株会社等の関連会社に自社株式を売却する手法は税金対策上は有利となります。ただし、取得した関連会社に資金調達能力がない場合には、株式取得後にその株式を、金庫株として発行会社に買い取ってもらわざるを得ないケースも想定できます。

　しかし、この方法はグループ法人税制の適用を受けないケースでは、その関連会社が得た株式の売却価額のうち、発行会社の資本等の金額に対応する部分を超える金額がみなし配当とみなされ、受取配当等の益金不算入の対象となります。また、その配当とみなされた金額は株式の譲渡収入から控除されますので、株式の譲渡損失が損金計上される場合もあります。

　このような結果を早期にもたらす手法（いったん持株会社を経由して金庫株を活用する手法）は税務否認のリスクも予想されます。グループ法人税制の対象外である関連会社が保有し続けると資金繰りに困り、最初から発行会社に買い取ってもらう事態を想定しているならば、租税回避行為とみなされることがありますので、実行しないほうがよいでしょう。

373

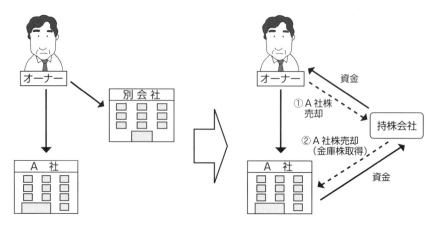

4 自己株式買取財源と買取資金の準備を

　会社法では自己株式の有償取得も「剰余金の分配」とされていますので、分配可能額の範囲でしか自己株式を買い取ることができません。よって、このように買い取ることが法的に認められたとしても、資金がなければ買い取れません。

　そこで、相続発生後の自己株式を買い取るための資金として、終身型生命保険金や金融資産で資金を用意しておくなど、しっかり考えて相続後の資金準備対策を打っておかなければ、結果として買い取ることができなくなるのです。

5 この特例の適用を受けるための手続き

　この譲渡となる特例の適用を受けるためには、その非上場株式を発行会社に譲渡する時までに、「相続財産に係る非上場株式をその発行会社に譲渡した場合のみなし配当課税の特例に関する届出書」を発行会社に提出しなければなりません。その発行会社は譲り受けた日の属する年の翌年1月31日までに、譲渡人用と発行会社用の届出書を併せて、本店又は主たる事務所の所轄税務署長に提出する必要があります。なお、発行会社はこれらの届出書の写しを作成し、5年間保存しなければなりません。

Ⅷ 会社法の賢い活用によるいろいろな対策

相続財産に係る非上場株式をその発行会社に譲渡した場合のみなし配当課税の特例に関する届出書（譲渡人用）

発行会社受付日付　税務署受付印	譲渡人	住所又は居所	〒　　　　電話　　－　　－
令和　年　月　日		（フリガナ）	
税務署長殿		氏　　名	
		個人番号	

租税特別措置法第9条の7第1項の規定の適用を受けたいので、租税特別措置法施行令第5条の2第2項の規定により、次のとおり届け出ます。

被相続人	氏　　　名		死亡年月日	令和　年　月　日
	死亡時の住所又は居所			
納付すべき相続税額又はその見積額		円	（注）納付すべき相続税額又はその見積額が「0円」の場合にはこの特例の適用はありません。	
課税価格算入株式数				
上記のうち譲渡をしようとする株式数				
その他参考となるべき事項				

相続財産に係る非上場株式をその発行会社に譲渡した場合のみなし配当課税の特例に関する届出書（発行会社用）

税務署受付印		※整理番号	
令和　年　月　日	発行会社	所　在　地	〒　　　　電話　　－　　－
税務署長殿		（フリガナ）名　　称	
		法人番号	

上記譲渡人から株式を譲り受けたので、租税特別措置法施行令第5条の2第3項の規定により、次のとおり届け出ます。

譲り受けた株式数	
1株当たりの譲受対価	
譲受年月日	令和　年　月　日

（注）上記譲渡人に納付すべき相続税額又はその見積額が「0円」の場合には、当該特例の適用はありませんので、みなし配当課税を行うことになります。この場合、届出書の提出は不要です。

※税務署処理欄	法人課税部門	整理簿	確認	資産回付	資産課税部門			通信日付印	確認	番号
								年　月　日		

03.06 改正

122 相続人等に対する自己株式の 売渡請求

Question

先代社長が相続税対策にと、すでに自社株式をいろいろな人に贈与しています。現所有者は好意的なので問題はないのですが、相続で好ましくない人に株式が分散するのを防ぐにはどうしたらよいでしょうか。

POINT

① 譲渡制限株式であっても相続や合併等の場合移転は制限できない

② 定款で定めていれば、相続株式等の売渡し請求ができる

③ 売渡請求でも売買価格は協議で、買取財源の規制もある

Answer

1 相続や合併等の場合の売渡し請求

かつては、株式を譲渡制限株式としていた場合であっても、相続や合併等の一般承継の場合には譲渡承認の対象にならず、株式の移転を制限することができませんでした。結果として、株式譲渡制限会社であっても、会社にとって不都合な相続人等が株式を取得した場合、会社はその取得を拒否できなかったわけです。

会社法においては、定款に「相続や合併等により株式を取得した者に対し、会社がその株式の売渡しを請求することができる」という内容を定めることにより、会社にとって不都合な者が株式を所有することを回避できるとともに、株式の分散を防止することができます。

なお、この制度は会社からの一方的な売渡し請求で取得することができますので、事業承継者の経営権確保に大きな効果が期待できます。ぜひ、会社にとって好ましくない者が株主とならないようにするためのこの措置を講じておくとよいでしょう。

2　自己株式取得の例外規定

Q117でも説明したように、自己株式の取得には株主総会の特別決議（議決権の過半数の株主の出席かつ出席株主の議決権3分の2以上の賛成）が必要なうえ、特定の株主から取得する旨の決議をする場合、他の株主は自分を売主に追加するよう会社に請求することができます。

ところが、相続・合併等で取得した株主からの自己株式取得の場合に限り、株主総会の特別決議は必要ですが、その取得の決議の際に、他の株主が自己を売主に追加するよう請求することはできません。よって、相続等の特別な場合には、買い取りたい者からのみ株式を取得できるのですから安心です。

3　この請求の活用の注意点

① 　請求期限：この相続人に対する請求権は、会社が相続・合併等の一般承継があったことを知った日から1年以内の行使に限る。
② 　売買価格：売買価格は当事者間の協議による。協議不調の場合、売渡し請求日から20日以内に限り裁判所に価格決定の申立て可。
③ 　財源規制：剰余金分配可能額を超える買取りはできない。

4　議決権の行使に要注意

なお、売渡し請求に係る株主総会において、売渡し請求された人の有する議決権は行使できません。これは要注意点です。なぜなら、残された取締役等が相続人に相続株の売渡しを請求すると、相続人はその事項の株主総会決議に関しては議決権がないのですから、残りの株主が会社の支配株主となり、会社の支配権を奪われる可能性もあるからです。

ただし、現実的にはそれに対抗してオーナー一族が取締役を解任したり、株主総会開催の無効訴訟を起こせば不可能なことですので、そんなに心配はいりません。ただ、そういう可能性もありますので、後継者のいない方は事前にどうするかを考えておいた方が安心でしょう。

377

123 事業再編手法と事業再編税制

Question

　国際的な流れに沿ってさまざまな事業を再編する手法が導入されていますが、それらについては税制上どのように扱われており、経営者としては、どう対処すればよいのでしょうか。

POINT

① 株式交換・株式移転、会社分割等いろいろな手法がある

② 株式交換・株式移転は100％の関係の親子会社を作る手法

③ 会社分割は、会社の一部を分離して子会社や兄弟会社を作る手法

④ 税制適格事業再編に該当すれば課税を繰延べできる

Answer

1　株式交換・株式移転、会社分割等手法はさまざま

　今では、純粋に株を所有するだけの持株会社の存在が認められている他、株式交換・株式移転・会社分割についてさまざまな手法が認められており、企業再編手法の充実が図られています。さらに株式交付という、株以外の対価を得ることができる制度も創設されています。

　これらの制度は、主に上場会社の組織再編を法律の面から支援するために導入されたものですが、中小企業でも税金や事業承継の対策に大いに活かすことができると考えられます。

2　株式交換、株式移転による100％の関係の親子会社の創設

　株式交換、株式移転いずれの手法も、持株会社方式によるグループ形成を容易にするための制度です。

　「株式交換」とは、既存の複数の会社が株式交換契約を締結することによって、一方の会社が他方の会社の100％親会社（会社法上は「完全親会社」といいます。）になる手法です。

これに対し、「株式移転」とは既存会社が新たに会社を設立し、その新設会社の100％子会社（会社法上は「完全子会社」といいます。）になるための手法です。

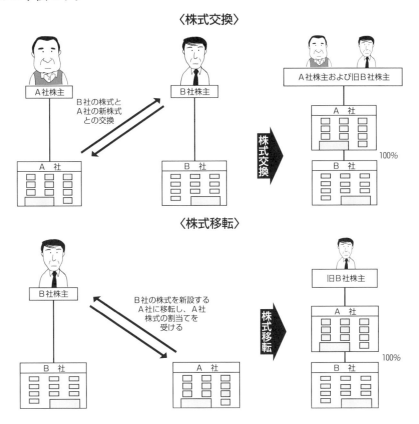

3　会社分割はさまざまな方法が考えられる

　会社分割は、会社の一部の部門を分離して新たに会社を設立したり、他社の一部門を容易に吸収できる手法で、「新設分割」と「吸収分割」という2つの方法があります。分割については、分社型分割のみとなっていますが、「分社型分割＋株式の配当」という方法を採れば、実質的には「分割型分割（人的分割）」と同様の組織再編をすることができます。

　このように、会社分割とひと口に言っても、次図①～③のようにさまざまなパターンが考えられることになりました。

〈会社分割の3つのパターン〉

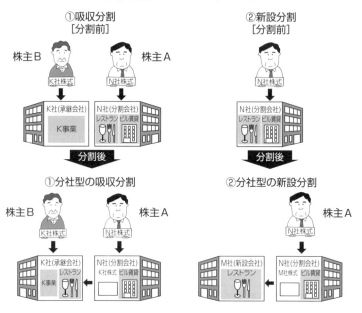

③「分社型分割＋剰余金配当」（分割型分割）

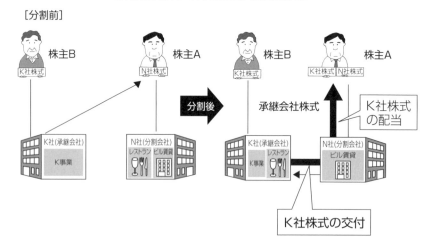

VIII 会社法の賢い活用によるいろいろな対策

4 税制適格事業再編に該当すれば課税を繰延べできる

　税法では一定の要件を満たす適格再編については、資産が移転しても、税金をかけず課税の繰延べができるなどの優遇措置が定められています。以下の図表にて、優遇措置の一部をご紹介します。

項目 ＼ 再編手法	適格合併	適格分割 分割型	適格分割 分社型
移転資産等の譲渡損益	譲渡損益の計上繰延べ		
利益積立金の引継ぎ	引き継ぐ		引き継がない
棚卸資産の評価	被合併法人における取得価額を引き継ぐ	分割法人における取得価額を引き継ぐ	
減価償却 取得価額	被合併法人等における償却限度額の計算の基礎とすべき取得価額を引き継ぐ		
減価償却 減価償却超過額	被合併法人等における減価償却超過額を引き継ぐ		
減価償却 特別償却不足額	被合併法人等の適格合併等の日を含む事業年度の不足額があるときは、これを引き継ぐ		
繰延資産	移転する資産と密接な関連を有するなど一定の繰延資産を引き継ぐ		
貸倒引当金	個別評価のもの…可 一括評価のもの…可		
青色欠損金の繰越控除	適格合併の日前10年以内に開始した各事業年度において生じた未処理欠損金額を引き継ぐ	引き継がない	

5 株式交付も譲渡所得が非課税に

　個人が株式交付子会社の所有株式を譲渡し、株式交付親会社の交付を受けた場合（株式等以外の資産が20％以上の場合を除く。）には、その所有株式の譲渡はなかったものとされます。

381

124 会社を分離して収入の多い部門を承継する

Question

当社は同族会社で、非常に儲かっている部門と、それほど収益の上がっていない部門があります。そろそろ後継者に事業承継をさせようと考えていますが、何かよい方法はありますか。

POINT

① 高収益部門の営業譲渡により、後継者が新会社を設立すればよい
② 営業譲渡に伴う人員移転による退職金支給は株価を下げる
③ 資産を旧会社が保有、新会社に賃貸借すれば評価も下がる

Answer

1 後継者が新会社を設立して高収益部門の営業譲渡を受ける

中小企業の場合、好業績になると利益が上がり内部に資産も蓄積しますので、その株式等の価値が上がっていき、結果としてオーナー社長の相続税などに大きく影響することになります。取引相場のない株式等の類似業種比準価額による評価では、「配当」「利益」「純資産」の比重要素の割合は1：1：1となっています（Q42参照）。よって、後継者への事業承継と相続対策として株式評価額の引下げを考える場合、高収益部門を分社してしまえば、今後の相続税評価額の上昇を抑える効果があるといえます。

例えば、次のような『抜け殻方式』といわれる手法があります。

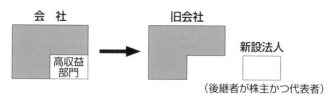

（イ）後継者が出資により新会社を設立、代表者に就任する
（ロ）高収益部門を新会社に営業譲渡する
（ハ）旧会社は、収益性が低くなる

この方法によれば、今後の高収益部門から得られる収益は新設会社に計上され、今後の利益は新会社に帰属し蓄積しますので、高収益部門を生前に事業承継した形になります。また、既存会社は収益性が小さくなり、株式の評価額上昇が鈍化しますので、今後の株式の評価額の上昇を心配しなくて済むようになるでしょう。

2　人員も移転して退職金支給で株価を下げる

この営業譲渡に伴い、旧会社から新設法人へ従業員が移籍する場合には、その従業員はいったん旧会社を退職することになりますので、退職金を支給すれば旧会社の株価はさらに下がります。これは、従業員への退職金の支給によって会社の利益が大きく圧縮されること、資産が流出することによって純資産が小さくなるためです。一方、新設会社においては退職金制度のない新たな報酬制度を導入すれば、将来の退職金債務の問題も解決できますので、非常に有効な手段といえるでしょう。

3　資産は旧会社が保有し続け、新会社に貸与

『会社分割』の方法は簡便ですが、この手法では株主が持つ株式の価値には変動がなく、将来の株価の値上がりを抑えることにもなりませんので、相続税対策には活用しにくいと考えられます。

原則として、新会社に資産を移すと「譲渡」になり法人税がかかってしまいますが、双方の会社が100％の同族関係者のみの会社に該当する場合には、グループ法人税制の対象となり法人税はかかりません。これらを考慮して、移転することにより会社の株価が上昇することが想定される場合には、資産は旧会社が保有し続け新会社に賃貸する形にしておくべきでしょう。不動産を賃貸すれば、土地は貸家建付地、建物は貸家評価になり、結果として旧会社の自社株式の相続税評価も下がることになります。

したがって、抜け殻方式は旧会社の高収益部門を会社分割するのではなく、新会社に譲渡する「営業譲渡」の方式が有効といえます。ただし、この対策は営業譲渡にかかる営業権（のれん代）をどう捉えるかという税務上の問題点があるのでご注意ください。

125 含み損のある資産の分割により 自社株式評価が下がる

Question

　そろそろ後継者に評価額を引き下げてから自社株式を移転したうえで、事業を任せたいと考えています。当社は、本業に関わる事業用不動産については含み益があるのですが、賃貸不動産には大きな含み損があります。何かよい対策はありませんか。

POINT

① 会社分割を使って含み損が大きい不動産を分離する
② 純資産価額の評価上、含み益に対する法人税相当額控除を活用
③ 税負担がないように、分割は税制適格分割にする

Answer

1　含み損が大きい不動産を分離して財務を健全化する

　長年にわたって事業を行っている会社では、本業に必要な土地や建物は長期間保有していることが多く、含み益のある場合があるでしょう。しかし、地価高騰時に都心の不動産に投資したような場合には大きな含み損が生じており、会社の財務内容を健全にするため含み損を実現するよう金融機関から要請されるケースもあります。このような場合、次のX社のケースのように含み損が大きい資産を分離することで、バランスシートが健全になるとともに自社株式の評価額を引き下げることが可能になる場合があります。

　なお、会社分割を行う際は、適格会社分割になるような分割やグループ法人税制を活用して、税制上の優遇措置を受け税金の負担を圧縮できるよう考えてください。

384

Ⅷ 会社法の賢い活用によるいろいろな対策

〈事例：X社〉
　X社の所有不動産には、A不動産⇒相続税評価額38億円（取得価額20億円＋含み益18億円）と、B不動産⇒相続税評価額10億円（取得価額25億円－含み損15億円）がある。

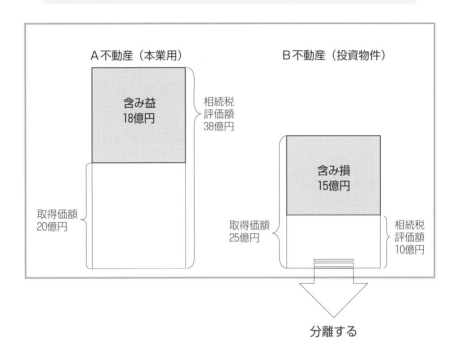

2　分離すれば含み益に対する法人税相当額が控除できる

　純資産価額の評価では、相続税評価額による純資産価額と帳簿価額による純資産価額の差額（含み益）の37％を純資産価額から控除します。含み益のある資産と含み損のある資産がある場合は、これらが相殺されて含み損が結果として消され、高い株価になってしまいます。

　そこで、前記事例X社を例にし「含み益に対する法人税等相当額の控除」を最大限利用できるように、含み損のある資産を分離、もしくは売却しましょう。

X社の株式評価方法は「純資産価額方式」とします。

　純資産額（相続税評価）＝38＋10＋40－65＝23億円
　純資産額（帳簿価額）　＝20＋25＋40－65＝20億円

ですので、株価の総額は

　23億円　－（　23億円　－　20億円　）×37％＝21.89億円
　(相続税評価)　（相続税評価）（帳簿価額）

になります。

　ところが、B不動産とその他の資産のうち20億円、負債26億円を分割型新設分割で分割すると、次のように株式の評価額が大きく下がります。

VIII 会社法の賢い活用によるいろいろな対策

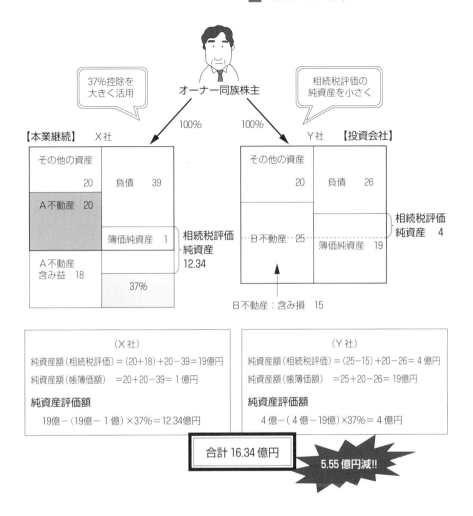

完全関係会社に売却してグループ法人税制を適用した場合、法人税はかかりませんが、相続税評価減の効果は同様となっています。

すべての場合においてこのような効果が出るとはいえませんが、自社の資産を一度見直してみて、このような方法を検討してみてはいかがでしょうか。

126 上手に持株会社を活用すれば株価も下がる

Question

当社は製造業と不動産事業を行っています。持株会社をうまく使えば自社株式対策・事業承継対策ができると聞いたことがありますが、どのようにすればよいのでしょうか。

POINT

① 事業会社はそれぞれで分社し、単体で経営効率化を図る

② 100％の持株関係なら適格になり、優遇税制の適用 OK

③ 自社株式だけ所有すると株式保有特定会社になるので要注意

Answer

1 事業会社はそれぞれで経営効率化を図る

同じ会社に業種の異なる事業が複数あると、共通部門を1つにして間接経費を少なくできるメリットもありますが、規模だけ拡大して収益が小さくなることも起こり得ます。また、業界の性質や取引形態などの違いに合わせた雇用形態にするなど、それぞれの事業をその特性に応じた体制で経営する方が効率的な場合が多いでしょう。そこで、そのような会社のケースでは、それぞれ異なる事業を分割して別会社にし、個々の会社が効率化を図った経営を行うことを検討する必要もあるでしょう。

2 100％の持分関係なら税制適格分割となり課税は繰延べ

経営に従事しない株主と事業経営者を明確に区分し、持株会社でコントロールする方法も考えられます。会社法の下では株式交換・株式移転・株式交付だけでなく会社分割もでき、持株会社創設にさまざまな手法があります。例えば、次のように社内部門を分割して持株会社を設立します。

VIII 会社法の賢い活用によるいろいろな対策

〈会社分割による持株会社の創設〉

P社は分社型の新設分割を行い、3つの事業部門（建設・販売・研究部門）を完全子会社建設会社、販売会社、研究会社に分社化し、自らは純粋持株会社になります。このため分割後の課税関係は、分割法人と分割承継法人とが100％の持分関係である税制適格分割となります。

3　株式保有特定会社とならないように分割するのがコツ

しかし、一般的に純粋持株会社は保有する資産が株式だけであるため、株式保有特定会社になり、純資産価額のみで評価されますので、相続税の評価額は持株会社を創設しても変化はありません。相続税対策も兼ねる場合には、例えば研究部門だけは本体に残しておく、不動産賃貸業を行う、本業の商品の一部を小売りするなど株式保有特定会社とならないようにひと工夫します。

持株会社が株式保有特定会社に該当しなくなると、会社の規模区分に応じて純資産価額だけでなく類似業種比準価額も株価の算定に織り込むことができます。また、資産保有会社であっても従業員が常時5人以上であれば、実質的に会社経営が行われているとして、非上場株式等の特例納税猶予制度の対象となります（Q88参照）。充分な検討が必要です。

389

127 合併を使った上手な自社株式対策

Question

グループ会社を何社か経営しています。相続のときに株式の評価額が高くて相続税が大変だと聞きましたが、うまく承継させるために株式の評価額を下げたいのですが、何かよい対策はないでしょうか。

POINT

① 会社規模を拡大し、類似業種比準価額の割合を大きくする
② 税制適格合併を使えば有利に会社規模を大きくできる
③ 赤字会社を吸収合併すれば、株価も税負担も下がる

Answer

1 会社規模を拡大して類似業種比準価額の割合を大きくする

取引相場のない株式等の評価方法は、原則的な評価の場合、会社規模が大きくなるほど類似業種比準価額を加味する割合が大きくなります。類似業種比準価額の方が純資産価額より低い評価である場合には、会社規模を大きくすることで株価を下げることができます。

会社規模は、「従業員数」「総資産価額（帳簿価額）」「取引価額」で判断しますので、これらを大きくすることを考えればよいことになります。合併をうまく活用できれば、3要素いずれも大きくなることが多いと考えられますので、効果的な対策になるでしょう。

2 税制適格合併の活用で優遇措置を受ける

税法では、一定の要件を満たす合併については税制上の優遇措置が認められています。適格合併に該当するかどうかは適格分割の判定と同じです。

3　赤字会社の吸収

　グループ会社の中に赤字の会社がある場合、その会社を黒字会社が吸収することで、株式の評価額を下げたり、法人税を節税したりすることが可能になります。ただ、節税以外何の目的もなしに合併すると租税回避であると疑われる可能性があります。本業の発展のために合併する合理性があるかをよく検討する必要があります。

　かつては債務超過会社を被合併会社とする合併はできませんでした。しかし、今では取締役が合併承認株主総会でその旨を説明すれば、債務超過会社の吸収合併が認められています。ただし、合併に際しては、株主総会の特別決議が必要となっています。

　要件を充足したうえで債務超過会社を吸収することになれば、下の図に示すような法人税節税の効果とともに、黒字会社の株価を引き下げることができ、事業承継対策としても活用できるでしょう。

〈赤字会社を吸収する効果〉

① 株価を下げる
　（イ）利益の縮小化
　　　赤字会社を吸収することで収益性が減少　⇒　利益縮小
　（ロ）純資産の圧縮
　　　赤字が累積した会社＝負債が大きい　⇒　純資産圧縮
　（ハ）総資産・従業員数・売上高の増加
　　　会社規模が拡大　⇒　類似業種比準価額を加味する割合増大

株価下落

② 法人税減少
　（イ）収益減少による法人税軽減
　　　赤字会社を吸収することで収益性が減少　⇒　利益縮小
　（ロ）「適格合併」で一定の場合、『繰越青色欠損金』の引継ぎ可

法人税減少

IX

種類株式・信託・一般社団法人を活用した対策

128 種類株式は9種類あり、さまざまに活用できる

Question

会社法の定めによると、権利や内容の異なる9種類の株式を発行できます。事業承継の局面で活用することを検討していますが、どのような内容の種類株式があるのでしょうか。

POINT

① 株式の内容は同一であるのが原則（株式平等の原則）

② 例外的に普通株式とは異なる内容の種類株式が認められている

③ 9種類の種類株式が認められ、さまざまな活用方法が考えられる

Answer

1 それぞれ内容の異なる株式が種類株式

会社がお金を必要としたときには、金融機関から借り入れる方法と資本市場から多数の人に出資してもらう方法があります。後者の出資を仰ぐために発行されるものが、株式会社の社員たる地位を表わすものである株式です。まさに、株式とは株式会社が資金を集めるために発行する証明書なのです。よって、各株式の権利内容は平等であるのが原則であり、出資の対象となる株式は、本来的には、その権利内容は同一とされています。これを「株主平等の原則」と呼んでいます。

また、株主に認められる主な権利には、①剰余金配当（従来の利益配当等）請求権、②残余財産分配請求権、③議決権があります。各株式に認められるこれらの権利は通常平等とされており、これが株式の普通の内容となっています。よって、一般的にはこの普通の内容の株式を「普通株式」と呼んでいます。

他方で、会社法は、上記のように株式の内容は原則的には普通株式であることを前提としつつ、会社が株式について、例外的に普通株式とは異な

る内容を定めることができる場合を定めています。この定めに従い、株式の内容の異なる2つ以上の種類の株式を発行する場合には、一般的にそれぞれの株式を「種類株式」と呼んでいます。

2　株式の種類には、どんなものがあるか

　会社法の定めによれば、次の表に掲げた9つの事項について内容の異なる種類の株式を発行することが認められています。

①	剰余金の配当（配当優先株式、配当劣後株式等）
②	残余財産の分配（残余財産優先分配株式、劣後も可）
③	株主総会において議決権を行使することのできる事項（議決権制限株式）
④	譲渡につき会社の承認を要すること（譲渡制限株式）
⑤	株主が会社にその取得を請求できること（取得請求権付株式）
⑥	会社が一定の事由を生じたことを条件としてこれを取得できること（取得条項付株式）
⑦	その種類株式について会社が株主総会の決議によってその全部を取得すること（全部取得条項付種類株式）
⑧	株主総会（取締役会設置会社においては株主総会または取締役会）において決議すべき事項のうち、その決議のほか、種類株主総会の決議があることを必要とするもの（拒否権付株式、黄金株とも呼ばれている）
⑨	種類株主総会において取締役または監査役を選任すること（取締役・監査役の選解任権付株式）

　⑨については、委員会設置会社・上場会社には認められていません。

　上場会社や上場を目指すベンチャー企業だけでなく、中小企業においても種類株式をうまく活かすことができれば大きな事業承継対策となるでしょう。

　9種類の種類株式があるのではなく、9つの事項を組み合わせることによって、多種多様な種類株式を発行することができるのです。まさに知恵の勝負の方法といえるでしょう。

395

129 剰余金の配当や残余財産の分配が異なる種類株式

Question

会社の剰余金の配当や残余財産の分配が異なる種類株式とは、具体的にはどんな内容のものになるのでしょうか。また、配当や残余財産の分配の異なる株式を発行し、事業承継に活用するにはどうすればよいのでしょうか。

POINT

① 剰余金配当について他の株式より優先する株式を発行できる
② 残余財産の分配について他の株式より優先する株式を発行できる
③ 配当と分配を上手に組み合わせれば事業承継に活用できる

Answer

1 剰余金配当に関して内容の異なる種類株式

(1) 剰余金配当優先株式

剰余金配当優先種類株式の株主は、配当可能利益がある場合には、一定の決められた額については普通の株主より優先して剰余金の配当を受けることができます。よって、配当原資が不足した場合、順番を優先して配当を受けることができるので、「剰余金配当優先株式」といいます。順番の優先ですから、普通株式よりも配当額が多いと決まっているわけではありませんし、会社に債権者がいる場合には債権者が優先します。よって、配当をどうするか、次の要件を事前に決めておく必要があります。

① 配当優先額の確定

配当優先株式1株当たりの配当について優先権を確定するため、いくらの範囲で優先権を認めるか決定します。この額は別に金額でなくとも、計算式でもかまいません。株主が認識できればよいのです。

② 参加・非参加の種別を確定

配当優先株式について、優先順位に基づく配当がなされた後に、まだ配

396

当可能利益があり余剰があるという場合に、優先株主が引き続き普通株主とともに配当を受けることができるか否かを確定します。引き続き配当を受けることができるものを「参加的配当優先株式」といい、受けられないものを「非参加的配当優先株式」といいます。参加型の場合には、順位だけでなく、配当金額も優先された額だけ多いことが確定します。

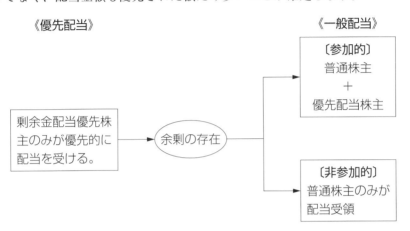

③ 累積的・非累積的の種別を確定

配当優先株式は、参加・非参加型の他、累積的・非累積的の種別があります。「累積的配当優先株式」とは当期に優先順位に基づく配当ができなかった場合に、翌期の配当に際してこれまでの不足分もまとめて優先順位に基づく配当を受けられることが保障されているものです。また、「非累積的配当優先株式」とは当期の配当優先額の不足分については翌期以降に持ち越されることなく、優先額の保障のないものをいいます。

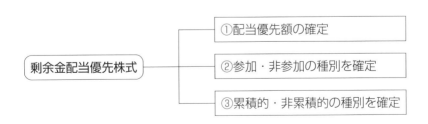

2　残余財産分配に関する種類株式

　残余財産の分配に関して内容の異なる株式としては、まず解散や倒産したときに優先して財産の分配を受けることのできる「残余財産分配優先株式」があります。剰余金の配当については優先権をつけてもよいし、つけなくてもかまいません。配当や議決権の有無にかかわらず、残余財産の分配の際には優先権を行使することができるというものです。なお、残余財産分配請求権の認められない株式を発行することも可能です。

3　剰余金配当と残余財産分配をともに認めない種類株式の禁止

　剰余金配当や残余財産分配に関して内容の異なる株式としては、剰余金配当請求権を認めない株式や、残余財産分配の権利を認めない株式というものも発行することが可能です。ただし、剰余金配当請求権も残余財産分配請求権もともに認められない種類株式は発行できません。ベンチャー企業がエンジェル投資を欲するならば、配当優先でかつ残余財産分配優先とする種類株式を募集すれば、高利回りで安全性が高いと喜ばれるでしょう。

4　事業承継への活用

　「非参加的配当優先株式」は、優先順位の決められた額しか配当を受け取ることができませんので、受け取る配当額については金銭債権と同様に一定額に限られ、上限があります。一方、「参加的配当優先株式」は、非参加的配当優先株式と比べてみると、優先順位に基づく配当を受けた後も、残余している剰余金があれば追加の配当を受けることができますので、受け取る配当額については上限がありません。なお、優先配当は業績が悪くとも剰余金があれば払わなくてはなりませんので、会社の負担となることに注意しなければなりません。

　また、投資家としては、当年度の剰余金が優先して配当すべき金額に達しなかった場合に、その不足分が翌期以降の剰余金配当の際に補填されるならば、安心です。これらを実現することのできる「累積的配当優先種類株式」なら、株主としても特定の事業年度の会社の経営状況に一喜一憂することなく、社債のような感覚で長期的に投資方針を考えることも可能になります。

Ⅸ 種類株式・信託・一般社団法人を活用した対策

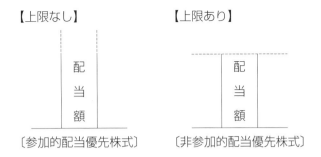

　したがって、配当額に上限がある代わりに残余財産分配が優先される種類株式を発行するのか、それとも配当額に上限がない代わりに残余財産分配が後回しにされる種類株式を発行するのか等、種類株式の発行を決定するときには、事業承継を十分考慮したうえで、誰に持たせるかによりこれらを使い分けていくことが重要です。

　従業員等の第三者に持ってもらうときには議決権を制限する代わりに上限があり、かつ累積的に優先額の保障される「非参加的・累積的配当優先株式」とすることがよいでしょう。なお、残余財産分配も優先としておけば、社債と変わらない株式として、安心されるでしょう。

　他方で、後継者以外の相続人に議決権を制限する代わりに配当優先とする場合には、上限はないけれど業績の悪い場合には、配当不足分を翌期補填しない「参加的・非累積的配当優先株式」が有効ではないでしょうか。業績がよければ配当も多い、業績が悪ければ創業者一族として翌期まで不足分は持ち越さないことになるからです。それぞれの株主の満足度に応じて、どの種類株式を用いるかを検討していくことになります。

　種類株式を発行してから、第Ⅴ章で説明した民法特例によって議決権のある株式を後継者に集中し、議決権に制限がある代わりに収益性の高い株式を非後継者である相続人に生前に贈与しておけば、急に相続が発生したとしても安心でしょう。

　ただし、種類株式だからといって、原則として評価する方法は変わるわけではありません。一定の同族株主等が議決権制限株式を相続した場合は、支配権がないにもかかわらず高額な相続税負担となり、かえってもめる原因となることもありますのでご注意ください。

399

130 議決権制限株式の活用

Question

　株主総会で行使できる議決権の内容に差をつけて、後継者の経営権の確保を図りたいと思っています。このような議決権の異なる種類株式の取扱いや事業承継への活用はどうすればよいのでしょうか。

POINT

① 今や議決権の内容に差をつけた種類株式の発行ができる

② 全部または一部の決議事項に差をつけた種類株式も発行できる

③ 非公開会社では議決権制限株式は制限なく発行できる

Answer

1　議決権が制限されている種類株式（議決権制限種類株式）

　株主は、基本的な権利として①剰余金の配当、②残余財産の分配、③株主総会における議決権を有しています。しかし、その例外として、内容の異なる種類株式の1つとして、株主総会の議決権について他の株式とは異なる定めをした株式の発行が認められています。従前は「完全無議決権株式」しか認められていなかったのですが、今では株主総会の全部または一部の事項のみについて制限することができます。これらを議決権制限株式といい、その議決権の制限に関しては、例えば次のような種類のさまざまな要素が混合された株式が考えられます。

① 配当優先完全無議決権株式（次のどちらも OK である。）

　　○無配当の場合に議決権を復活させるもの

　　○無配当の場合でも議決権が復活しないもの

② 配当優先のない議決権制限株式

③ 剰余金の配当額など、一部の議案についてのみ議決権を有する株式

④ 残余財産の分配について、優先権のある議決権制限株式

2 完全無議決権株式

特に総会のすべての事項について議決権を有しない株式を「完全無議決権株式」といいます。この株式には株主総会における議決権がありませんので、完全無議決権株式の株主は株主総会で権利行使することができません。

かつては配当優先株式でなければ発行できず、優先配当が実施できなければ完全無議決権株式の議決権が復活するものとされていたこともありました。今では、剰余金優先配当には関連性はなく、普通株式と同様の配当で、完全無議決権株式であるという株式の発行も認められています。

3 一部の議決権制限株式

従来は、議決権はあるかないかの二者択一で、議決権が決議事項の一部についてしかない株式は認められないという時期もありました。しかし、今では決議事項の一部についてのみ議決権を有する「議決権制限株式」が認められており、さまざまな議決権制限株式の発行が認められていますので、議決権制限株式の内容の検討が必要です。その検討にあたっては、次のような点を考慮するとよいでしょう。

①	完全無議決権株式とするのか、特定事項のみの議決権制限とするのか
②	特定事項のみの議決権制限とする場合、どの事項につき制限すべきか
③	種類株主総会の規定についてどうすべきか

4 議決権制限株式は自社株式の納税猶予の適用対象外

非上場株式等の納税猶予（特例及び一般）は、議決権に制限のない株式に限定されています。議決権の一部にでも制限があると納税猶予の適用が認められませんので、この点を考慮して検討する必要があるでしょう。

5 非公開会社における発行限度規制の撤廃

議決権制限株式自体は従前においても認められていましたが、発行済株式の2分の1を超えて発行することができませんでした（改正前商法225⑤）。

401

会社法においては、公開会社は議決権制限株式は発行済株式の2分の1を超えて発行することができませんが、非公開会社は議決権制限株式の発行限度に関する規制はなく、無制限に発行できます。

例えば議決権制限株式を発行している場合、99％が完全無議決株式であったとしたら、1％の普通株を所有しているだけで、株主総会で完全な議決権を確保できることになります。このような対策を講じれば、非公開会社の場合、公開会社に比べると、はるかに少ない自社株式の所有で安定議決権を確保することができるのです。

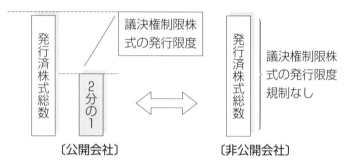

6 議決権制限株式の事業承継への活用

相続に先立って議決権制限株式を発行しておけば、後継者には普通株式を、その他の相続人には議決権制限株式を取得させることにより、後継者以外の相続人の遺留分等の権利に配慮しつつ、後継者に経営権を集中させることができます。

ただし、議決権制限株式であっても中心的同族株主であれば原則として、相続税評価額は下がることはありませんので、取得した相続人にとって支配権としては価値のない種類株式にもかかわらず、相続税負担だけは重いということにもなりかねません。そこで、株主が不公平だとあまり感じぬように高額の配当を保証する、または取得請求権を付加する等の工夫が必要でしょう。できれば議決権が制限されている種類株式は、従業員持株会や親密関係先等の第三者に生前に移転しておいた方が、相続人間のもめごとや不公平感を避ける方法ではないでしょうか。

なお、中小企業の事業承継の局面で利用できる議決権制限株式の内容と

しては、完全無議決権株式とし、会社法第322条第1項の種類株主総会決議を要しないものがよいのではないでしょうか。ただし、会社のさまざまなニーズに対応するため、配当・残余財産分配請求権に差異を設けることや、剰余金配当についてのみ議決権を設ける等の内容も考えられます。

7　議決権制限株式の発行方法について

中小企業のオーナー経営者が、事業承継に先立って議決権制限株式を発行・取得する方法としては、次の4通りが考えられます。ただし、発行に当たっては、少数株主に与える影響について特に留意してください。

① 議決権制限株式を新規発行し、自己に割り当てる。

⇓

② 株式無償割当ての手法を用いて、既存普通株主全員に議決権制限株式を割り当てる。

⇓

③ 新たに種類株式を発行してそれまでの株式保有比率に従い割り当てるとともに、すべての既存普通株式につき全部取得条項付種類株式に内容を変更する。その後、会社が全部取得条項付種類株式を取得し、議決権制限株式を交付する。

⇓

④ 既存株主全員の同意により、自己の保有する株式の一部を議決権制限株式に内容変更する。

（中小企業庁　事業承継協議会資料をもとに作成）

131 取得請求権付株式・取得条項付株式の活用

Question

会社法には「取得請求権付株式」、「取得条項付株式」の規定がありますが、事業承継対策に活用するには、どのようにすればよいのでしょうか。

POINT

① **取得請求権付株式とは、株主が会社に買取請求できる株式**

② **取得条項付株式とは、会社が一定事由で強制取得できる株式**

③ **買取り・取得の対価は株式・社債・新株予約権等多様化している**

Answer

1 取得請求権付株式

会社法における取得請求権とは、株主が自身の所有する株式を取得するよう会社に対して請求することができる権利です。会社の取得の対価は、金銭はもちろんのこと、社債や新株予約権、普通株式、他の種類株式等の中から定めることができます。実質的に流通性の少ない非公開株式の買取りを出資者に保証することにより、出資者の EXIT（株式売却）への不安を軽減する効果があります。

2 取得条項付株式

取得条項は会社が株主から強制的に株式を取得できるとする条項です。よって、定款に定めた「一定の事由が発生した場合、会社が株主の同意なしで取得条項付株式を取得することができます。会社による取得の対価は、金銭はもちろんのこと、社債や新株予約権、普通株式、他の種類株式等の中からも定めることができます。会社の一方的な意思表示で転換できるありがたい制度です。

誰に事業承継させるかはっきり決まっていない場合において、子達に自

IX 種類株式・信託・一般社団法人を活用した対策

社株式を移転させたい場合などに、この「取得条項付株式」は有効に使えるのではないでしょうか。代表取締役になったら、議決権が生じる株式などが最適です。取得の手続としては、取得日や取得株式については、取締役会決議または株主総会で決めることができます。

3　会社の実情に合わせて総合的に検討する

　新株を発行するときに取得条項が付加されている議決権制限株式を長男・次男が引き受けます。まだ、どちらが本体を承継し、どちらが海外関連会社を承継するかはっきり決まっていない場合、将来それぞれの承継先が決まった時点で後継者に決まった者には普通株式に転換させ、他の部門を承継し本体を承継しない者には議決権制限株式に転換させるとよいでしょう。そうすれば後継者の経営権にも問題がないうえ、事前に相続税対策もできるのです。また、株主が死亡した際に、意図しない株主へ株式が分散すること等を未然に防ぐこともできます。

　なお、ベンチャー企業の資金調達手段として、当初は配当優先することとしておき、株式公開時に普通株式にするという方法も考えられます。いろいろな点に十分に留意したうえで、「取得条項付株式」をどう自社株式の事業承継に活用するか真剣に考えなければなりません。

1、2、3のまとめ

『取得請求権付株式』　→	株主側が転換を請求できる権利を有する株式
『取得条項付株式』　　→	会社側の都合で強制的に転換される株式

132 自己所有株式の一部を議決権制限株式に変更する

Question

議決権制限株式を活用して事業承継をする方法のひとつとして、オーナー経営者の有する普通株式の一部の内容を議決権制限株式に変更するという方法がありますが、手続や問題点を教えてください。

POINT

① 特別決議により議決権制限種類株式の発行の定款変更を行う

② 当該株主全員の同意が必要なことに要注意

③ 一部の株式のみ内容変更するので議決権比率に注意する

Answer

1 取得条項付種類株式を活用して議決権制限株式とする

今からでも可能ならば、自己の有する既存株式を普通株式と議決権制限株式に区分しておき、生前に議決権制限株式を従業員持株会や親密関係先等に移転して、相続財産を減少させておきます。その後、自分に相続が発生した場合に、後継者に普通株式を相続させれば、オーナー経営者としては議決権確保と相続税減少対策の双方を講じたことになるでしょう。

その方法としては、次のような方法が考えられます。まず、既存普通株式の一部を議決権制限株式に内容変更するのですから、種類株式の発行となり、当然に株主総会の特別決議等が必要となります。その株主総会決議により、既存普通株式のうちオーナー経営者の所有する一部の株式につき、対価を議決権制限株式とする取得条項を付します。

種類株主グループは公平性確保のため同一の取扱いをすることが原則ですので、一部の既存普通株式に取得条項を付与するためには内容変更する株主だけではなく、既存普通株主全員の同意が必要とされます。

406

IX 種類株式・信託・一般社団法人を活用した対策

2 普通株式の一部を議決権制限株式に変更するポイント

手続	①株主総会で種類株式の発行を特別決議する ②全株主の同意を得て、自己の有する普通株式のうち、一部を議決権制限株式を対価とする取得条項付株式に変更する ③同種株式の一部の内容を変更する方法は株主全員の同意がある場合には登記実務でも受け付けられる ④決議により、会社は取得条項付種類株式を取得する ⑤④の対価として議決権制限株式を交付する
少数株主への影響等	①自己の有する株式の一部のみ内容変更するもので、少数株主の財産権には影響がないと思われる ②議決権総数が減少するので、他の株主の議決権比率は相対的に上昇する

3 自己保有株式の一部を議決権制限株式に内容変更する注意点

　新たな資金の必要なく行うことができるため、現オーナー経営者自らが株式を100％保有する場合等には有効な方法ですが、株主全員の同意が必要であるため、株式が分散している場合には活用できる場面は限定的となります。

　また、同族以外の株主がいる場合は、内容変更する株式数を増やすほどオーナー経営者の議決権が低下していくことになりますので、経営権を保持するためには、内容変更する株式の数に細心の注意をはらわなければなりません。

　よって、実行される場合は会社法を熟知している専門家に依頼されることをおすすめします。

407

133 拒否権付種類株式の活用

Question

拒否権を有する一般的に黄金株という種類株式を発行すれば、一定の重要事項につき特定の株主の意思により、決議を拒否できるそうですが、どのように活用すれば事業承継の役に立つのでしょうか。

POINT

① 過半数を所有しない後継者に拒否権付種類株式を取得させる

② 現経営者が拒否権付種類株式を保持し経営ににらみを利かせる

③ 後継者以外に取得させ重要事項については拒否権をつけておく

Answer

1 拒否権付種類株式（黄金株）

定款で定めることにより、株主総会または取締役会で決議しなければならない事項について、株主総会決議だけでなく種類株主総会決議を必要とすることができます。これにより、ある種類株主に特定の事項について"拒否権"を与えることができます。例えば合併や代表取締役の選任を拒否するといったことです。「黄金株」ともいわれ、1株で大きな権限をもつことのできる切札といわれています。

2 事業承継への活用

次のような活用をすれば、事業承継に役立つことが考えられます。

① 相続発生前に、取締役選任及び解任等一定の重要事項につき、当該種類株主総会の承認を得るものとする拒否権付種類株式を1株発行し、後継者にその拒否権付種類株式を相続させる。

② 後継者以外の相続人に取得させる株式につき、議決権制限株式とする代わりに、経営に対し一定の歯止めを確保する権利として、取締役選任及び解任、合併承認等一定の重要事項につき、その相続人の種類株主総

408

会の承認がいるとする拒否権をつけて納得させる。

③　現経営者が、取締役選任及び解任、合併承認等一定の重要事項につき、種類株主総会で自分の承認がいる拒否権付種類株式を保持し続け経営を監視サポートするという条件の下、後継者に相続時精算課税制度を適用して全株式を贈与し、経営権を生前に委譲する。

3　拒否権付種類株式を発行する場合のポイント

次表で拒否権付種類株式を活用する場合のポイントをまとめてみました。

	拒否権付種類株式（黄金株）の発行
譲渡制限	拒否権付種類株式についてのみ譲渡制限を行うことができる。
事業承継において想定される利用例	①相続に先立って拒否権付種類株式を発行しておき、事業を承継させる者に当該拒否権付種類株式を取得させる。 ②後継者以外の相続人に取得させる株式について、議決権制限株式とする代わりに、一定の重要事項については拒否権をつけておく。 ③現経営者が拒否権付種類株式を保持して経営ににらみをきかせつつ、後継者へ大部分の株式を生前贈与して経営権を委譲する。
検討を要する事項	拒否権の内容をどのようにするのか。（取締役の選解任権、組織再編等）

（中小企業庁　事業承継協議会資料をもとに作成）

ただし、拒否することができるだけで何かを決めることができる株式ではありません。拒否権付種類株式の所有者と経営者が対立した場合には、デッドロック状態となり、会社が身動きできないことも想定されます。さらに、拒否権付種類株式を後継者以外の人が所有すると、非上場株式等についての納税猶予制度(特例及び一般)の適用を受けることができません。もし、拒否権付種類株式を保有する株主が急死した場合など、予期せぬ事態によって、会社としては望ましくない相続人が株主となって拒否権を行使するといった可能性もありますので、発行には熟慮が必要です。

409

134 株主ごとの異なる取扱いの活用

Question

　非公開会社においては、議決権や配当について株主ごとに異なる取扱いをしてもよいそうですが、どのように活用すれば後継者や、後継者以外の相続人がトラブルを起こさず、事業承継に活用できるでしょうか。

POINT

① 非公開会社において株主ごとの異なる取扱いが新設された
② 剰余金の配当、残余財産分配権、議決権の３つについて可能
③ 総株主の頭数の過半数、総議決権の４分の３以上の賛成が必要

Answer

1　株主ごとに内容の異なる取扱いができる

　株主平等の原則により、株式の内容及び数に応じて、原則として株主は平等に取り扱われています。しかし、会社法においては、非公開会社の場合のみ、かつての有限会社と同様に、株式そのものでなく株主自身に着目して、①剰余金の配当を受ける権利、②残余財産の分配を受ける権利または③株主総会における議決権について、株主ごとに異なる取扱いをすることを定款に定めることができるようになっています。この株式も内容の異なる種類株式となり、「属人的種類株式」といわれます。

　株主ごとの異なる取扱いには、例えば次のようなものがあります。

①	剰余金の配当・所有株式数によらず「人数割り」で配当する
②	残余財産の分配・所有株式数によらず人ごとに分配額を変える
③	議決権・１株に総議決件数の２分の２以上の議決権を与える 　　　・一定数以上の株式を有する株主については、議決権を制限する

　例えば、後継者に「１株に総議決権の３分の２以上の議決権を与える。」内容の株式を取得する権利（ストックオプション）を与えたとしますと、

410

Ⅸ 種類株式・信託・一般社団法人を活用した対策

後継者へ議決権を集中させることができ、事業承継対策に大きな効果があります。

ただし、剰余金の配当を受ける権利と残余財産の分配を受ける権利の全部を与えない定款の定めは無効です。

2 定款変更は株主数の要件もあり厳しい

なお、定款でこのような異なる取扱いを新設したり変更したりすることは、株主の権利に大きな影響を与えますので、通常の場合の株主総会の特別決議（議決権の過半数の出席かつ、出席株主の3分の2以上の賛成）ではなく、厳しい特殊決議（総株主の頭数の半数以上、かつ総株主の議決権の4分の3以上の賛成）が必要となります。この厳しい要件さえクリアできるなら、後継者に議決権の3分の2以上を与えることとし、後継者以外の相続人には議決権を与えず、その代わりに配当は全員平等にするなど、事業承継対策の一環として、さまざまな手法が考えられます。

3 属人的種類株式のポイント

このような属人的種類株式の取扱いのポイントを示すと、次のとおりです。

	議決権・配当等についての株主ごとの異なる取扱い
譲渡制限	株式譲渡制限会社においてのみ可。
事業承継において想定される利用例	あらかじめ、株主のうちで取締役である者のみが議決権を有する旨を定款で定めておき、事業を承継させる者を取締役にしておく。
事業承継者が有する経営権	集中した議決権を有することもできる。
検討を要する事項	異なる取扱いの内容をどのようにするのか。 特に、株式の数によらず議決権数を定めるような場合に、どの程度まで差異を設けることができるか。

（中小企業庁　事業承継協議会資料をもとに作成）

411

135 信託を活用した事業承継

Question

信託を活用すれば、中小企業の事業承継に役立つと言われていますが、信託とはどのような制度でどのようなことができるのでしょうか。

POINT

① 信託とは委託者が受託者に財産を信託し受益者が利益を享受する
② 株式信託をすることにより会社経営の空白期間を防げる
③ 非後継者に受益権を分割しつつ議決権行使を後継者にすることも
④ 受託者に課税はないが自益信託・他益信託等の課税関係に要注意

Answer

1 事業承継のために信託を活用することもある

信託法の改正により、日本でも信託を活用する人が増えてきています。今では、株式信託（遺言代用信託）や他益信託あるいは後継ぎ遺贈型受益者連続信託等を利用した事業承継も行われています。

信託とは財産の所有者（委託者）が、他の者（受託者）に自己の財産を委託し、受託者は委託者が定めた目的に従い、委託者が指定した者（受益者）のために、その財産の管理・運用・処分を行うという仕組みです。なお、受託された財産の名義は受託者に代わります。

信託には次のようなメリットがあります。

① 受益者の地位を当初から設定でき、その先の受益者まで設定できる。
② 委託者と受託者の契約により自由に設定できるため、その効力発生に様々な条件を付することができる。
③ 権利行使者（受託者）と経済的利益を受ける者（受益者）を別々とすることができる。

中でも、事業承継には株式信託が有効ではないでしょうか。

2 株式信託を利用した事業承継

　株式信託とは図表のようなしくみで、経営者（委託者）がその生前に、自社株式を対象に信託を設定し、信託契約において自らを当初の受益者とし、経営者死亡時に後継者が受益権を取得する旨を定めた信託です。遺言書と同様の効果を持ちますので遺言代用信託ともいわれており、これを利用した自益信託のスキームの特徴は次のようなものです。

① 委託者である経営者は生存中は経営権を維持しつつ、経営者の死亡時に後継者が受益権を取得する旨を定め、後継者が確実に経営権を取得できるようにする。

② 後継者は、経営者の相続開始と同時に「受益者」となることから、経営上の空白期間が生じないなど、遺言と比較してメリットがある。

〈図表　遺言代用信託を利用した自益信託スキーム〉

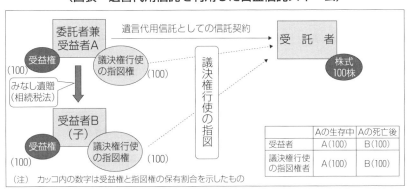

（出典：中小企業庁「信託を活用した中小企業の事業承継円滑化に関する研究会における中間整理」より）

　また、経営者が事故や認知症などにより意思能力を喪失することを信託の効力発生条件とすることもできます。これにより、経営者が意思能力を失った場合は信託が発効し株式の名義は受託者である後継者に移り、後継者が株主総会で議決権を行使することができ、会社の空白期間を生じさせないで済みます。また、経営者は受益者として株主配当を受け取ることができますので、生活費や療養費の心配をする必要がありません。

　このように信託を活用すれば、経営権の承継と将来の資金確保という複数の課題を解決することもできるのです。

3　他益信託を利用した事業承継

経営者(委託者)がその生前に自社株式を対象に信託を設定し、信託契約において後継者を受益者と定める信託で、次のような特徴があります。

① 経営者が議決権行使の指図権を保持することで経営者は引き続き経営権を維持しつつ、自社株式の財産権部分(会社の配当期待権と残余財産分配権等)を後継者に取得させることができる。

② 信託契約により、信託終了後に後継者が自社株式の交付を受ける旨を定め後継者の地位を確立することにより、安心して経営に当たることができる。また、議決権行使権と収益受益権(配当)を分割し、議決権行使権は後継者に、収益受益権は被後継者にと分離させて取得させることもできる。

③ 信託終了時に、信託設定から数年経過時、あるいは、経営者(委託者)の死亡時など、経営者の意向に応じた柔軟なスキーム(議決権行使を後継者に移すなど)を構築することができる。

〈図表　他益信託を利用したスキーム〉

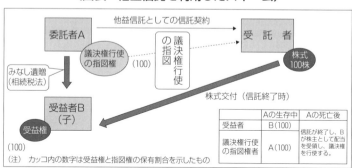

(出典：中小企業庁「信託を活用した中小企業の事業承継円滑化に関する研究会における中間整理」より)

4　信託を活用した場合の課税関係

このような信託の課税関係を説明します。信託は課税の問題をきちんと理解してから実行しないと思わぬ税負担に驚くことになります。

(1) 自益信託の課税関係

信託という制度は税法上の原則は課税がパススルー(中抜け)となっており、受託者には課税関係は発生しません。委託者から受託者に財産の移

転があった場合、原則として譲渡となりますが、受託者については課税関係がパススルーされ、委託者から受益者に資産が移転したとみなされます。

よって、委託者＝受益者である自益信託においては、信託行為があった時に委託者に譲渡所得は課税されず、受益者にも何ら課税関係は生じません。

(2) 受益者等を変更した場合の課税関係

生前の信託設定時における高い贈与税を避けるため、開始時点は委託者＝受益者とする自益信託を設定し、委託者の死亡時に受益者を誰にするかを定めた信託契約をすれば、生前中に贈与税はかかりません。委託者の相続時に、受益者（＝委託者）の死亡により契約に定められた者が次の受益者となった場合には、信託受益権を相続財産とみなして、委託者から次の受益者となった者に相続等があったものとされ、相続税が課税されます。

(3) 他益信託の課税関係

委託者から受託者に財産の移転があった場合、受託者についての課税関係はパススルーされ、委託者から受益者に資産が無償で移転したとみなされます。よって、委託者と受益者が異なる他益信託においては、信託行為があった時に委託者から受益者に、信託受益権が贈与されたとみなされ贈与税が課税されます。

その後の収益については、受益者に家賃や地代が発生したとして所得税が課税されます。誰に財産を移したかでなく、そこから生ずる受益権が誰に帰属するかで課税関係が決まります。

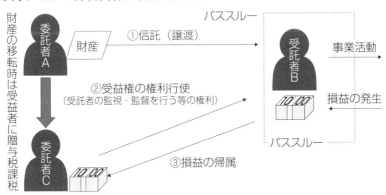

136 次の後継者も指名できる受益者連続型信託の活用

Question

後継者の長男に会社を継がせるつもりですが、長男には子供がいないため長男の次は次男一家に承継させようと思っています。長男に相続させた自社株式を次男一家に戻すためにはどうしたらよいのでしょうか。

POINT

① 信託を活用すれば先々の相続まで受益者を指定できる

② 第一次受益者が死亡の場合も委託者が次の受益者を指定できる

③ 連続型信託の場合は前受益者の相続財産とみなされ相続税課税

Answer

1 会社の承継を次の世代まで指定したい場合の信託の活用

後継者たる長男に自社株式を相続させた後は、次男一家に自社株式を戻したいという想いがあった場合、遺言したとしても、長男と次男の子が養子縁組をしない限り、相続した長男の同意がなければ次の相続を完全に指定することは難しいでしょう。この要件をクリアするために、「信託」という方法を使うとそれが可能になります。

信託法ではさらに最初の受益者が死亡すると、その信託受益権が消滅するので、他の者が新たな受益権を取得する定めをすることができます。つまり、受益者が死亡すると、順次、他の者が受益権を取得することを定めることができるからです。

まず、財産所有者が最初に財産を承継させたい人に財産を取得させるために信託契約を締結して、その人が受益権を取得するようにすれば、受益者は信託契約を締結した財産のいわば所有者としての権利を行使することができます。そして、受益者が亡くなった後は、この受益権は受益者の相続人が相続するのではなく、あらかじめ委託者（元の所有者）が指定していた者が受益権を取得する旨を定めておけば、いったん第一受益者に帰属

した委託者の財産が、第一受益者が死亡することにより、委託者が指定した第二受益者に移転することになるのです。この信託を「受益者連続型信託」といいます。

このように、受益者連続型信託とは、受益者の死亡により順次受益者が連続していき、信託契約から30年を経過した時点以降に新たに受益者になったものが死亡するまで、信託が継続するものです。「後継ぎ遺贈型信託」ともいわれ、これにより財産を分散させることなく委託者の意思どおりに順次、財産を承継させることができるようになったのです。

2 具体的な活用方法

まず、自社株式を所有している現経営者が委託者となり、家族や一般社団法人等を受託者（財産を管理運用する者）に指定して自社株式を受託者に移転させ、受益者（財産からの利益をもらう人）を経営者自身とする自益信託契約を締結します。この信託契約では、受益者である経営者が死亡したときに、自社株式を承継させたい長男を信託財産（自社株式）の次の受益者（第一受益者）になることを定めます。

そして、第一次受益者である長男が亡くなった後は、この受益権は長男の相続人が相続するのではなく、あらかじめ委託者（元経営者）が指定した者、例えば委託者の次男や孫たちが受益権を取得する旨を定めておけば、いったん第一受益者である長男に帰属した自社株式が、長男が死亡することにより、委託者が指定しておいた第二受益者である次男一家に移転することになるのです。まさに、委託者の想いどおりの承継が実現できるのです。

3 信託を活用した場合の課税関係

しかし、課税関係を理解しておかなければ事業承継の成功は実現できません。では、このような信託の課税関係を説明します。

このような受益者連続型信託を設定して、次、そしてその次と順次受益者を契約で定めておけば、受益者の死亡により、次から次へと信託受益権が引き継がれていくことになります。

例えば、受益者である長男の死亡後、次男の子を受益者と定めた信託を

設定していた場合の課税関係を説明します。

まず、長男が亡くなったときには、委託者から次男の子が信託受益権を取得するのですが、課税上は長男から次男の子が信託受益権を遺贈により取得したとみなされて相続税が課税されるのです。詳しく説明しましょう。

まず委託者の受益権を長男が取得した場合には、それについては長男が委託者から相続したものとみなされ相続税がかかります。長男が亡くなり次男の子が受益権を取得した場合には、次男の子が長男から遺贈により取得したものとみなされ相続税がかかります。

受益者連続型信託を設定したとしても、2回の相続にわたり受益者の死亡に伴い財産が移転するので、相続税の計算上は2回にわたり順次相続したときと全く同じとなります。

信託になっても、相続税が二重に課税され思わぬ増税になることにはならないのですから非常に安心です。事例のような方法なら長男にも喜んでもらえ、長男亡き後は血族である次男一家に自社株式が戻ってくるのですから、被相続人にとって安心な方法でしょう。

先の先までの事業承継を決めておられるオーナー経営者は、この連続型信託を一度検討されるとよいでしょう。

◆受益者連続信託の流れ

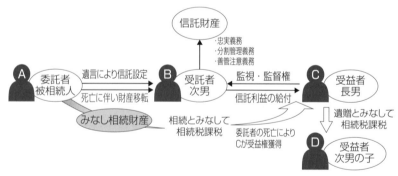

IX 種類株式・信託・一般社団法人を活用した対策

| column | 民法上の相続財産と税法上の課税財産の違い

　相続と言えば相続税を思い浮かべる方が多いようです。しかし、相続の本質は税金の問題ではなく、民法の規定により被相続人固有の財産が、原則として相続発生時に相続人に移転することであり、その結果、相続税が生ずることになるのです。しかし、その経済的実態を重視して、被相続人の固有の財産ではないけれど、相続財産とみなして相続税が課税されるものがあります。まさに、信託受益権がそうです。そこで、民法上の相続財産ではありませんが、相続税のかかるみなし財産について説明しましょう。

1　民法上の所有者固有の財産
　民法上の所有者固有の財産とは土地や建物、預金や有価証券等だけでなく、被相続人が所有する金銭に見積もることのできる経済価値のあるものすべてで、庭や灯篭、池の鯉などもその対象です。これらの財産を誰が取得するかを決定するには相続人全員の合意による分割協議が必要です。

2　相続税法上、相続財産とみなされる財産
　一方、受取人等の経済的利益を受けた人の固有の財産であるとして、相続したわけでもないのに経済的利益が生じたとして、相続があったものとみなされ相続税が課税されることがあります。
　生命保険金（指名された受取人のもので常識的な割合に限る）、死亡退職金（支払う会社の規程により受取人として決定されたもの）、年金受給権（年金契約により受取人として指定されたもの）、信託受益権（信託契約に定められた受益者）等が該当します。これらは被相続人の固有の財産でなく、契約や規定により受取人固有の財産として当然に受取人のものとなります。
　ところが、相続税法上は贈与や相続があったものとみなされ、贈与税や相続税が課税されることになります。課税されますが、遺言書に書かなくても他の相続人と協議しなくても、あげたい人を受取人に指定しておけば、確実に特定の人に遺すことのできる安心な方法といえるでしょう。

137 組織再編を活用した納税資金の確保対策

Question

　私が経営する会社は複数の事業経営を行っておりそれぞれ業績も好調ですが、私自身には個人資産がほとんどありません。子たちは会社の資産でしか相続税の納税資金を準備できないと思われますが、どうすればよいでしょうか。

POINT

① 分割型分割を行い、一方の会社が他社の株式を買い取る

② 分割後の株価への影響や買取会社の資金負担を考え分割する

③ 後継者は株の売却に際し、取得費加算の特例の適用を受けられる

Answer

1　分割型分割により黒字事業を2つに分ける

　自身が大株主である業績好調な会社に2つの事業がある場合、組織再編成を活用して会社を二社に分割し、その後子会社化する方法により、相続税の納税資金を確保する方法があります。

　まず、黒字の事業を分割型分割（分社型分割＋株式の交付による手法）により分社します。旧株主にとっては所有株式が適格要件を満たせば税金の負担なく2つに分けることができますので、効果的でしょう。

　この分割により、オーナーは元の会社の株式と、分割して設立した新会社の株式の双方を所有することになります。その後、一方の会社にもう一方の会社の株式を買い取ってもらうことで、オーナーにはその株式を売った資金が入り、後継者以外の相続人への遺産分けや相続税の納税資金に使うことができるようになります。まさに、会社からの納税資金のプレゼントといえる方法です。この方法は自己株式の買い取りでないので、他の株主とのトラブルも生じず安心といえるでしょう。

IX 種類株式・信託・一般社団法人を活用した対策

〈組織再編を活用した納税資金確保対策〉

オーナー

黒字会社A
X事業　Y事業

分割

会社法で認める手法としては
〈分社型分割＋株式の交付〉

オーナー

黒字会社A
X事業

黒字会社B
Y事業

（一例）オーナー
所有のB社株式を
すべてA社に買い
取ってもらう

事業承継者
（相続人）

100%

黒字会社A
X事業

100%

黒字会社B
Y事業

2 相続した株式の売却は取得費加算の特例の適用がある

　分割型分割によりオーナーの会社を2つに分割しておけば、相続が発生した場合に、その株式を相続した事業承継者は、図表の事例によるとA社の株式をB社に売却するか、またはB社の株式をA社に売却するかどちらかの方法により納税資金や代償財産を調達することができます。

　相続税の申告期限から3年以内に相続等により取得した非上場株式等の譲渡に対しては、相続税の取得費加算の特例の適用を受けることができます（Q113参照）。自社株式を手放す時期としては、ベストなタイミングといえるでしょう。

421

138 一般社団法人の相続対策への活用

Question

　非上場株式を多数持っているため、子たちは相続が発生した場合何かと困ると思います。一般社団法人を活用すれば相続対策になると聞いたのですがよくわかりません。どのような方法でしょうか。

POINT

① 一般社団法人に自社株式を移転すれば資産上昇リスクがなくなる
② 贈与等すれば原則法人税が課税、個人とみなされ差額の贈与税課税も
③ 移転時の税金を考え安定株主対策として活用する

Answer

1　一般社団法人に相続財産を移転する

　一般社団法人を相続税対策に活用するにはいろいろな方法があります。一つはオーナー経営者が一般社団法人等を設立し、その一般社団法人等が借入れをして、オーナー経営者の保有している今後の値上がりが予想される自社株式を買い取り、オーナー経営者が譲渡代金を受け取るという手法です。この場合、オーナー経営者は自社株式を譲渡することになりますので、譲渡益が生じるものであれば譲渡所得として課税されますのでご注意ください。この時点の一般社団法人等の貸借対照表における資産は資産の取得価額（時価）であり、負債は借入金額となります。

　ただし、一般的には設立されたばかりの一般社団法人等は、金融機関から借入れをすることが困難なことが多いでしょう。この場合には、自社株式を基金として一般社団法人等に拠出する方法もあります。

　基金とは一般社団法人等に拠出された金銭等の財産で、その一般社団法人等が拠出者に返還義務を負うものですが、借入金と異なり基金に利息を付すことはできません。基金は金銭以外の財産を拠出することもでき、その場合の返還義務は拠出時の財産の価額に相当する金銭とされています。

422

IX 種類株式・信託・一般社団法人を活用した対策

基金として現物を拠出した場合も、オーナー経営者が一般社団法人等に資産を譲渡したものとして取り扱われますので、前述と同様に譲渡所得税が課税されることもあります。

この方法によると、一般社団法人等は資金を借り入れる必要はなく、オーナー経営者の財産は一般社団法人等の基金という価額変動のない財産に置き換わります。つまり、一般社団法人等が借入れをして自社株式を購入する場合も、借入れをせずに基金として受け入れる場合も、どちらの場合にも、その財産価値を現在の時価で固定することができるのです。

2　一般社団法人等に対するみなし贈与税等の課税

譲渡や基金方式では相続税が大きく減少しないとして、持分の定めがないから相続税の課税対象にならないと考え、思い切って自分の財産を一般社団法人等に贈与したいと思っておられる方もおられます。

しかし、一般社団法人等に対し財産の贈与等があった場合においては、一般社団法人等は時価で財産を無償取得することになりますから、受贈益が生じ、これに対して法人税等がかかります。

さらに、財産を自己の親族が実質支配する一般社団法人等に贈与等をした場合に、その贈与等により、受贈者等及びその親族等の贈与税等の負担が不当に減少する結果になると認められる場合には、その一般社団法人等を個人とみなして、これに贈与税等が課税されます。

ただし、支払うべき法人税等をその贈与税等から控除することができます。よって、二重課税とはなりませんが、一定の一般社団法人等を活用して贈与税等を逃れることはできない仕組みとなっています。

3　一般社団法人等に対しみなし贈与税等が課税される要件

一般社団法人等がこれらの要件のうち、一つの要件でも満たさなければ、相続税または贈与税の負担を不当に減少する結果になるとされ、**2**の説明による贈与税または相続税が課税されることになりますので、要注意です。

(1)　運営組織が適正であり、その寄附行為、定款または規則において、その役員等のうち親族等の数がそれぞれの役員等の数のうちに占める割合

423

は、いずれも3分の1以下とする旨の定めがあること
(2) その法人に財産の贈与若しくは遺贈をした者、その法人の設立者、社員若しくは役員等またはこれらの者の親族等に対し、施設の利用、余裕金の運用、解散した場合における財産の帰属、金銭の貸付け、資産の譲渡、給与の支給、役員等の選任その他財産の運用及び事業の運営に関して特別の利益を与えないこと
(3) その寄附行為、定款または規則において、その法人が解散した場合に残余財産が国若しくは地方公共団体または公益社団法人若しくはその他の公益を目的とする事業を行う法人に帰属する旨の定めがあること
(4) その法人につき法令に違反する事実、その帳簿書類に取引の全部または一部を隠蔽し、または仮装して記録または記載をしている事実その他公益に反する事実がないこと

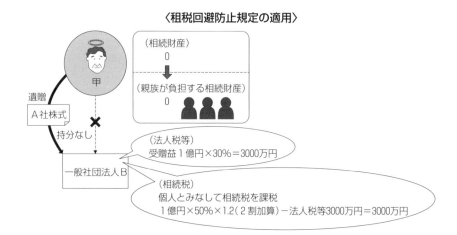

4 一般社団法人等を安定株主として活用

　同族株主以外の関係が良好な従業員等から、資金が必要となったため配当還元価額でよいから自社株式を買い取って欲しいといってきたときに、同族株主が買い取った場合には原則的な評価額との差額につき贈与税が課税されることになります。自己株式として発行法人が買い取ったとしても、株式の評価額が上昇した場合にはその価額につきみなし贈与として贈与税

が課税されます。これらの課題を解決する方法として、一般社団法人等を活用します。一般社団法人等が買い取ることとすれば、同族株主に贈与税がかからないからです。

一般社団法人等は資金を借り入れて、第三者から自社株式を買い取り、発行法人からの配当等を原資に借入金を返済することになります。一般社団法人等が保有している自社株式については、その後の株式分散リスクも軽減され、自社の安定株主対策にもなるでしょう。ただし、その後の一般社団法人等の議決権行使については十分に注意しておく必要があります。

5 財産額確定後の一般社団法人活用の注意点

同族関係者が実質支配する一般社団法人等を活用する場合で、高額な贈与税等を避けるためには、自社株式については譲渡または基金として拠出する方法がよいでしょう。将来予想どおり自社株式の評価額が値上がりした場合、一般社団法人等は値上がり後の資産価値を持つことになりますが、元の所有者が理事に就任しない限り、この含み益は元の所有者の推定相続財産に影響を与えることはありません。よって、譲渡後の資産価値の値上りに影響を受けることなく相続財産価値を一定額に固定できる一般社団法人方式は、相続税の節税になるともいえるでしょう。

しかし、一般社団法人等は剰余金の分配が禁止されており、法令により基金の返還可能額を制限する定めもあり、基金はいつでもいくらでも返してもらえるというものではないのです。一般社団法人等を事業承継に活用する場合には、目先の節税のみを追うのではなく、一般社団法人の特徴や注意すべき点を理解した上で承継対策を実行する必要があるでしょう。

139 相続が発生した場合の一般社団法人等の課税関係

Question

一般社団法人等は持分の定めがないため相続税はかからないと聞きました。しかし、租税回避を防ぐための規定が設けられているそうですが、課税関係はどうなっているのでしょうか。

POINT

① 社員の地位は相続されず、相続財産にもならず相続税の課税もない

② 財産が遺贈された場合には法人税と相続税が課税される

③ 特定の利益を受ける者がいれば相続税や贈与税が課税される

④ 理事の死亡に伴い個人とみなして相続税が課税される

Answer

1 一般社団法人等の社員に相続が発生したとき

(1) 社員の地位は相続しない

自然人である社員が死亡した場合、その社員は退社となります。その社員に相続人がいる場合にも、原則として社員の地位は相続人に承継されません。したがって、亡くなった社員の相続人が一般社団法人等を承継するためには、定款に定める方法に従って、新たに社員に加わる手続をする必要があります。なお、社員全員の死亡等により、一般社団法人等の社員がゼロとなってしまうと、一般社団法人等は解散することになります。

(2) 相続財産には該当しない

一般社団法人等には持分という概念がありませんので、一般社団法人等は剰余金や解散時の残余財産の社員への分配を定款に定めることはできません。したがって、社員であったとしても、その地位に経済的価値は含まれず、社員に相続が発生した場合にも、原則として、一般社団法人等の財産等はその社員の相続財産に反映されないことになります。

一方、株式会社の株主に相続が発生した場合、その株主が所有する株式

等については、相続財産となります。株式会社は「持分のある法人」であり、その株主が持分に応じて有する経済的価値（配当請求権、残余財産分配請求権など）に財産価値があるからです。

2 一般社団法人等に財産を遺贈した場合の課税関係について

　一般社団法人等が所有する財産が社員の相続財産とはならないという特徴を利用し、被相続人の親族が実質的に支配している一般社団法人等に、遺言により自社株式を遺贈したとします。相続が発生すると、一般社団法人等は遺言に従って自社株式を無償で取得することになり、時価相当額の受贈益が一般社団法人等に生じ、これに対して法人税等が課税されます。

　自社株式を相続人が取得すれば相続税が課税されますが、一般社団法人等へ自社株式を遺贈することにより法人税等の課税ですみ、差額は実質的に節税になると考えられるかもしれませんが、実はそうではありません。

　相続税法には、**3**で説明します租税回避防止規定があり、遺産を自己の親族が実質的に支配する一般社団法人等に遺贈した場合、その一般社団法人等を個人とみなして相続税が課税されるうえ、相続税額の計算上、2割加算の対象にもなるのです。

　遺産を一般社団法人等へ遺贈した場合には、原則として所得税の計算上、時価によりその資産の譲渡があったものとみなされます。よって、含み益がある不動産・株式等を一般社団法人等へ遺贈した場合には、財産を遺贈した被相続人において課税が生じる場合があり、相続人等が準確定申告と納税を行うことになります。もちろん、金銭や遺産の取得費が時価と同額である場合等には譲渡所得課税は生じません。なお、一般社団法人等に対して、贈与や低額譲渡があった場合の課税関係も同様です。

　このように、一般社団法人等に対して遺贈により財産を移転する場合には、法人税及び所得税と相続税がトリプルでかかるのですから、何も対策をしない場合よりも税負担が大きくなることがあるため、特に注意が必要です。

3 一般社団法人に対する租税回避防止規定

(1) 租税回避防止規定のあらまし

相続税や贈与税の納税義務者は「個人」であり、「法人」は原則として納税義務者とはなりません。しかし、個人から一般社団法人等へ財産を贈与または遺贈をし、その一般社団法人が特定の個人に特別の利益を与える場合、持分のない法人である一般社団法人等の財産は社員や理事の財産に反映されないにもかかわらず利益だけ享受することになり、相続税や贈与税の租税回避が可能となってしまいます。

そこで、租税回避行為を防止するため、相続税法において、特別の利益を受ける者に相続税・贈与税を課税するという規定と、2で説明しました一般社団法人等に相続税・贈与税を課税するという規定（次ページの図の2種類の租税回避防止規定）が設けられています。一般社団法人等を活用される場合には、これらについての綿密な注意が必要です。

(2) 特定の利益を受ける者への防止規定（図の防止規定Ａ）

図の判定の結果、「防止規定Ａ」の適用を受ける場合には、財産の贈与または遺贈があった時において、その一般社団法人等から特別の利益を受ける者が、その財産の贈与または遺贈により受ける利益の価額に相当する金額を、その財産の贈与または遺贈をした者から贈与または遺贈により取得したものとみなされます。

(3) 一般社団法人等への防止規定（図の防止規定Ｂ）

図の判定の結果、「防止規定Ｂ」の適用を受ける場合には、一般社団法人等を個人とみなして、相続税または贈与税が課税されます。また、一般社団法人等は「法人」ですので、財産を無償や低額で取得した場合には、法人税の受贈益課税があり、さらに地方税も課税されます。

そこで、防止規定Ｂの適用により課税される相続税または贈与税と法人税等の二重課税を排除するため、その相続税額または贈与税額から、その贈与された財産に係る法人税額と一定の地方税額を控除することとされています。

IX 種類株式・信託・一般社団法人を活用した対策

〈租税回避防止規定の判定フローチャート〉

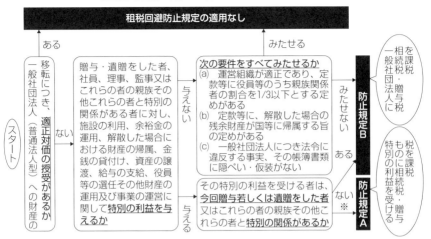

※ 例えば、理事Xに対する施設の利用について特別の利益を与える一般社団法人Yに対して、他人のZさんが寄附をした場合には、この「ない」に該当するため「防止規定A」の適用を受ける。しかし、そのような事例は少ないと思われるため、前述のように、多くの場合は、「防止規定B」が適用されると考えられる。

4 理事の死亡に伴う一般社団等に対する相続税課税

(1) 相続税課税の概要

上記の特別の利益を与えるとみなされない限り、一般社団法人等には「持分の定めがない」ため、一族で実質支配する一般社団法人等を設立し財産を移転した後、理事の交代による支配権の移転を通じて子や孫にその財産を代々承継させた場合でも、相続税は課税されないことになります。

この租税回避行為を防止するために、特定一般社団法人等の理事である者が死亡した場合に、その特定一般社団法人等が、その死亡した者（被相続人）の相続開始時における特定一般社団法人等の純資産額を、その時における特定一般社団法人等の同族理事の数に一を加えた数で除して計算した金額を、被相続人から遺贈により取得した個人とみなして、その特定一般社団法人等に相続税が課税されることになっています。

課税対象となる死亡した理事に該当するかどうかは、相続開始の直前のみならず、理事でなくなった日から5年を経過していない者が含まれます。また、被相続人と同時に死亡した者が対象となる理事等であるときは、そ

の死亡した者の数も加えられます。

原　因	特定一般社団法人等の理事の死亡
対象理事	死亡時点のみならず、理事でなくなった日から5年を経過していない者も含まれる
課税対象者	特定一般社団法人等（遺贈により取得した個人とみなして相続税を課税）
課税対象額	$\dfrac{\text{特定一般社団法人等の純財産額}}{\text{死亡時における被相続人を含む同族理事数}}$

(2)　純資産額の計算方法

特定一般社団法人等の有する財産の価額の合計額から次に掲げる債務等の金額の合計額を控除した金額が純資産額とされます。

①債務、②国税または地方税、③被相続人の死亡退職金、④基金

(3)　対象となる同族理事の範囲

対象となる同族理事は、被相続人及び被相続人と次の関係にある者をいいます。

①配偶者、②3親等内の親族、③事実上婚姻関係と同様の事情にある者、④使用人、⑤　③④と生計を一にするこれらの者の配偶者または3親等内の親族、⑥会社役員となっている他の法人等の会社役員または使用人

(4)　課税対象となる社団等は同族役員数が2分の1超

対象となる特定一般社団法人等は、一般社団法人または一般財団法人で次のいずれかに該当するものとなります。なお、公益社団法人または公益財団法人、非営利型法人その他一定の法人等は除かれます。

① 　被相続人の相続開始の直前における被相続人に係る同族理事数の理事総数に占める割合が2分の1を超えること

② 　被相続人の相続開始前5年以内において、被相続人に係る同族理事数の理事総数に占める割合が2分の1を超える期間の合計が3年以上であること

(5)　支払い済み贈与税及び相続税は控除

上記により特定一般社団法人等に相続税が課税される場合には、その特

定一般社団法人等の相続税の額については、相続税法66条により相続税または贈与税の負担が不当に減少する結果になるとして、特定一般社団法人等を個人とみなして課された贈与税及び相続税の税額が控除されます。

⑹ 3年内加算は適用されず2割加算の対象となる

上記により特定一般社団法人等に相続税が課税される場合において、その特定一般社団法人等が被相続人に係る相続開始前3年以内にその被相続人から贈与により財産を取得していても、その贈与財産の価額を相続税の課税価格に加算する規定は適用されません。

ただし、特定一般社団法人等は1親等の血族及び配偶者以外の者であるため、相続税額は2割加算されますのでご注意ください。

⑺ 適用関係

ただし、平成30年3月31日までに設立された一般社団法人等については、令和3年4月1日以後におけるその一般社団法人等の理事である者（その一般社団法人等の理事でなくなった日から5年を経過していない者を含む）が死亡した場合における相続税から適用されます。

5　一般社団法人等の活用には要注意

このように、厳しい租税回避規定が次々と創設されていますので、相続税対策のために一般社団法人等に自社株式を所有させるのではなく、一般社団法人等が奨学金を給付する、価値ある芸術品を展示するなどの業務を行い、社会に必要とされる存在とするために、自社株式を所有させることこそが事業承継対策といえるのではないでしょうか。

X

事業承継の成功は
M&A を含め総合的に判断

140 役員退職金を2回活用する方法

Question

死亡退職金には一定の非課税枠があると聞いていますが、自社株式対策として生前に退職してしまえばこの特典を使うことはできません。何かよい方法はないのでしょうか。

POINT

① 退職金を支給すれば、生前でも死亡時でも自社株式評価は下がる

② 相続税法では死亡退職金や弔慰金について一定の非課税枠がある

③ 退職金支給については無制限に損金に算入されるわけでない

Answer

1 退職金の支給が株価に与える影響

取引相場のない株式の評価をする際、純資産価額の計算上、負債として計上することができるのは「被相続人の死亡により、相続人その他の者に支給することが確定した退職手当金・功労金その他これらに準ずる給与の金額」とされています。

これに対して弔慰金は、死亡後支給が確定するものであるために負債計上が認められていません。よって、株式の評価のみを考えると弔慰金よりも退職金による支給方法が有利といえます。しかし、退職金支給により低下するのは純資産価額のみであり、相続時における類似業種比準価額は前期末を基準としていますので、影響を受けません。

2 相続税法上の非課税限度枠

会社が支給した退職金に対しては「みなし相続財産」となり、相続税の課税対象となります。しかし、この死亡退職金や弔慰金に関しては、次表の金額について非課税扱いとされています。

434

Ⅹ 事業承継の成功は M&A を含め総合的に判断

〈死亡退職金の非課税枠〉

　500万円×法定相続人数＝非課税金額

　・なお、生命保険金の非課税枠とは別枠で、双方併用できる。
　・法定相続人の数は相続の放棄がなかったものとして計算する。
　・養子がある場合には、実子がいる場合には１人、実子がいない場合には
　　２人までしか法定相続人の数に加えることはできない。

〈弔慰金の非課税枠〉

　・業務上の死亡の場合‥‥‥‥‥‥‥‥‥最終報酬月額の36か月分
　・業務上以外の死亡の場合‥‥‥‥‥‥‥最終報酬月額の６か月分

　オーナーが生前に退職してしまうと、死亡時に退職金の支給を受けることはできません。死亡退職金の非課税枠を確保するには、どうすればよいのでしょうか。オーナーが代表権のある会長や社長等の役員を退き、そこでいったん役員退職金の支給を受けた後も、承継者のアフターケアのためにも、非常勤として顧問や相談役等に就任するのです。ただし、役員報酬は従前の２分の１未満とし、経営に関与せず週に２〜３日のみ出勤し、後継者の育成や情報収集・業界活動・慶弔行事を担当します。

　このように、完全に会社の経営にタッチしない立場として、非常勤の形態で勤務し、相続時まで頑張ってもらえれば、相続税の非課税枠を活用した死亡役員退職金をもう一度支給することができるわけです。

3　法人税法上、損金に算入できる退職金

　ところが気をつけないといけないのは、法人税法上では、損金算入となる退職金部分と損金不算入となる退職金部分とがあることです。法人税法上は支払った退職金は原則として、損金算入されますが、役員に対して支給した退職給与の額のうち、不相当に高額な部分の金額は損金算入することはできません。よって、妥当とみなされる役員退職金を支給することが、法人税法上も取引相場のない株式の評価においても重要なポイントとなります。

　法人税法、所得税法、相続税法と非常に複雑な税務的見解がありますので、これらをよく理解し、上手に退職金の支給を受けたいものです。

435

141 従業員退職金としての債務を実現化する

Question

　将来のことを考えて、そろそろ息子に事業を承継しようと考えています。この機会に、将来債務である従業員の退職金についても対策をとっておきたいと思っています。効果的な方法はどのようにすればよいのでしょうか。

POINT

① 退職金は現実に支払わないと株式の評価減に効果がない
② 企業再編を利用して退職金を支給する
③ 「新報酬体系」を採用し、将来の退職金を発生させない

Answer

1　株式の評価では「将来債務」は考慮できない

　取引相場のない株式を評価する場合、類似業種比準方式では資産や負債について「含み損」も「将来の債務」も考慮することはありません。また、純資産価額方式の場合では、「含み損」は考慮しますが「将来の債務」は考慮することはできません。つまり、「将来の債務」は取引相場のない株式のいずれの評価においても、考慮されないのです。

　そのうえ退職給与引当金は法人税法上、損金に算入できないのです。したがって、退職金債務は会社にとって大きな「将来の債務」であるにもかかわらず、法人税法上も相続税法上の取引相場のない株式の評価においても何ら考慮されないのですから、退職金債務を『現実化』させることは、重要な事業承継対策となります。

2　企業再編を利用して退職金を支給する

　企業会計上引き当てなければならない退職金債務を法人税法上損金算入することができ、なお取引相場のない株式の相続税評価額の引下げに反映させる方法としては、現実に従業員に退職金を支払ってしまうやり方がべ

ストといえるでしょう。

　実際、上場企業で採用された退職金債務を実現化させた事例があります。例えば、企業再編をするに際して、新会社を設立した後、その新会社への営業譲渡の際、新会社で勤務する予定の従業員を旧会社においていったん全員解雇し、新会社で採用する方法などが挙げられます。

　この例では、旧会社を退職し新会社に移籍した従業員に旧会社から退職金を支給し（会社都合退職として割増支給することも考えられます。）、新会社では退職金制度のない新たな報酬体系を導入することで退職金債務が生じないようにする方法が採られました。

　この方法を中小企業に活用する方法として、非常に収益力のある部門を新設会社に営業譲渡するというやり方があります。この場合、新会社に移籍した社員への旧会社からの退職金の支給や高収益部門の譲渡により、旧会社の利益が大きく圧縮されます。さらに、資産が流出することにより内部留保も取り崩され、純資産価額が小さくなることにより、取引相場のない株式の相続税評価額が大きく下がります。

　そのうえ、新会社では退職金制度を廃止し、会社への貢献を毎年の報酬に反映させるという新たな報酬体系を導入することで、将来の退職金債務の負担がなくなることや、従業員への報酬額が上昇することによる毎年の利益圧縮効果で株価の上昇を抑える効果があるなど、事業承継対策として非常に有効な対策になると考えられます。

```
                ╭─────────────────╮
                │  3つの効果あり!!  │
    ╭───────────────────────────────────────────╮
    │ ★一時に大きな損金発生      ⇒  株価下落!!      │
    │ ★将来の退職金債務の不安なし!!                 │
    │ ★新報酬体系で毎期の利益圧縮  ⇒  株価上昇を遅らせる │
    ╰───────────────────────────────────────────╯
```

　従業員への退職金債務を消滅させる方法としては、外部にその財源を確保してもらうのもよいでしょう。例えば、中小企業退職金共済制度や確定拠出年金や確定給付企業年金などの公的な制度や新制度を活用することもできます。後継者にとって重荷になる従業員の退職金制度はぜひ解決しておきたいものです。

142 退職金や年金を上手に受け取る方法

Question

生前に社長を辞任し退職金を受け取るつもりですが、高額な退職金には高い所得税等がかかると聞いています。後継ぎに老後資金の心配もかけたくないのですが、税金対策も含めて何かよい方法はあるのでしょうか。

POINT

① 退職金を一時金で受け取ると退職所得として課税される
② 保険会社から直接保険や年金として受け取れるよう契約変更する
③ 会社から退職年金を受け取れば公的年金として優遇される

Answer

1 退職金を一時金で受け取る場合

自分が経営する会社から役員退職金規定により退職一時金を受け取った場合、経営者に支払った退職金のうち妥当と認められる金額は損金に算入することができます。よって、大きな特別損失が生じ、翌期には株式の評価額が大きく下がります。

一方、オーナー経営者にとっては退職所得となり所得税の課税対象になりますが、次のように一定の退職所得控除があるうえ、他の所得と分離して退職所得として課税されますので、もらう側にとっては税金負担の軽い

所得金額＝（収入金額−退職所得控除額）$\times \dfrac{1}{2}$※

退職所得控除額（勤続年数の1年未満の端数は1年とする）

・勤続年数20年以下…40万円×勤続年数

・勤続年数20年超……800万円＋（勤続年数−20年）×70万円

※ただし役員としての勤続年数が5年以下の役員退職金等は$\dfrac{1}{2}$課税とならない。

また、一般社員等としての勤続年数が5年以下の退職金等の300万円を超えた部分は$\dfrac{1}{2}$課税とならない

有利な受取方法となります。

2 退職後、保険会社から直接年金や保険として受け取る方法

オーナー経営者が退職金を一時金でなく、生命保険契約や年金で受け取りたい場合には、次の方法が考えられます。

経営者の退職時に会社が契約者である生命保険契約や年金契約の契約者を、会社から経営者に切り替えるという手法です。そうすれば、オーナー経営者は退職後年金を受け取ることができる、あるいは終身保険を家族に残すことができます。まさしく、ゆとりと安心の事業承継対策といえるでしょう。なお、会社の税務上の処理としては解約返戻金相当額を退職金として支給したことになります。

3 会社から退職一時金と退職年金を受け取れば有利に

中小企業の経営者は公的年金等を多額に受け取ることができない場合が多いので、所得税法の公的年金等控除の優遇措置を十分に活用できないケースもあります。そこで、自社を通じて次のような方法をとることにより、公的年金等として有利に退職年金を受け取ることができます。

例えば、会社が経営者を被保険者とする個人年金保険契約を締結します。経営者の退職時に年金が開始するよう設計しておきます。経営者の退職後、会社が保険会社から年金を受け取り、自社の年金規程に基づいて経営者個人に退職年金として支給するという方法です。

なお、この場合の経理処理は、法人においては受け取った年金は、その都度収入計上します。

一方、経営者個人は退職後の年金受取りについては会社から支給されたことになりますので、公的年金等として雑所得になり、公的年金等控除額を差引くことができます。

143 資産の含み損の実現による相続税と法人税のダブル効果

Question

過去に購入した上場株式や投資用不動産等については、今では多額の含み損を抱えています。これらの含み損を整理した方が事業承継対策上も法人税法上も有利なのでしょうか。それとも何の効果もないのでしょうか。

POINT

① 類似業種比準価額の「１株当たり純資産価額」を下げることになる

② 類似業種比準価額の「１株当たり利益金額」を下げることになる

③ 含み損は実現しなければ、法人税の節税効果はない

Answer

1 含み損は実現させてこそ、税法上は考慮される

上場株式や投資用不動産あるいは本業に必要な工場、本社ビル、製造設備、流通倉庫などを20年以上前に取得し、その後の経済状況や事業展開の中で不要になったにもかかわらず、会社が資産をそのまま所有しているケースがよく見受けられます。

これらを処分して含み損を実現することは、キャッシュフローの確保はもちろんのこと、譲渡損失は損金に算入できますので、法人税の節税効果とともに取引相場のない株式の評価額を大幅に引き下げることにつながります。

2 類似業種比準価額の「１株当たり純資産価額」の引下げ効果

取引相場のない株式の評価方法の１つである類似業種比準価額の計算要素のうち「１株当たり純資産価額」は、帳簿価額で計算されることになっています。含み損を抱えている上場株式や所有不動産は時価ではなく、高い帳簿価額で「１株当たり純資産価額」が計算されています。この高い帳簿価額の上場株式や所有不動産を売却すると、当然「１株当たり純資産価

440

額」は大幅に引き下げられることになります。この結果、比重割合は減少し、自社株式の評価は下がることになります。「1株当たり純資産価額」が帳簿価額で計算される点に、取引相場のない株式の評価額が高止まりしている理由があるのです。

3 類似業種比準価額の「1株当たり利益金額」の引下げ効果

類似業種比準価額の計算要素である当期の「1株当たり利益金額」は課税上の数値ですので、含み損のある上場株式や所有不動産を売却すると、譲渡損失の分だけ利益金額が減少することになります。「1株当たり利益金額」が減少すると類似業種比準価額の計算上、3分の1を占める比準割合が減少し、取引相場のない株式の評価額が下がることになります。

例えば、Q42で示したケースで含み損を実現させた場合には株式の評価額は次の計算のようになり大幅に下落しました。

類似業種比準価額の計算ロジックから、含み損を顕在化させるだけで大幅に評価額が下がることになるわけです。

〈Q42のケースで含み損を実現させた場合〉

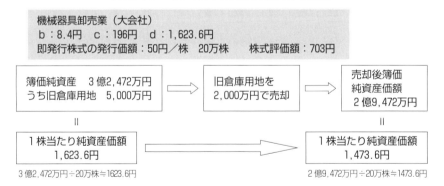

144 遺言と贈与で「争族」を防ぐ

Question

相続が発生した場合、その財産分割でもめた場合、事業承継がうまくいかなくなると思っています。事前に遺言書を作成したり贈与で財産を渡して、後顧の憂いをなくしておきたいのですが、どうすればよいのでしょうか。

POINT

① 争族を防ぐには、贈与だけでなく遺言書の作成も必要

② 遺留分の計算をするには、相続財産も生前贈与財産も含まれる

③ 贈与につき精算課税を選択した場合、納税資金も考えておく

Answer

1 贈与と遺言書の作成で相続争いを防ぐ

生前に贈与で財産の承継者に対して財産を移転してしまえば、相続が発生したときに「誰がどの財産を相続したい」といったことでもめることはなくなります。その意味で、贈与で生前に財産取得者を特定することは争族対策になります。しかし、すべての財産について生前贈与するわけにはいきません。

そこで重要になるのが、死亡後にも効果のある遺言書の作成です。遺言書は親から子たちへの最後の手紙です。生前贈与で早く渡せるものを渡し、遺言書で最後に遺すものを決めれば、生前に喜んでもらえたうえに、相続争いを前もって防ぐことができるでしょう。

しかし、それぞれの相続人は、遺言書で定められた自ら相続する財産が民法に定める遺留分に満たなければ、他の相続人に対して「遺留分の侵害額請求」をすることによって、自らの相続分を守ることができます。兄弟姉妹以外の相続人は、遺留分権利者として自分の相続分の2分の1相当（直系尊属のみが相続人であるときは3分の1相当）の遺留分があります。遺留分を侵していても、他の相続人が異議を申し立てなければ問題はありません。

X 事業承継の成功はM&Aを含め総合的に判断

　遺留分を計算する場合、相続開始時点だけではなく、過去に被相続人から受けた特別受益額（相続法改正により遺留分を侵害する意図がなければ10年間）を加算して財産の総額を算出し、これに遺留分の割合をかけて遺留分に相当する財産の額を確定し、その人がすでに受けた特別受益額や遺贈財産を差し引いて遺留分の侵害請求額を算出します（Q70参照）。

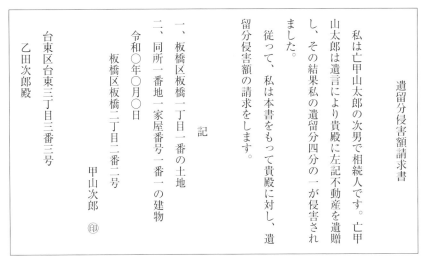

2　相続税の納税資金の手当ても必要

　後継者が高額の非上場株式等の贈与を受けた場合、特例納税猶予制度を選択することもできます。その他の財産や後継者以外の人が高額の贈与を受けた場合には、相続時精算課税制度の適用も一つの方法です。

　相続時精算課税を適用した財産については、相続のときに相続財産に加算されて、相続時にその受贈財産にかかる相続税の負担が発生することがあります。相続時は何ももらっていないので、生前贈与財産を全部使ってしまった場合、納税資金がなく困るといったことも起こり得ます。延納や物納を選択していないにもかかわらず、当人が相続税を支払えない場合、原則として他の相続人がその人の相続税まで払わなければなりません。ただし、その人が延納を選べば連帯納付義務は生じませんので、ご安心ください。相続時精算課税を選択した相続人が納税に困ることのないように、資金手当てをさせておくと安心できるでしょう。

145 会社とオーナーの貸し借りは きっちりとする

Question

30年前に個人事業から法人成りして会社経営をしてきましたが、その間の経理を厳格にしてこなかったため、いつの間にか妻からの会社への貸付金や私の会社からの借入金があります。どうすればいいでしょうか。

POINT

① 個人と会社は別のもの、きちんと区分し、経理する
② 貸付、借入には金銭消費貸借契約書と取締役会等の承認が必要
③ 役員借入金は相続財産となり、他の相続人との間でもめることも

Answer

1 個人と会社で金銭の貸借ができる理由

個人事業を法人成りした場合に、個人と会社の間で金銭の貸し借りが発生する理由には次のようなものがあります。

(1) 役員への会社からの貸付金（会社側は役員貸付金）

① 個人事業から法人成りする際に、個人が金融機関からの事業借入金が残っていて、これを会社に引き継ぐ際に売掛金や棚卸資産などの資産より事業借入金残高が多かったために、会社から個人に対する貸付金として処理された。

② 事業継続中に役員が会社から個人的支出を多額に行って、これが貸付金として残ってしまった。

③ 会社が利用する不動産取得の際に個人名義で取得するため、取得資金を会社が個人に対して貸し付けた。

(2) 役員から会社への貸付金（会社側は役員借入金）

① 会社の節税対策上、役員報酬を限度額一杯設定していたが、会社の資金に不足が生ずるため、会社が役員に対して未払金として支払っていな

444

いケース。会社側の利益は順調に増加しているが、成長が著しいために先行投資のための資金が不足しがちな場合に多い。

② 役員が資産家で所有不動産を譲渡して資金を潤沢に手にしたようなときに、事業資金を会社に対して融通したような場合。

2 会社とオーナーとの間の金銭貸借は契約をきっちりと

同族会社の場合、資金繰り上、上記のような理由で役員に対する貸付金や役員からの借入金を帳簿上に計上している例がよく見受けられます。このこと自体は特に問題になるようなことはありませんが、きちんと金銭消費貸借契約書を交わしていない例がよく見受けられます。

金銭の貸し借りを第三者間でする場合には、借用証書や金銭消費貸借契約書などを必ず書面にして残しているはずです。たとえ同族会社といえども会社とオーナー個人とは別人格ですから、当然に金銭消費貸借契約書を交わして、その返済期限、返済方法、利息等を明確にしておき、きちんと収入印紙を貼っておく必要があります。

これらを明確にしておかないと、役員への賞与や会社への寄附とみなされたり、借入金が債務と認められず、思わぬ課税がされることもあります。

次の3つがポイントです。

1	金銭消費貸借契約書を作成して、貸付期間、通常の銀行借入利息と同じくらいの金利、返済方法を定めておくこと
2	借り入れた側の収入からみて返済できる返済条件（返済額・返済期限）を定めておくこと
3	契約で定めた条件どおりの返済の事実を裏づける証拠を残しておくこと

また、役員と会社間の金銭貸借については利益相反取引となり、株主総会や取締役会の決議が必要となりますので、株主総会や取締役会を開いて金銭貸借契約の承認決議を行い、それを証するための議事録を作成しておかなければ、他の相続人が認めてくれないこともおこりえます。

〈取締役会設置会社の場合〉

取締役会議事録

令和　年　月　日当会社本店において取締役会を開催した。

　　　　　　出席取締役　　名（全取締役数　　名）

代表取締役社長　　は議長席につき、開会を宣して議事に入った。

議案　　取締役の自己取引承認の件

議長は、当会社取締役　　に対し、金銭の貸付けをする件につき承認を求め

たき旨提案し、下記事項を詳細に説明したところ、全員これを了承した。

　なお、取締役　　は、特別利害関係人に当たるので、決議に参加しなかった。

記

1．貸付先

2．貸付金額

3．貸付期間

4．貸付利率

　上記の決議を明確にするため、出席取締役全員が記名捺印する。

　　　　　　令和　年　月　日

　　　　　　　　　　　　株式会社

　　　　　　　議長　代表取締役

　　　　　　　　　　　取締役

　　　　　　　　　　　取締役

3　場合によっては背任として会社法違反を問われることも

　このように金銭貸借の事実を書面にせず、帳簿による金銭の流れも明確にできないような場合には、万一会社が倒産したような場合には、代表者であっても背任による会社法違反を問われたり、株主代表訴訟を起こされたりする可能性があります。

　役員貸付金が帳簿上残っていた場合には、株主や債権者からその返済を求められますし、役員借入金が帳簿上残っている場合には、その事実があるのかどうかの事実認定が問題となります。金銭の流れを帳簿や預金通帳などで明確にしておくとともに、金銭消費貸借契約書の作成をしておくことが望ましいでしょう。そして、できれば、公正役場における確定日付に

よる存在の立証を残しておきたいものです。

4　利息の取り決め

　役員に対する貸付金や役員からの借入金をする際に、適正な金利を約定することは当然です。もし、その金利の支払いをしなければ、貸付金と借入金とは次のように税務上の取扱いが異なります。

⑴　役員への貸付金

　役員から金利を受け取る必要がありますが、これを受け取らなかった場合には、金利相当額の経済的利益を役員に対して与えたことになります。会社側は、金利を受け取っていなくても受け取ったこととして収益計上しなければなりません。会社に対して利息相当額の経済的利益を与えたとして、認定課税が行われることもあります。

⑵　役員からの借入金

　役員に金利を払う必要がありますが、これを支払わなかった場合には、会社側は役員から利益の供与を受けたことになります。しかし一方で、その分は支払利息となりますので、結果的に認定課税されない場合が多いといえます。しかし、裁判で役員が利息の支払を受けたものとみなされ、多額の所得税が追徴された事例もありますので、ご注意ください。

5　役員借入金の整理

　役員借入金は正規の相続財産です。他の相続人がその法定相続分を要求し、取得したような場合に、きっちりとした金銭消費貸借契約をしていないと、すぐさま返済を求められて事業継続が困難となることも考えられます。相続があったとしても、会社がきっちりと返済できるような形で借り入れをしておく必要があります。

　また、この役員からの多額の借入金については、役員に相続が発生した際には相続財産として課税され、相続税対策上も不利になります。相続争いを避け、事業を順調に承継させるためにも、少しでも早めにQ64で述べた方法で対策をするようにしましょう。

146 会社とオーナーの不動産の賃貸関係は要注意

Question

　このたび個人所有地を会社に貸して、会社が本社ビルを建てようと考えています。事業承継をスムーズに行うためには、地代や権利金、そして契約形態をどうすればよいでしょうか。

POINT

① 通常の借地契約か定期借地契約かよく検討し、確実に締結する

② 借地権の無償返還か定期借地権契約か、賢く選択する

③ 通常地代方式か相当地代方式かよく検討し、慎重に判断する

Answer

1　会社とオーナーの不動産賃貸もきちんと契約すること

　同族会社とオーナー間で、事業承継対策もかねて土地や建物の賃貸借をするケースがよく見受けられます。その際、個人と同族会社は一体のようなものという感覚で個人所有の土地を会社に賃貸すると、税務上大きな問題になりかねません。どのような契約で行うのかを決定したうえで、地代や権利金、保証金などを適正に決め、契約書を確実に作成しておくことが重要です。

2　通常の借地契約か？　定期借地契約か？

　土地の賃貸借については「定期借地契約」という契約があります。定期借地契約には図のような3つの種類がありますが、契約期限が来ると土地は無償で返還または建物を買い取って契約を終了することとされています。従来の借地契約の場合には、権利金の授受をする方法か、それに代えて相当の地代を設定する方法かのいずれかにより、土地の賃貸借契約が結ばれていました。定期借地契約は、契約期限が来れば、土地は無償で返還することを法律に基づいて約定しますので、世間相場の通常の地代や保証

金の設定をすればよく、税法上で定められた高額の権利金の授受や相当の地代の設定をする必要がありません。

このどちらを選択するかが、まず重要です。

〈3つの定期借地権〉

項目＼種類	一般定期借地権	建物譲渡特約付借地権	事業用借地権
存続期間	50年以上	30年以上	10年以上50年未満
目的	制限なし	制限なし	事業用のみ
契約方式	公正証書、電磁的記録等	定めなし	公正証書
契約の更新	排除特約可	拘束されない	規定の適用なし
特約	・建物の築造による存続期間の延長の排除可 ・建物買取請求権の排除可	30年経過後建物を売却する旨を定めることができる	左のいずれも適用なし
返還	更地で返還が原則	建物を地主に譲渡	更地で返還
考えられる用途	住宅地・堅固な建物の商業施設	商業地 住宅地	ロードサイド店舗や商業施設等

3 借地権の認定課税を受けることのないよう注意する

通常の借地契約において、オーナーの所有地を同族会社に賃貸する場合には、「無償返還届出書」を提出するか、「相当の地代」の授受をするか、高額の権利金の授受をしなければ、法人税法上は会社に借地権の認定課税が行われることとされています。借地権の認定課税を受けるようなことがないように契約条件と課税当局への届出を検討しましょう。

4 適正地代や適正家賃

通常の借地契約であれ、定期借地契約であれ、適正な地代の授受がなければ会社に対して地代の認定課税が行われるおそれがあります。税務上問題のない適正な地代を取り決めましょう。

建物賃貸借についても同様です。オーナーが建物を取得してこれを同族会社に賃貸するケースもよくありますが、この場合も適正な家賃や敷金ないしは権利金を取り決め、その授受をする必要があります。

5　契約や取締役会議事録、登記関係はきちんとする

オーナー所有の土地や建物を同族会社に賃貸する場合には、以上のような注意点を十分考慮したうえで、土地や建物の賃貸借契約書を作成しておかなければなりません。なお、利益相反取引となるため、その内容と契約に際して取締役会や株主総会の決議を経て、議事録を作成しておく必要があります。

6　賃貸契約の種類によって、相続税評価額が変わる

会社との賃貸契約が普通借地なのか定期借地なのかによって、オーナーの所有不動産の評価も、また、賃貸している会社の取引相場のない株式の評価額も大きく異なります。自社株式の対策の基本は、オーナーと会社との不動産の賃貸関係を、法的にも税務的にも、きっちりしておくことです。

〈定期借地権のポイント〉

(1)　定期借地権を設定した土地は、一定割合の評価減がなされる

① 一般定期借地権底地の評価

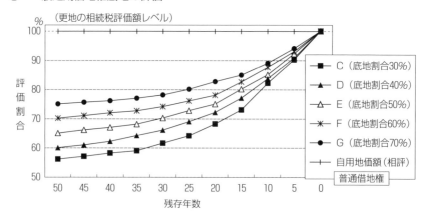

Ⅹ 事業承継の成功は M&A を含め総合的に判断

② 同族関係者等が定期借地人となった場合の評価

　一般定期借地権の目的となっている宅地であっても、その定期借地権が「課税上弊害がない」と認められない場合には、当該一般定期借地権の目的となっている宅地（底地）の価額については、①の取扱いの適用はなく、次の③により評価することとなります。

　「課税上弊害がない」場合の判断基準は、次の実質基準及び形式基準の両基準を充足する必要があります。

　　［ⅰ　実質基準］

　　　㋑一般定期借地権の設定等の行為が専ら税負担回避を目的としたものでない場合

　　　㋺この通達の定めによって評価することが著しく不適当と認められることのない場合

　　［ⅱ　形式基準］

　　　一般定期借地権の借地権者が同族関係者等に該当しない場合

③ 建物譲渡特約付借地権や事業用借地権等の評価

残存期間	更地評価額に対する減額割合
5 年以下	5 %
5 年超　10年以下	10%
10年超　15年以下	15%
15年超	20%

(2) 預かり保証金について相続税法上の債務控除

注意…「現在価値」相当部分のみ債務控除

　　　「現在価値」相当部分＝預かり保証金×基準年利率の複利現価率※

※基準年利率が年0.25%の複利現価率表（令和 3 年12月）

残存年数	複利現価率	残存年数	複利現価率
50	0.883	25	0.939
45	0.894	20	0.951
40	0.905	15	0.963
35	0.916	10	0.975
30	0.928	7	0.983

147 賢い交換により土地の評価は大きく下がる

Question

オーナー所有の土地の上に、以前から同族会社が自社ビルを建てて事業をしています。借地権は同族会社にあるため、相続税対策にはなっているそうですが、さらにもっと大きな効果のある方法はないのでしょうか。

POINT

① 小規模宅地等の特例は特定同族会社事業用宅地等が有利

② 小規模宅地等の特例を有利に活用するため底地と借地権を交換

③ 交換の価値・建物の売買や手続費用等留意すべき点は多数ある

Answer

1 特定同族会社事業用宅地等については400m²まで80%減額

自分たちがオーナーである会社が商売をしている店舗や工場について、相続税の申告期限まで、特定の同族会社の事業の用に供されていた場合、400m²の土地について80%の評価減ができます（Q15参照）。特定同族会社とは、被相続人及びその同族関係者で総議決権数の50%超を有する会社をいいます。また、特定同族会社の役員が取得した宅地等のみが対象となります。

2 小規模宅地等の特例を有利に活用するため交換する

同族会社が、オーナーの土地を賃借して自社ビルを建てている場合で、すでに同族会社が借地権を所有していると認められる場合には、借地権と底地権を交換するのもよいでしょう。交換することにより、オーナーの底地権が100%自用地としての価額に跳ね上がることになるからです。

小規模宅地等の特例は限度面積が決まっていますので、土地の単価が高ければ高いほど大きく評価減できるため、交換により坪単価が上がれば、評価減額が大きくなります。なお、建物が賃貸されている場合には、貸家

452

建付地の評価となります。

3 事例による大きな効果

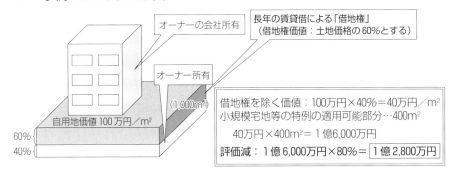

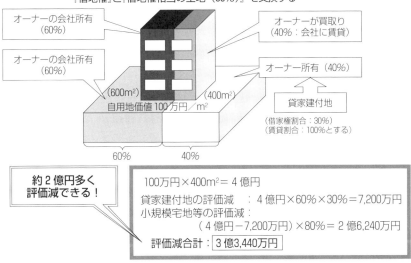

4 交換にあたっての留意点

　交換にあたっては借地権や建物の評価などを考慮する必要があることや、その後の賃貸契約をどうするかなど、実行するときには注意すべき点が多くありますので、専門家と十分相談してください。

　また、不動産を交換すると登記の際に登録免許税と司法書士費用、その後に納税通知の来る不動産取得税などの多額の費用がかかることに留意する必要があります。

148 M&A を活用した事業承継

Question

親族にも親族外の役員や従業員にも後継者が見当たらず、従業員の雇用や取引先との関係の継続を要件に M&A を選択しようと思うのですが、どのような方法なのでしょうか。

POINT

① 後継者が見当たらない場合 M&A という方法での事業承継もある
② 従業員の雇用確保や取引先との事業継続を契約条項に入れる
③ 保証債務が無くなり株式対価や退職金の取得をできる場合もある

Answer

1 事業承継のために M&A を活用することもある

事業承継にあたっては、今まで説明してきましたように親族承継、従業員承継、第三者承継などがあります。現経営者にとっては親族承継が望ましいのですが、この少子化の時代においてはなかなか親族に後継者候補が見当たらない現実があります。次に、自社の役員や従業員に承継してもらえれば安心できるのですが、株式の買取資金を用意出来ないことやリーダーシップに欠けること、責任を負う覚悟がない等の難点があります。後継者不在の結果、最終手段として、従業員や取引先を保全してもらえることを要件に株式を買い取って経営してもらうという方法が M&A です。

M&A（エムアンドエー）とは Merger And Acquisition（合併と買収）の略で、直訳すると「企業の合併と買収」となります。一般的に M&A という場合、会社もしくは経営権の取得を意味し、主な手法としては株式譲渡、事業譲渡、合併、会社分割等があります。企業の株式や、事業を他社へ譲渡することで、売り手のみならず買い手も様々なメリットが得られるため、近年は中小企業間での M&A 件数も増加し続けています。

454

2 雇用確保、取引先保全、債務保証解消のための手法

M&A契約にきちんと条項を入れることにより、経営者にとって果たすべき役割である従業員の雇用を守ることができます。特に中小企業の従業員は再就職先も少なく、廃業後に新たな職場を見つけることも難しいケースが多くあるため、M&Aにより経営者の引退後も将来にわたって事業が継続されるならば、従業員や家族も安心して生活することができます。また、会社がお客様や取引先、販売先と深い関係性を作っている場合もあり、取引先を守る条項もきちんと契約に内在しておけば、今までお世話になってきた人たちを守ることに繋がります。

経営者がM&Aや事業承継に踏み切れない要因として、経営者自身が会社の債務の連帯保証人となっている場合があります。しかし、M&Aによる事業承継では、買い手が債務の肩代わりをすることで個人保証を外す例もあり、また、再生型のM&Aであれば、会社と併せ、経営者の保証債務についてもきちんと整理を行うことができます。さらに、M&Aによる事業承継の場合には、「法人と経営者との関係の明確な区分・分離」「財務基盤の強化」「財務状況の正確な把握、情報開示等による経営の透明性確保」など一定の要件を満たすことにより、借入について一括返済も整理も行わずに、経営者の個人保証のみ解除できる場合があります。

3 M&Aのメリット

M&Aというと、経営不振に陥った会社が行うものというイメージもありますが、そうとは限らず、成長している事業を資金化するために行われる場合もあります。事業転換や主力事業に注力する目的で、利益が出ているうちに高く売るためにその部門を売却する事例も見受けられます。

費用面でも廃業にかかるお金を削減することができ、株式の売却代金のほか、その功労に応じて（実質的な）売却対価の一部を退職金のかたちで受領することも認められています。M&Aの成功により自社株式を第三者へ売却（バイアウト）することができれば、その資金を元にやりたい事業に注力する、もしくはハッピーリタイアするなど様々なメリットを享受することもできるのです。

149 M&Aにおける売却価格を算定するためのポイント

Question

わが社の事業承継対策の一つとして、M&Aを考えています。M&Aは買い手と売り手の合意次第ということはわかっていますが、資金繰り等を考えて、基本的な売却価格を知りたいと思っています。一般的にはどのように算定するのでしょうか。

POINT

① M&A価格は「時価純資産＋営業権」を基本に双方で話し合う
② 時価純資産は中小企業会計要領を基本に時価に置き換える
③ 営業権は減価償却前利益を基準に○年分と見積もる
④ 金額よりも会社を継続させることのできる買い手を見つける

Answer

1 M&Aにおける売却希望価格を算定するための手法

事業承継の一つとしてM&Aを考える場合、自社の企業評価を考えなければなりません。相続や贈与、同族会社との売買の場合には、相続税評価額や法人税法上・所得税法上の価額が基準となりますが、第三者との売買においては時価が基準となります。時価の算定方法の手法はいろいろなものがありますが、実務的には被買収会社の株価＝時価純資産＋営業権を基本として話し合いで決めるのが通常です。

2 時価純資産算出の注意点

時価純資産とは貸借対照表の総資産を簿価から時価に引き直し、負債を控除したものです。きちんとした時価純資産を算出するためには、「中小企業の会計に関する基本要領」に基づいた会計処理がなされているかどうかが重要です。さらに、各種引当金が計上されているかどうか、簿外債務や引当不足等はないか等が徹底的な調査（デューデリジェンス）の対象と

なります。一般的にはここまできちんとされている会社は多くありませんので、まず、これらの整備を行ったうえでの貸借対照表が必要となり、さらに、時価算定のため時価貸借対照表を作成しなければなりません。そのためには、土地及び建物等の鑑定や海外財産の取引価格も必要となります。また、保険契約や金融商品等についても解約返戻金等による時価算定をし、その含み益やそれに係る法人税等も考慮しなければなりません。

役員や従業員の退職金が積立ててあるかどうかも重要なポイントになります。積み立てがない場合には、株式評価額から差し引かれることとなり、M&Aが成立しない状態になることも多々あります。

3　営業権算出の注意点

営業権もいろいろな算定方法がありますが、多くの場合は年間のキャッシュフローの創出力であるEBITDA（Earnings Before Interest Taxes, Depreciation, and Amortization：減価償却費控除前利益）基準にその何年分として見積もります。一般的には、ロー・テクノロジー会社（不動産管理業や基幹製造業等）ほど高く見積り、ハイ・テクノロジー会社（IT産業等）ほど低く見積ります。これは、一般的にローテク企業の方がハイテク企業よりも、M&Aによる変化に対して強い耐久力があるからです。何年分とみるのかは業種、条件によりさまざまですが、買い手と売り手がどう合意するかが一番のポイントです。

4　株式評価の算定に当たっての注意点

時価による貸借対照表を使って計算してみると、実際には時価純資産がマイナスの会社や、EBITDAがマイナスである会社もあります。ただ、M&Aで使う売買価格は上記2、3を参考として売り手、買い手が話し合いで決めるものですから、参考程度と思っておけばよいでしょう。

事業承継のためにM&Aを行うならば、あまり高い価格を期待してもまとまらないでしょう。むしろ、安心でき信頼できる買収会社と協力し、創業者として会社を後世に残すことに力点をおく事が大切でしょう。

150 被買収企業と売却株主の税務が M&A の重要点

Question

M&A においては、買い手にとっても売り手にとってもどちらにもメリットがあることが重要ですが、それが税務に基づいていることが多いと聞いています。M&A の税務上のポイントとはどのようなことでしょうか。

POINT

① **M&A による事業承継のポイントは売り手への資金の支払方法が重要**

② **退職金は受取人にも買収会社にも税務上のメリットがある**

③ **株式の買い集め、株券不発行会社への変更、税務への考慮等が大切**

Answer

1 M&A 交渉で決定した金額の取扱い

現経営者が一番望む従業員の雇用や協力業者との関係の継続については、技術力の継承や部品仕入れ先・製品売り先の確保のために必要不可欠であることを相手方に強調することが大切です。財務や法務のデューデリジェンスにおいて、時価純資産や EBITDA（Q149参照）、各種契約について双方が納得できるように事前にきちんと整備しておくことが必要です。

これらの結果、買収会社が事業上のシナジー効果が高いとして、M&A の交渉が合意に至った場合において、次に重要なことは合意に至った金額がどのように支払われるかということです。金額の支払われ方によって、会社や株主の負担税額が大きく異なるため、これが M&A による事業承継の成功を大きく左右します。

2 被買収会社側と売却側の双方の税務

M&A の合意に至った被買収会社が中小企業である場合、代表者と株主が同一であるケースが多くあります。この場合、現代表者に退職金を支給

する方法は双方にとって大きなメリットがあります。

　例えば、M&Aの合意に至った金額が2億9,000万円だったとします。この対価のうち創業代表者に対する退職金を被買収会社の役員退職慰労金規程に基づき9,000万円と算定した場合、2億9,000万円から退職金9,000万円を控除した2億円が株式の譲渡代金となります。

　退職金で受け取る場合には、「800万円＋70万円×（勤続年数－20年）」の算式で計算する退職所得控除額があり、さらに2分の1をした上で分離課税しますので、非常に有利といえます。また、支払った会社においてはその退職金が相当な金額であれば全額損金算入できます。

　このケースでは、創業代表者の税負担は、退職金9,000万円（勤続年数40年）に対し所得税・住民税が約1,100万円（実効税率12.2%）となり、株式譲渡代価2億円（取得価額2,000万円）に対し所得税・住民税が約3,657万円（20.315%）となります。一方で、役員退職慰労金9,000万円については、被買収会社においては損金算入されます。新株主である買収会社の株式取得金代金については損金に算入できませんが、退職金支払に変えることにより新子会社において税金上のメリットを享受することができます。

3　M&Aにおけるポイント

　自社がM&Aの対象になるとは思ってもいない中小企業が、事業承継せずそのまま廃業してしまうケースもよくあります。同族関係者や会社内の人材において事業承継の可能性がない場合には、M&Aの可能性を探って事業承継を検討するとよいでしょう。

　M&Aにあたっては株式が分散している場合には事前に株式の集約化もしくは売却意思の統一が必要です。よって、少数株主に関してはできる限り事前に買い集めを行い集約化することが重要です。また、株券発行会社の場合、M&Aにおいては非常に手間がかかるため株券不発行会社への変更が求められますので、事前に株券不発行会社にしておくとよいでしょう。

　M&Aにおいては売却金額に目が向きがちですが、買収会社及び被買収会社、株主のいずれの税務にも目を向けて税効率を高めておくことが、M&Aによる事業承継に成功する重要なポイントといえるでしょう。

459

著者プロフィール

代表社員
税理士　坪多晶子(つぼたあきこ)

《略歴》
京都市出身。大阪府立茨木高校卒業。神戸商科大学卒業。1990年坪多税理士事務所設立。
1990年　有限会社　トータルマネジメントブレーン設立、代表取締役に就任。
2012年　税理士法人　トータルマネジメントブレーン設立。代表社員に就任。
上場会社の非常勤監査役やNPO法人の理事及び監事等を歴任、現在TKC全国会中央研修所副所長、TKC全国会資産対策研究会副代表幹事。上場会社や中小企業の資本政策、資産家や企業オーナーの資産承継や事業承継、さらに税務や相続対策などのコンサルティングには、顧客の満足度が高いと定評がある。また、全国で講演活動を行っており、各種税務に関する書籍も多数執筆。

《著書》
『もめない相続　困らない相続税―事例で学ぶ幸せへのパスポート―』（清文社）
『資産家のための　かしこい遺言書―幸せを呼ぶ20の法則―』（清文社）
『これで解決！困った老朽貸家・貸地問題』（清文社）
『なるほど！そうだったんだ！図解でわかる不動産オーナーの相続対策』（清文社）共著
『Q&A115　新時代の生前贈与と税務』（ぎょうせい）
『事例でわかる生前贈与活用の税務と法務』（日本加除出版）
『すぐわかる　よくわかる　税制改正のポイント』（TKC出版）
『相続税を考慮した遺言書作成マニュアル　弁護士×税理士がアドバイス！』（日本法令）
『資産家のための　民法大改正　徹底活用―相続法・債権法&税金―』（清文社）共著
『改正相続法完全対応　弁護士×税理士と学ぶ"争族"にならないための法務&税務』
　　　　　　　　　　　　　　　　　　　　　　　　　　　　　　　　（ぎょうせい）

他多数

《主宰会社》
税理士法人　トータルマネジメントブレーン
有限会社　トータルマネジメントブレーン
　　　　〒530-0045　大阪市北区天神西町5-17　アクティ南森町6階
　　　　TEL　06-6361-8301　　FAX　06-6361-8302
メールアドレス　tmb@tkcnf.or.jp
ホームページ　　https://www.tsubota-tmb.co.jp

令和4年改訂 成功する事業承継Q&A150

遺言書・遺留分の民法改正から自社株対策、法人・個人の納税猶予まで徹底解説

2022年9月15日　発行

著　者　　坪多　晶子 ©

発行者　　小泉　定裕

発行所　　株式会社 清文社

東京都文京区小石川1丁目3-25　（小石川大国ビル）
〒112-0002　電話 03（4332）1375　FAX 03（4332）1376
大阪市北区天神橋2丁目北2-6　（大和南森町ビル）
〒530-0041　電話 06（6135）4050　FAX 06（6135）4059
URL https://www.skattsei.co.jp/

印刷：亜細亜印刷㈱

■著作権法により無断複写複製は禁止されています。落丁本・乱丁本はお取り替えします。

■本書の内容に関するお問い合わせは編集部までFAX（06-6135-4056）またはedit-w@skattsei.co.jp でお願いします。

■本書の追録情報等は、当社ホームページ（https://www.skattsei.co.jp）をご覧ください。

ISBN978-4-433-72372-9